MAREK HALTER

Marek Halter est né en 1936 à Varsovie, en Pologne, d'une mère poétesse yiddish et d'un père imprimeur. Sa famille fuit le ghetto de Varsovie en 1940, pour chercher refuge à Moscou, puis en Ouzbékistan. En 1946, il retourne en Pologne avec ses parents et, quatre ans plus tard, la famille obtient un visa et arrive à Paris. À 17 ans, Marek Halter est admis à l'École nationale supérieure des beaux-arts, et reçoit l'année suivante le prix international de peinture de Deauville. En 1967, il fonde et préside le Comité pour la paix négociée au Proche-Orient.

Il publie son troisième livre, *Le fou et les rois* (prix Aujourd'hui 1976), après deux albums de dessins (*Mai 68* et *Le quotidien*). En 1983, *La mémoire d'Abraham* (prix du Livre Inter), dont la suite, *Les fils d'Abraham*, paraît en 1989, connaît un succès mondial. Il est également l'auteur d'une douzaine de romans, de récits et d'essais, et réalise depuis 1968 des documentaires et des films, dont *Tzedek, les Justes*. Son dernier livre, *Sarah raconte Abraham*, vient de paraître chez Laffont.

Marek Halter collabore à de nombreux journaux dans le monde et milite sans relâche pour les droits de l'homme, la mémoire et la paix.

LE VENT DES KHAZARS

DU MÊME AUTEUR
CHEZ POCKET

MAREK HALTER

LE VENT
DES KHAZARS

ROBERT LAFFONT

© Éditions Robert Laffont, S.A., Paris, 2001
ISBN 2-266-12225-8

LE ROYAUME KHAZAR

Interroge ceux des générations passées,
sois attentif à l'expérience de leurs pères.
Car nous sommes d'hier, et nous ne savons rien,
nos jours sur terre ne sont qu'une ombre.

Job, VIII, 8-9

1

Sarkel

939

Attex enfonça son pied droit dans la glaise. Elle l'en retira d'un coup, laissant une empreinte parfaite. Il suffit de quelques secondes pour que la marque s'emplisse d'eau et disparaisse.

Fronçant les sourcils, Attex leva plus haut le pied et l'enfonça avec plus de force dans la terre molle. L'empreinte était plus belle, plus profonde. Mais l'eau s'y engouffra encore plus vite et l'effaça.

Soudain, ces poches d'eau furent striées par la brise. Attex releva les yeux sur le fleuve. Au-delà de la baie entourée de buissons d'églantiers où elle se trouvait, des rires éclatèrent. Sur la berge, les servantes lavaient de la laine dans de grands baquets de bois. La plus âgée retroussa les pans de sa tunique et les glissa dans sa ceinture, découvrant ses cuisses charnues. Elle entra dans l'eau et tendit la main en direction de la fillette :

– Princesse Attex ! Si tu t'aventures trop loin dans le fleuve, il va t'emporter !

– Si le fleuve m'emporte, répliqua Attex en se moquant, mon père te coupera la tête.

– Exactement, fit la servante. Et je n'y tiens pas. Elle est très bien là où elle est, ma tête...

Attex entendit un cri : dans le verger de cerisiers bordant le fleuve et remontant vers la colline, son frère Joseph s'entraînait à combattre avec le plus grand des guerriers khazars, le valeureux Borouh. Comme il n'avait que treize ans, son cheval était plus petit que celui de Borouh et son épée plus courte. Cependant Attex était fière de voir comme il était adroit en selle, galopant entre les arbres avec autant d'agilité que le guerrier.

– Attiana, demanda-t-elle en glissant ses doigts dans la grande main de la servante, pourquoi je ne peux pas aller à la synagogue avec Joseph demain ?

Attiana soupira en secouant la tête.

– Je te l'ai déjà dit, princesse. Demain c'est la bar-mitsva de ton frère. Le prince Joseph va devenir un homme. Seuls les hommes ont le droit d'entrer dans la synagogue ce jour-là. Pas les petites filles...

– C'est pas juste.

Attiana sourit.

– C'est comme ça. Tu es princesse et je suis servante. Tu es belle et je suis déjà une vieille sans dents. C'est ainsi que vont les choses, justes ou pas.

Attex considéra la face large et tendre d'Attiana. Elle n'était pas si vieille que ça et il ne lui manquait que deux dents. De grandes boucles d'or pendaient à ses oreilles, ses yeux pétillaient de malice. Elle avait une bouche faite pour manger des gâteaux et donner des baisers.

– C'est vrai que tu n'es pas belle, mentit-elle pour la mettre en colère. Moi, quand je serai grande, je serai encore plus belle. La plus belle !

Attiana ne se fâcha pas. Pleine de douceur, elle glissa ses doigts dans les boucles rousses d'Attex.

– Oui, j'en suis sûre.

Déçue, Attex repoussa sa main et fit gicler l'eau sous ses pieds en courant vers la berge, sautant comme un cabri.

– Je suis princesse, je suis la plus belle et je m'ennuie ! cria-t-elle. Je veux avoir treize ans comme mon frère et aller à la synagogue !

Les servantes et Attiana éclatèrent de rire.

Attex rit aussi. Ce n'était pas vrai qu'elle s'ennuyait, elle ne s'ennuyait jamais. Mais elle aurait vraiment voulu voir ce qui allait arriver à Joseph demain dans la synagogue !

Elle alla s'asseoir sur la berge pour se sécher au soleil. Derrière la crête de la colline, on apercevait les hautes tours de la forteresse de Sarkel-la-Blanche et, un peu plus sur le côté, une longue caravane de chameaux s'approchant de la ville.

C'est en ramenant son regard sur le fleuve qu'elle découvrit d'étranges paquets de broussailles et de branches. Venant de l'amont, ils descendaient doucement le courant. Les branches n'étaient pas mortes. Au contraire, elles portaient encore tout leur feuillage, comme si elles venaient d'être coupées.

Ces paquets de verdure flottante n'allaient pas dans le gros du courant mais suivaient avec soin les méandres de la berge.

Attex se mit debout pour mieux voir. Il y en avait une quinzaine. Dans l'un des enchevêtrements, elle crut deviner les naseaux d'un cheval et l'éclat jaune de ses dents.

– Attiana! cria-t-elle en pointant le fleuve du doigt. Attiana, regarde!

Joseph tira sur la bride et obligea son demi-sang à volter au plus court. De sa main droite, il tendit vers le ciel le scramasaxe, et ce simple geste le rassura. C'était un glaive court, à un seul tranchant. Mais sa lame, assez épaisse pour parer les coups les plus violents, pesait lourd à son bras d'enfant.

Borouh fit à son tour pivoter son cheval. Il était assez loin pour un long galop entre les cerisiers. D'un geste mesuré, il tira son épée du fourreau de selle et la pointa en direction de Joseph. Un rai de soleil scintilla sur les filaments d'or incrustés dans son casque d'argent et, d'un coup, enflamma les écailles ciselées dans le fer des Huns qui doublait son pectoral de cuir.

– *Yyyaah!*

Lorsque Borouh lança son destrier, Joseph vit distinctement la terre et les touffes d'herbe jaillir sous les sabots. À chaque bond, le pur-sang crachait des lambeaux d'écume entre ses babines retroussées.

Par-dessus la longue crinière flottante, Joseph distingua la braise noire du regard de

Borouh. Sa peur se mua en une rage joyeuse. Les pointes cloutées d'argent de ses talons s'enfoncèrent dans le ventre de son petit cheval. Il s'envola comme une flèche. Son esprit devint celui d'un guerrier.

Ils furent tout près. Borouh leva haut son épée. Joseph tira violemment sur la bride et fit basculer son corps sur la gauche. Le mors cisailla la bouche du demi-sang. Jetant ses antérieurs en avant, celui-ci se dressa à l'instant où la lame de Borouh tranchait l'air, ne trouvant que le vide.

Joseph balança alors son glaive de toutes ses forces. Borouh, pivotant sur sa selle, n'eut que le temps de parer le coup. Le métal tinta si fort que Joseph en ressentit le choc jusque dans ses reins.

Borouh poursuivit son geste, enveloppant le glaive d'un mouvement tournant. Le lourd scramasaxe glissa et entraîna le bras de l'enfant. Un écart de son petit cheval acheva de lui faire perdre l'équilibre. Ses bottes quittèrent les étriers. Il s'affala dans l'herbe avec un grognement de rage.

Sans même stopper son pur-sang, Borouh sauta de selle. Il ôta son casque magnifique, découvrant un visage aux pommettes hautes, aux yeux légèrement écartés. Ses cheveux, très noirs, étaient réunis en une tresse épaisse, nouée par une boucle d'argent. Une longue moustache soulignait ses lèvres pleines et fortement dessinées.

– Prince Joseph ! Rien de cassé ?

Le cul dans l'herbe, l'enfant releva son masque d'acier et rejeta sa cervelière avec colère.

– J'ai appliqué ton enseignement, Borouh ! gronda-t-il. « La ruse est la force du plus faible ! » Je serais aussi grand et gros que toi, tu serais mort et...

Il s'interrompit. Des cris montaient de la rive. Il reconnut la voix d'Attex.

En bas, tout près de la berge, sortant des eaux comme des monstres, une dizaine de chevaux apparurent. De gros amas de branchages s'éparpillèrent autour d'eux, dévoilant des cavaliers ruisselants, le front ceint de turbans rouges.

Presque ensemble, ils levèrent le bras. Au-dessus de leur tête, de longues lanières de cuir nouées autour d'une pierre ronde se mirent à siffler.

Les servantes hurlèrent à nouveau, abandonnant leurs baquets de linge et tentant de s'échapper. Attiana cria le nom d'Attex et tendit les bras vers la fillette. Seule à l'écart, immobile comme une statue, la petite princesse regardait les assaillants lancer leurs chevaux dans l'eau peu profonde de la baie.

– Les Petchenègues ! s'exclama Borouh, incrédule.

Déjà Joseph attrapait la bride du pur-sang et se hissait maladroitement sur la selle. Ses jambes étaient trop courtes pour qu'il puisse placer la pointe de ses bottes dans les étriers. Alors il empoigna la crinière du cheval et serra les genoux tandis que la bête puissante se jetait dans la pente.

Là-bas, au bord du fleuve, une des servantes était tombée dans l'eau, les chevilles entravées par le cuir. Poussant des glapissements d'horreur, elle tentait vainement d'empêcher deux Petchenègues de la hisser sur une monture. Les autres galopaient derrière les femmes en fuite. Attiana avait rejoint Attex, la protégeant de tout son corps. Joseph vit de loin un barbare faire tournoyer sa lanière à dix pas d'elles.

Sans s'en rendre compte, il poussa le grand cri des guerriers khazars.

Blottie contre Attiana, Attex entendit le cri de Joseph. Elle le vit, la main gauche agrippée à l'encolure de son cheval et la grande épée levée haut. Il galopait vers elle en bonds immenses, suivi de Borouh. Elle n'eut plus peur.

Au même instant, Attiana la serra plus fort contre son ventre. La lanière du Petchenègue mordit dans leur peau. La pierre heurta la joue de la servante, qui gémit. Du sang apparut entre ses lèvres. Joseph était encore à quelques arpents de la berge. Attiana voulut reculer. La lanière se tendit et elles tombèrent dans l'eau. Attex glissa sous la surface du fleuve et s'enfonça mollement dans la vase. Prise de panique, elle ferma la bouche et crispa les paupières. Puis Attiana se retourna et la jeune princesse revint à la lumière.

Au-dessus d'elle surgit le visage moqueur du Petchenègue qui retenait la lanière l'enlaçant à

Attiana. Poussant des grognements de furie, la bouche pleine d'un sang sombre qui gouttait dans l'eau du fleuve, la servante se débattait pour dégager Attex du lien de cuir. C'est alors que Joseph les rejoignit.

Attex vit une sorte d'oiseau terrible glisser dans le ciel au-dessus d'elle. Puis l'épée pointée à bout de bras. Et le regard de braise de Joseph.

Le Petchenègue écarquilla les yeux. Avec un crissement rêche, l'épée lui entra dans le ventre. Emporté par son élan, Joseph bascula avec lui dans l'eau, le clouant dans la boue.

Attiana émit un gargouillis terrifié. Joseph, les mains rouges de sang, se redressa et se précipita pour délivrer Attex.

– Je suis là, ma sœur, je suis là ! Ils ne te prendront pas !

Attex nicha son visage dans son cou. Les larmes seulement lui venaient.

Pendant un instant encore, il n'y eut que le vacarme et la confusion du combat tandis que Borouh mettait les voleurs en fuite. Alertés par les vigiles de la forteresse, d'autres cavaliers khazars arrivèrent au grand galop. Joseph reconnut la chevelure blanche de son grand-père Benjamin et l'entendit donner des ordres.

Attiana chancela jusque dans l'herbe et s'écroula, inconsciente, la mâchoire brisée.

Le Petchenègue transpercé par Joseph mit si longtemps à agoniser que Borouh dut lui trancher la gorge pour faire cesser ses râles.

Il retira son épée du cadavre et, la brandissant, s'approcha de Joseph, le visage illuminé par la joie :

– Prince, ce jour est grand pour toi ! Demain, ce sera ta bar-mitsva. Tu réciteras la Torah devant le rabbin Hanania, devant ton père, notre roi Aaron, et tous les grands du royaume des Khazars. Mais aujourd'hui le Tout-Puissant nous a montré à quel point Il tenait à toi !

Il s'interrompit car sa voix tremblait d'une émotion soudaine, sincère et plus ardente qu'il ne s'y attendait :

– Tu as puni le méchant et tu as préservé la vie de l'innocent ! Tu seras un grand guerrier, prince Joseph !

– Tu seras plus que cela encore ! lança une voix forte.

Joseph sursauta tandis que Borouh s'écartait de lui.

– Grand-père Benjamin ! s'exclama Attex en serrant les mains sanglantes de Joseph dans les siennes. Je n'ai pas eu peur... Joseph est venu me sauver et je n'ai pas eu peur !

Le vieil homme hocha la tête en riant. Il portait un long manteau de peau brodée de fils d'argent. Dans son visage large, traversé de part en part d'une cicatrice qui lui coupait l'œil gauche et déformait sa bouche charnue, son œil valide fixait Joseph avec fierté. Une simple kippa de feutre noir était épinglée sur ses cheveux.

Borouh ploya le genou jusqu'au sol et plia la nuque.

– Que l'Éternel te prête longue vie, Benjamin, père de notre Khagan. Cette attaque n'aurait pas dû avoir lieu. C'est ma faute. Je n'ai pas placé de vigiles en amont du fleuve ce matin !

Benjamin lui adressa un regard froid.

– Oui. C'est bien de le reconnaître...

Il leva une main où la moitié des doigts avaient été coupés lors d'un combat contre le roi des Alains et désigna Attex, toujours agrippée à son frère :

– Reconduis la princesse dans la forteresse. Et fais emporter cette pauvre Attiana, qu'on la soigne...

Comme Borouh s'inclinait une nouvelle fois, le vieux Benjamin grimaça un sourire en direction de Joseph :

– Tu as raison, Borouh. Mon petit-fils sera sans doute un grand guerrier. Mais il sera bien autre chose que cela. Il est temps qu'il apprenne tout ce que doit savoir celui qui deviendra un jour le Khagan des Khazars.

2

Bruxelles, hôtel Amigo
avril 2000

– Monsieur Sofer, vous avez écrit dans un de vos romans que nous étions incapables de partager nos rêves comme nous partageons le pain et l'amour... N'est-ce pas étrange, de la part d'un romancier, de croire qu'on ne peut partager ses rêves ?

La femme qui posait cette question était assise au troisième rang devant l'estrade. Marc Sofer sentit qu'elle venait de lui poser une bonne question au bon moment.

Elle le savait aussi. Ses yeux verts légèrement fendus et ses pommettes marquées lui donnaient une apparence orientale. Un sourire flottait sur ses lèvres maquillées d'un rouge sombre. Elle avait à peine trente ans et sa chevelure courte d'un roux ardent accentuait encore la pâleur délicate de sa peau.

En vérité, sa beauté était assez saisissante pour que, dès son entrée dans la salle de conférences, Sofer l'ait remarquée parmi toutes les autres femmes présentes.

Il avait devant lui une centaine d'auditeurs, ou plutôt d'auditrices, car la très large majorité, comme toujours, était des femmes. De fidèles lectrices qui suivaient ses tentatives, de livre en livre, et qui, une fois encore, lui faisaient don de cet étrange et unique marque de respect qu'ont les lecteurs pour un auteur qu'ils aiment. Il y avait là quelque chose d'intime et même de familial. Et comme chaque fois, quelques visages féminins exprimaient une tendresse plus ambiguë. Une bonne salle, donc, comme Sofer en avait connu des centaines. Une de ces conférences-rencontres qui vous réconfortent, vous redonnent un peu du souffle et de l'excitation d'antan. De l'époque où il croyait dur comme fer qu'écrire pouvait changer la face du monde et, surtout, apporter la paix...

Sofer prit conscience que sa réponse tardait. Comme un oiseau fasciné, il s'abîmait dans le regard vert de la belle questionneuse alors que la salle attendait sa réplique.

Il échappa à l'envoûtement de la femme rousse en battant des paupières et s'appuya contre le dossier de son siège. Il parcourut les visages pleins de sérieux lui faisant face et déclara enfin :

– Vous avez raison. Je crois avoir écrit que le rêve est la seule activité que nous ne pouvons partager. Nous rêvons seuls. Nous ne pouvons partager que le souvenir d'un rêve, ou ce qu'il en reste...

– Pourtant, dans vos romans, n'essayez-vous pas de partager un rêve ?

C'était elle encore qui l'apostrophait. Sa voix, comme sa peau, était d'une finesse de grain et d'une transparence un peu voilées. Grave et attirante. Décontenancé, Sofer jeta un coup d'œil à la salle afin de s'assurer qu'il n'y avait que lui pour percevoir dans cet échange quelque chose de personnel.

De fait, il n'y avait que lui.

Ses auditeurs étaient aussi attentifs et bienveillants que l'instant d'avant.

– Quand j'écris, répondit-il, cette fois en osant affronter la beauté de l'inconnue, ce n'est pas pour partager un rêve mais pour partager un récit, pour transmettre une histoire, de la connaissance... Cela peut faire naître un rêve chez mes lecteurs... ou mes lectrices. Mais ce sera leur rêve, pas le mien... Oui, j'ai cru longtemps qu'écrire aboutissait à cette magie du partage. J'espérais qu'un roman était comme une sorte de danse entre son auteur et son lecteur. Qu'il nous permettait de vivre l'émotion de nos rêves sur le même tempo, la même chorégraphie. Et qu'ainsi nous trois, vous la lectrice, le livre et moi, nous attirerions le rêve dans la réalité afin de la transformer en même temps que nous nous transformions...

Sofer sentit la tension dans la salle. Ses mots contenaient trop d'aveux et de doubles sens. Il s'interrompit pour sourire et retrouver le visage de ses autres auditrices avec un petit geste théâtral de la main :

– Mais je le sais aujourd'hui... un roman est une fiction. Nous ne partageons que la fiction, l'écho de nos rêves ! Même un romancier doit reconnaître, un jour, qu'il n'est pas Dieu. Il ne façonne que des personnages de poussière dispersés par la première bourrasque venue...

Il y eut quelques rires. On appréciait la pirouette de l'écrivain.

Mais elle, la belle rousse, elle ne souriait pas. Son regard vert s'était fait distant. La déception en effaçait jusqu'à l'ironie.

Tripotant son stylo sur la feutrine noire qui recouvrait sa table, Sofer s'en voulut d'avoir fait le beau mélancolique avec sa réponse. Il craignit de voir pointer le mépris sous la déception de l'inconnue.

Il décida d'y aller sans plus de précautions. Comme s'il ne s'adressait qu'à elle. Mais dès les premiers mots, son ton fut plus haché et violent qu'il ne l'aurait voulu :

– C'est vrai. Je n'ai pas écrit que des romans. Mais aussi des essais, des articles et des protestations en quantité ! J'ai sans doute partagé non pas des rêves mais des espoirs avec des milliers de lecteurs, un peu partout dans le monde. Cependant... et si c'est là le sens de votre question, alors oui, je suis déçu de ne pas être parvenu à peser du moindre poids sur la réalité. J'ai écrit des pages et des pages concernant la vie et l'histoire des Juifs. J'ai rêvé que ces pages aideraient les Juifs, nous aideraient tous, Juifs ou non-Juifs, à vivre plus en paix, avec nous-mêmes et avec les autres. Or, après tant de mots, de pages et de livres, la paix n'est toujours pas au rendez-vous. Ni en Israël, ni dans les cœurs...

Cette fois, la belle rousse retrouva le sourire. Elle eut un bref hochement de tête avant de demander, d'une voix bien nette :

– Est-ce pour cela que vous ne voulez plus écrire ?

Après un temps de stupéfaction qui faillit se transformer en un geste de colère, Sofer trouva la force de plaquer un sourire narquois sur sa bouche :

– Disons que c'est pour cela que l'envie ne m'en vient pas pour l'instant...

L'inconnue leva les mains vers lui. Le mouvement fut si gracieux que Sofer crut vraiment qu'elle allait le toucher. Elle se comportait comme s'ils n'étaient que tous les deux. Quelques auditrices froncèrent les sourcils. Mais la jeune femme ne se laissa pas le moins du monde intimider :

– Si vous trouviez un rêve ou un espoir assez grand, assez fou, assez juste pour le défendre, accepteriez-vous de l'écrire et de le défendre devant le monde entier ?

Elle avait mis autant de feu et de violence dans sa question qu'il en avait mis, précédemment, dans sa réponse. Alors, un vieux fond de cynisme se réveilla en lui. Eh quoi, cette beauté voulait-elle s'immoler sur l'autel de l'« inspiratrice » ? Était-ce là ce rêve fou et grandiose qu'elle proposait ? Le draguait-elle vraiment ? Diable ! Voulait-elle qu'il l'entraîne dans une des chambres de ce bel hôtel ?

Ces jeux n'étaient plus de son âge et il les avait déjà beaucoup trop pratiqués !

Il respira un grand coup, chercha le regard apaisant d'un couple d'âge mûr et déclara avec autant de calme qu'il le put :

– Un jour, un homme dont on ne connaît pas le nom partit à la recherche de son destin. Il parcourut le monde, et, bien des années plus tard, très vieux, il retourna chez lui, bredouille. Sur le seuil de sa maison, il vit, surpris, le destin qui l'attendait. Et il mourut... Je suis trop vieux pour ignorer qu'on ne court pas après son destin ! C'est lui qui nous rattrape. Quand ça lui chante !

La salle tout entière rit, comme soulagée. Un homme très chauve que Sofer identifia comme le rédacteur d'une revue juive ultra-confidentielle se leva et posa une question sur le partage de Jérusalem...

Il sentit ses muscles se relâcher. La conférence enfin redevenait normale.

3

Sarkel

939

Ce jour-là, veille de la bar-mitsva du prince Joseph, les soldats faisant leur ronde sur les hauts murs de Sarkel-la-Blanche, les marchands vantant leurs étals dans la ville de tentes de cuir, les bateliers conduisant les lourdes barques chargées de fruits et de tissus entre les remous du fleuve Varshan, les jeunes filles lavant le linge sur les berges, tous virent le vieux Khagan et l'enfant prince marcher, main dans la main, autour de la forteresse. Jusqu'à l'heure où le soleil atteint le plus haut du ciel et rend l'air irrespirable, Benjamin répondit aux questions de son petit-fils et les suscita. Son œil, bridé comme ceux des hommes de Chine et auquel il devait son surnom de « Mongol », brillait d'une ferveur que ses doigts blessés cherchaient à transmettre à l'enfant.

– Je suis fier de toi, mon petit-fils ! fit-il d'une voix vibrante. Tous les Khazars de Sarkel sont fiers du courage du jeune prince Joseph !

Au-dessous d'eux, la ville de tentes s'étageait de part et d'autre du fleuve. Des fumées grimpaient droit dans le ciel. Montaient avec elles des cris, des appels, des grincements de chariots, les beuglements rauques des chameaux. Une caravane était arrivée trois jours plus tôt. Le marché, ce matin-là, s'étendait le long de la boucle lente du Varshan, loin en direction du sud et de la mer d'Azov. Des Russes, des Magyars ou des Musulmans soumis au vizir Ahmed Ibn Kuya devaient y bonimenter pour vendre leurs tissus, leurs armes, des bêtes ou des esclaves. L'air bourdonnait de cette exubérance.

Benjamin montra les centaines de tentes brunes.

– Et ils vont t'aimer, car ce soir ils danseront en ton honneur...

– Je pourrai aller avec eux, grand-père ? Danser avec eux ?

Le vieux Khagan parut surpris par la question. Un petit rire s'échappa de ses lèvres :

– Non, mon garçon, tu ne pourras pas ! La veille de sa bar-mitsva un prince demeure dans la forteresse et prépare son esprit pour la cérémonie. As-tu bien compris ce qui t'attend demain ?

– Bien sûr que je sais ! s'exclama Joseph, déçu. Je vais lire des pages de la Torah. Je vais chanter pour toi et mon père...

– Est-ce tout ? Que se passera-t-il ensuite ?

– J'aurai le droit de marcher devant les guerriers khazars, celui de prendre femme et de devenir Khagan quand mon père Aaron cessera de l'être...

Ils avaient grimpé une partie du chemin menant aux murs de briques blanches de la forteresse. Réverbérant le feu du soleil, la plus puissante des citadelles du royaume khazar brûlait les yeux. Sarkel-la-Blanche semblait taillée dans la glace, impassible et inexpugnable. Sur les chemins de ronde, seuls les casques de cuir des gardes et leurs fines lances étaient visibles.

Comme Benjamin avançait toujours en silence, Joseph demanda :

– Je me trompe, grand-père ?

L'œil bridé du vieil homme se plissa un peu plus. Il ne répondit pas immédiatement. Au lieu de poursuivre vers la forteresse, il poussa Joseph entre des amas de roches, s'engageant ainsi dans une sente abrupte qui rejoignait le nord de la ville en une dizaine de lacets. Il ralentit le pas, comme s'il lui fallait reprendre son souffle. Retenant fermement la main de l'enfant, il demanda à son tour :

– Alors, selon toi, tu n'auras bientôt que des droits ? C'est à cela que sert la bar-mitsva ?

Joseph n'osa pas lever les yeux vers son grand-père.

Il n'avait qu'une envie : courir vers la ville pleine de cris et de vie et se mêler à la foule. Mais voilà. Il lui fallait écouter les sermons de son grand-père. Il aimait et admirait le vieux Khagan, père de son père. Néanmoins il redoutait ces instants si sévères où il devait, comme lui, conserver un visage grave et réfléchir à des choses profondes. Si au moins il avait pu retourner dans la forteresse avec Borouh, tous deux seraient en train de s'exercer au tir à l'arc !

– Je sais où vont tes pensées, mon petit-fils, reprit Benjamin en se remettant en marche. Tu songes à la vie d'en bas, celle des marchands et des lavandières. Tu aimerais courir derrière les jeunes filles qui t'ont vu combattre les Pet-chenègues tout à l'heure. Tu voudrais voir leurs yeux briller d'admiration devant Joseph, le prince courageux qui a déjà tué un barbare au combat la veille de sa bar-mitsva... Mais tu es Joseph, fils d'Aaron le Second, mon petit-fils et le fils du Khagan. Tu es celui qui, un jour prochain, conduira le peuple khazar dans la paix ou la guerre. Tu dois désormais apprendre à porter ce fardeau comme une joie !

Benjamin se tut, le temps de contourner un grand peuplier. Il quitta la sente qui descendait vers le fleuve et la ville pour entraîner Joseph à travers champs. L'enfant comprit qu'ils allaient faire le tour de la forteresse, la promenade préférée de son grand-père. Lorsqu'il cherchait une réponse à une question, le vieil homme était capable d'en faire le tour une dizaine de fois !

Joseph réprima un soupir d'exaspération. Rejetant ses longs cheveux, il demanda avec une pointe de perfidie :

– Mais toi, grand-père, tu n'as pas été Kha-gan bien longtemps ! Tu n'as pas aimé porter ce fardeau et tu l'as confié à mon père...

Benjamin opina avec un petit rire.

– Très juste ! Et cela fait plaisir de voir que tu sais te servir de ta cervelle aussi bien que d'un scramasaxe !

– Pourquoi ne voulais-tu plus être Khagan ?

– Parce que j'avais achevé mon ouvrage et qu'il était temps de le poursuivre d'une autre manière. Khagan, j'ai combattu les Alains qui nous empêchaient d'atteindre la mer de Byzance et qui attaquaient nos convois, entravant le commerce avec la Nouvelle-Rome.

Il s'arrêta, lâcha la main de Joseph pour lui montrer ses doigts amputés :

– Je les ai vaincus et j'ai fait d'eux nos alliés. Comme tu le vois, j'ai payé le prix de cette paix. Après cela, l'heure n'était plus aux combats. Il était temps d'apprendre l'enseignement de la Torah.

Intrigué, Joseph remit lui-même sa main dans celle de son grand-père et interrogea, la voix pleine de doute :

– Tu crois qu'il est mieux d'apprendre la Torah que de combattre comme un guerrier ?

– Un guerrier se bat avec son corps, répondit doucement Benjamin. Celui qui étudie la Torah se bat avec l'esprit et le cœur de tout un peuple.

– Le guerrier qui gagne un combat gagne l'armure du vaincu, et même sa femme, sa maison, ses champs... Quelle est la récompense de celui qui étudie ?

– La récompense ? Oh, elle est immense : celui qui étudie peut poser son regard sur les ombres et les énigmes du monde. Et s'il étudie encore et encore, il commence à comprendre de quoi sont faites ces ombres et ces énigmes. C'est un bonheur inestimable, Joseph ! Crois-moi...

Sans s'en rendre compte, ils s'étaient remis en marche et atteignirent bientôt l'ombre de Sarkel-la-Blanche. Là ne parvenait plus aucun bruit de la ville, pas même le roulement du fleuve. Joseph écoutait avec plus d'attention les réponses de Benjamin et les questions naissaient naturellement sur ses lèvres.

– Mais toi, grand-père, tu n'es jamais allé étudier dans les synagogues de Jérusalem, comme le rabbin Hanania ?

– Hélas, non ! Et je suis loin d'être aussi savant qu'Hanania.

– Crois-tu que les Juifs de Sion soient différents de nous ?

– Ils le sont et ne le sont pas.

– Je ne comprends pas.

– Les enfants d'Israël sont les fils d'Abraham et de Moïse. Ce sont aussi les fils du Livre et de l'Exil. Leur histoire est différente de la nôtre. Ils galopent dans les mots comme nous galopons sur la steppe. Ils savent écouter la sagesse des écrits et nous celle du vent. Ils sont juifs depuis des milliers d'années, mais ils n'ont plus de royaume. Nous avons choisi leur religion depuis moins de deux cents ans, mais nous sommes assez forts et puissants pour que l'empereur de Byzance souhaite être notre ami... Cependant, Juif d'Israël ou Juif du royaume khazar, nous avons foi dans le même Dieu, béni soit Son nom, et nous respectons la même loi.

Ils marchèrent un moment en silence et sortirent de l'ombre. De nouveau le vacarme de la ville et du marché monta jusqu'à eux. Une

dizaine de lourdes barques à fond plat, chargées de fruits, de jarres de vin et de sacs de riz,
s'écartèrent des pontons qui servaient de quai
et s'élancèrent dans les remous du Varshan.
Joseph ne leur accorda qu'une attention distraite.

Ignorant la porte de la forteresse gardée
par une dizaine de soldats, le vieil homme
et l'enfant s'engagèrent dans la sente déjà
empruntée un peu plus tôt. Les sourcils fron-
cés, Joseph voulait maintenant savoir comment le livre de la Torah avait été écrit, par
qui et pourquoi ? Ou si les Juifs d'Israël vien-
draient un jour vivre sur les steppes et dans les
riches vallées du royaume khazar ?

Son grand-père lui répondait méticuleu-
sement. Jamais le vieux Khagan Benjamin
n'avait été aussi patient avec le jeune prince.

Alors qu'ils passaient à nouveau sous le
grand peuplier, Benjamin désigna une roche
plate :

– Asseyons-nous un instant, mon petit-fils.
À parler ainsi sans cesse, j'en perds le souffle.

Joseph s'accroupit aux pieds de son grand-
père. Il resta silencieux à peine plus de temps
qu'il n'en fallut à une hirondelle pour survoler
la plus large tour de la forteresse.

– Grand-père, pourquoi le roi Bulan a-t-il
voulu que nous devenions juifs ?

Le vieux Khagan avait réussi à conduire
Joseph à la seule question qui valait d'être
posée. De sa main aux doigts intacts, il caressa
avec fierté la joue du prince. Puis, d'une voix
sourde, comme s'il confiait un secret, il dit :

– Pour la paix de son cœur et de son peuple. Pour notre paix et pour notre avenir à nous tous, les Khazars !

Sa main quitta le visage de Joseph pour se refermer sur son bras, le tirant vers lui afin que l'enfant lui accorde son regard.

– Écoute-moi, mon petit-fils. Lorsque notre ancêtre Bulan devint roi, le royaume n'était ni aussi vaste ni aussi puissant qu'aujourd'hui. Au sud-est, les grands vizirs de Perse et de Bagdad propageaient leur foi en Allah. Leur religion était nouvelle et ils voulaient que chacun la partage. De leur côté, les dévots du Christ Pancréator quittaient Byzance pour construire des églises jusque sur les bords de l'Atel où nous avons bâti notre ville la plus précieuse. Les barbares russes et norois pillaient et violaient comme bon leur semblait. Quelques Juifs, chassés par les disciples de Mahomet comme par ceux du Christ, vinrent se réfugier près de Bulan. Bulan lui-même ne croyait en aucun dieu. Ou en tous, ce qui revenait au même. Surtout, comme tous les grands guerriers, il se prosternait devant les chamans, les hommes-médecine et leurs amulettes...

Benjamin se tut et son œil se plissa de malice. Joseph baissa le nez. Le grand Borouh était de ces soldats qui ne partaient jamais au combat sans quelques pattes de lièvre et piécettes magiques autour du cou. Il en avait offert une à Joseph. Une vieille pièce d'argent venue de la nuit des temps, fondue dans un des déserts de Chine et qui à présent était cousue au revers de sa tunique.

L'enfant évita de la palper à travers le tissu. Mais il comprit que son grand-père n'avait pas besoin de la voir pour la deviner.

– Bulan eut une première pensée. Il se dit à lui-même : « Les peuples du Sud sont riches et puissants. Ils construisent des palais, des cités et des ports. Leurs sages sont savants, ils inventent des machines et des lois qui décuplent le pouvoir de leurs rois quand ils décident de la paix ou de la guerre. Et tous croient en un Dieu unique qui les aide et les soutient... Pendant ce temps, nous, les Khazars, que faisons-nous ? Nous nous épuisons en vaines errances. Nous promenons nos tentes au hasard de l'humeur. Une fois vers l'est, une fois vers l'ouest ! Certes, nous sommes de courageux guerriers et nous gagnons toutes nos batailles. Mais à quoi cela nous sert-il ? Lorsque l'un d'entre nous meurt, les chamans nous demandent de brûler avec son corps tout son bétail, ses réserves et ses femmes. Sa richesse part en fumée. Elle ne se transmet même pas à ses enfants ! Ainsi, aussi riches que nous devenions, nous demeurerons toujours pauvres, errants et ignorants... »

Benjamin s'interrompit pour mouiller ses lèvres asséchées par tant de paroles. Joseph demanda aussitôt :

– Il ne croyait pas en l'Éternel, Bulan ?

– Non ! Non, pas encore. Mais il fit une chose qui changea tout...

Le vieux Khagan pointa un doigt sur le revers de la tunique de Joseph, à l'emplacement même où était dissimulée l'amulette, et déclara :

– Il chassa les idolâtres de ses terres. Il interdit à sa famille, ses femmes, ses fils et ses serviteurs d'avoir le moindre contact avec les charlatans aux amulettes. Il déclara à ses guerriers qu'ils périraient tous dans leur prochain combat s'ils n'en faisaient pas autant !

– Et les idolâtres sont partis ? murmura Joseph, tout pâle.

– Tous ceux qui en faisaient profession, oui ! Et ceux qui renâclaient furent chassés à coups de pique ou noyés dans les flots d'Atel !

– Et alors ?

– Alors peu de jours après que les derniers devins et chamans eurent disparu de son royaume, Bulan reçut la visite d'un ange pendant son sommeil...

Dans le regard écarquillé de Joseph se lisait la question qu'il retenait. Son grand-père attendit qu'il la pose :

– C'est comment, un ange ?

– Seul celui qui a été visité par un ange pourrait te le dire, mon petit-fils ! soupira Benjamin. Hélas, le Tout-Puissant ne m'a jamais fait ce cadeau...

Le vieil homme et l'enfant se turent un instant, contemplant en silence les eaux du fleuve, roulantes et bouillonnantes d'écume comme si elles charriaient encore et encore toute la mémoire des hommes.

– L'ange vint voir Bulan, reprit doucement Benjamin. Il lui annonça qu'il était le messager de Dieu : « Dieu m'a envoyé vers toi car Il t'a entendu gémir et repousser les idolâtres. Il sait que tu espères un signe de Lui et Il veut t'aider... » Du fond de son sommeil, Bulan ramassa tout son courage et répondit : « Seigneur, c'est un bonheur sans nom de recevoir un signe de Toi. Mais Tu le sais, il y a toutes sortes de Khazars. Si je vais au-devant d'eux sans rien dans les mains, comment croiront-ils que Tu existes ? » L'ange dit : « Roi Bulan, fais ce que tu dois faire et tu auras des preuves en abondance. Tes ennemis plieront devant toi, tu auras des lois et des préceptes, ta famille sera bénie et ta progéniture vivra longtemps ! » Ainsi fut fait dès l'aube du lendemain.

– Dieu lui a fait gagner des batailles ?

– Oui.

Benjamin s'inclina, attrapa le bas de la tunique de Joseph. Un poignard à manche court jaillit. D'un geste bref et précis il trancha le revers contenant la pièce talisman. L'enfant poussa un cri et se dressa sur ses pieds.

– On ne va pas à la synagogue avec des amulettes cousues dans ses vêtements, déclara Benjamin en remettant son poignard dans l'étui.

Honteux et furieux, Joseph ouvrit la bouche sans pouvoir souffler mot. Le visage balafré de Benjamin était magnifique de sévérité. Il tendit ses paumes ouvertes vers l'enfant et tonna :

– Après-demain tu seras un homme, la kippa qui couvrira tes cheveux sera celle d'un homme ! Comprends-tu enfin ce que cela signifie ? Tu es le descendant de Bulan, prince Joseph. Un jour tu t'assiéras comme lui sur le trône d'or du Khagan des Khazars ! Et comme Bulan tu devras privilégier la sagesse en chacune de tes décisions. Tu devras t'endormir chaque soir avec assez de pureté dans le cœur et dans les mains pour que l'ange de l'Éternel puisse venir te visiter et t'aider ! Tu n'es pas un Khazar comme les autres, fils de mon fils Aaron !

Des larmes brillèrent dans les yeux de Joseph. Il tendit tous les muscles de son visage pour les retenir. Son cœur battait si fort qu'il n'allait bientôt plus pouvoir respirer. Mais le regard de son grand-père s'adoucit d'un coup. Ses doigts amputés s'agitèrent.

– Viens... Approche-toi sans crainte.

Joseph se releva. Les bras secs du vieux Khagan se refermèrent sur lui. Joseph se livra à l'étreinte en se mordant les lèvres.

– *Assis au bord des fleuves de Babylone, nous pleurons en pensant à Jérusalem*, chuchota son grand-père en lui caressant le dos.

Il se passa un instant sans qu'il y ait rien d'autre que cette étreinte. Puis Benjamin repoussa l'enfant.

– Écoute bien ce que je vais te dire, Joseph. Oui, tu vas recevoir une épée et un cheval magnifique. C'est la loi. Et ce sera justice, car je sais que tu seras un grand guerrier. Mais je te l'ai dit tout à l'heure : tu vas recevoir plus que cela. Beaucoup plus ! Tu vas recevoir le pouvoir d'être celui qui apportera la paix à tous les Juifs de l'univers. Oui, peut-être seras-tu le Khagan qui recevra le Messie dans son royaume ! Celui à qui Dieu désignera la terre sacrée de la nouvelle Jérusalem... Tu ne dois pas seulement apprendre à être un bon guerrier, mon petit-fils. Tu dois apprendre à être le meilleur des hommes, et le plus sage. C'est ccla, être un roi. Tu dois apprendre ce qu'enseignent la Torah et le rabbin Hanania. C'est ton devoir. Apprendre, apprendre et apprendre. Jusqu'à ce que la sagesse coule dans tes membres comme ton sang!

Joseph tremblait. Il serrait les paupières avec tant de force qu'il s'en faisait mal. Il aurait voulu pouvoir clore pareillement ses oreilles et ne plus entendre la voix de son grand-père.

Benjamin se redressa. Il annonça avec un sourire de grande tendresse :

– Allons au bord du fleuve. Tu y jetteras ton amulette.

4

Bruxelles, hôtel Amigo

avril 2000

La conférence se poursuivit une heure encore, de la manière la plus normale qui soit.

Sofer surveillait la belle auditrice du coin de l'œil mais évitait de croiser son regard. De manière surprenante, elle ne parut plus s'intéresser que très vaguement à la suite des échanges et ne fit plus jamais mine d'intervenir.

Plus le temps passait, plus l'humeur amère de Sofer s'estompait. De la sentir là, toute proche, capable d'être frémissante de violence, lui insufflait l'excitation du chasseur. Après tout, pourquoi refuser les faveurs de l'existence ? D'autant qu'il y avait chez cette jeune femme ce quelque chose qui transporte la beauté jusqu'au seuil du mystère !

Il se mit à craindre qu'elle ne disparaisse comme par enchantement.

Tout en répondant aux questions avec la distance amusée que réclamait l'exercice, il se promit de faire le premier pas. Il trouverait le moyen de lui glisser deux mots à l'instant où chacun quitterait la salle.

Lui demander, par exemple, s'il l'avait convaincue. Ou même quel était ce rêve particulier auquel elle avait fait allusion. Peut-être une remarque provocante...

Oui, pourquoi pas ? Les trains pour Paris partaient toutes les heures, ils pourraient même dîner ensemble. Il lui suffirait de repousser sa réservation...

Sofer se rendit compte qu'il souriait niaisement bien que les questions posées méritassent beaucoup plus de sérieux. Il se contrôla et reprit sa posture distante, plus ironique que vraiment sévère.

Mais rien ne se passa comme il l'attendait.

Une dizaine de minutes avant le terme de la conférence, la jeune femme rousse quitta subitement sa chaise, s'excusa aimablement auprès de ses voisins et se dirigea avec une aisance féline vers la porte. Sofer eut à peine le temps de se rendre compte qu'elle portait, ouvert sur une minirobe noire, un long manteau de peau clair légèrement cintré à la taille, ce qui accentuait le mouvement de ses hanches.

Parvenue au seuil de la salle, la main sur la porte, elle se retourna. Soudain silencieux au milieu d'une phrase, Sofer crut deviner dans l'éclat de ses yeux émeraude quelque chose qui pouvait ressembler à un sourire complice. Un au revoir plus qu'un adieu. À moins qu'il ne prenne ses désirs pour la réalité. Il était trop loin pour en être certain...

Il songea à lui faire un signe, dire un mot, une plaisanterie... Mais rien ne lui vint. D'ailleurs, il ne pouvait décemment lui courir après, même verbalement, devant l'assemblée !

Sans trop y croire, il espéra qu'elle ne s'éloignait pas vraiment. On avait déjà vu ça. Des femmes discrètes qui disparaissaient de la salle mais qui surgissaient comme par miracle dès qu'il posait le pied sur le trottoir, feignant de se soumettre aux superbes manigances du hasard !

Ce soir-là, cependant, le hasard, ce fut une tout autre personne qui l'incarna.

Alors que la salle de conférences se vidait enfin, un drôle de bonhomme apparut devant Sofer, un sourire aux lèvres. Un sourire qu'on ne pouvait ignorer : il ruisselait d'or !

Un grand type de trente-cinq ou quarante ans qui, de toute évidence, n'avait pas l'habitude de porter le costume. Le sien, taillé dans un tissu passé de mode depuis vingt ans, boudinait son torse puissant, bâillait sur une chemise à pois noirs et blancs. Une large cravate grise à petites fleurs vertes et roses lui serrait le cou.

La silhouette était inattendue dans ce grand hôtel bruxellois aux tapis épais et à l'élégante décoration des années trente.

– Bonjour, je suis drôlement content de vous rencontrer. On m'a dit que je vous trouverais ici...

Sofer mit quelques secondes à comprendre qu'on s'adressait à lui en russe. Il fit un pas en arrière, comme pour mieux voir le bonhomme. Visage étroit, yeux enfoncés, regard accrocheur. Un *look* de mafieux, comme on dit, mais de mafieux de province !

– Je m'appelle Yakubov, reprit l'homme en tendant une vaste main. Je viens vous voir parce que j'ai besoin de vous... Vous me comprenez ? Vous comprenez le russe ?

– Oui ! je le comprends, fit Sofer, intrigué.

– Ephraïm Yakubov, c'est mon nom, répéta l'homme en offrant son sourire d'or. Si vous le permettez, j'aimerais avoir votre adresse.

Il le demanda ainsi, de but en blanc. Et aussitôt il jeta un regard soupçonneux autour de lui, fronçant les sourcils. Une vraie caricature, songea Sofer, partagé entre l'amusement et l'agacement. Nom de Juif, grimace de malfrat. Ce qui, hélas, n'était pas toujours incompatible. De plus, ce type ruinait ses derniers espoirs de courir après la belle inconnue !

À moins qu'il ne lui évite de se ridiculiser.

La salle était maintenant presque vide, les deux attachées de presse attendaient patiemment près de la porte. Une poignée de lecteurs encore présents dévorait le Russe des yeux. Au moins cette rencontre allait-elle soigner son personnage d'écrivain aux aventures mystérieuses !

– Pourquoi voulez-vous mon adresse, monsieur Yakubov ?

L'autre plaça sa main sur le bras de Sofer. Une main qui avait l'habitude de porter des charges, d'être un fidèle et puissant outil. Cependant, le geste n'était ni une menace ni une familiarité. Simplement une manière de réclamer une attention sérieuse.

– Je viens du Caucase, monsieur Sofer. Géorgie. Vous voyez ?

– Je vois très bien, répliqua Sofer en dégageant son bras.

Il voyait même avec beaucoup de précision ! Pour toute personne connaissant un peu l'ancien Empire soviétique, Géorgie et Caucase possédaient deux synonymes : Staline et mafias. Depuis la chute du communisme, les synonymes étaient devenus : guerres de clans et mafias.

– Et en quoi pourrais-je vous être utile ? reprit-il, circonspect.

– On m'a dit que vous aidiez parfois les gens dans ma situation... J'ai besoin de papiers. Je suis entré en Allemagne comme touriste. Avec mon visa, ils vont me fiche dehors dans deux ou trois semaines. Je ne veux pas retourner en Géorgie.

– Vous voulez rester en Allemagne ?

– L'Allemagne, la France... L'Europe ! À votre guise ! On m'a dit que, vous, vous pouviez, pour un Juif comme moi...

Avec une pointe de fascination pour la désinvolture avec laquelle le bonhomme réclamait son aide, Sofer demanda :

– Pardonnez-moi, mais qui est ce « on » ?

Yakubov s'inclina et, de manière presque inaudible, chuchota un nom que Sofer effectivement connaissait bien. Il lança encore un regard vers ceux qui s'attardaient et souffla, comme s'il lâchait un secret d'État :

– Je suis un « Juif des montagnes » !

– Un Juif des montagnes ? s'exclama Sofer.

Il aurait dû y penser. Les Juifs des montagnes, que certains appelaient la « Treizième

Tribu », étaient installés, sinon perdus dans la montagne du Caucase depuis des siècles. Et peut-être bien des millénaires, puisqu'il est dit dans la Bible qu'à l'époque assyrienne des Juifs furent envoyés dans le *Midii*, au bord de la mer Caspienne, dans une région correspondant aujourd'hui à l'Azerbaïdjan. Si la mémoire de Sofer ne lui faisait pas défaut, ces hommes utilisaient encore une langue à l'origine inconnue, le *tath*...

– Vous savez ce que c'est, les Juifs des montagnes ?

– À peu près...

– Alors voilà, je suis un Juif des montagnes et j'ai des choses importantes à vous dire. C'est aussi pour ça que je veux vous voir. Pas seulement pour les papiers.

– Voulez-vous prendre un verre ? suggéra Sofer, agacé de se sentir déjà complaisant et vaguement coupable.

– Non, pas ici. À Paris, chez vous. C'est important.

– Vous ne pouvez pas m'en dire plus ?

– Il faut me croire, c'est important. Pour vous, ça sera important, monsieur Sofer. Et pour moi, les papiers, c'est important.

– Comment êtes-vous venu d'Allemagne jusqu'ici ?

– Oh, ça ! Pas de problème. Il n'y a plus de frontières, pas vrai ? C'est l'Europe !

Yakubov sourit de toutes ses dents en or, heureux comme un gosse.

– C'est pourquoi je peux aller chez vous à Paris, ajouta-t-il.

Après tout, songea Sofer, qu'est ce que je risque ? L'ami qui lui avait envoyé ce candidat à l'exil n'était pas un hurluberlu. Et ce Caucasien était assez intrigant pour mériter d'être écouté, voire aidé.

Ce n'était en tout cas pas plus ridicule que d'avoir envie de faire le joli cœur devant une inconnue !

Il tira une carte de son veston et la tendit à Yakubov.

– Voilà. Appelez-moi et nous bavarderons un moment. Mais pour les papiers, je ne peux rien vous promettre.

Le Caucasien fit scintiller ses incisives d'or.

– Dans trois jours ! Je suis chez vous dans trois jours ! Et vous verrez, vous serez content !

Bien sûr, lorsque Sofer quitta l'hôtel, la jeune femme rousse ne réapparut pas. C'était un peu comme dans les rêves d'enfant, songea Sofer. Il n'était même plus très sûr de l'avoir vue, ni d'avoir entendu sa voix grave et enjôleuse. Néanmoins, et malgré tous les sarcasmes qu'il pouvait s'administrer, il était déçu. Beaucoup plus que de raison.

Il prit le premier train pour Paris en bougonnant.

5

Sarkel

939

Il allait bientôt faire nuit. Le soleil se couchait derrière les collines aux forêts impénétrables. Les murs de Sarkel-la-Blanche semblaient s'éteindre.

Au dernier instant, de longs nuages rougeoyèrent comme des bandes de tissu gorgées de sang et se reflétèrent à la surface du fleuve.

Joseph perçut la fraîcheur du soir sur sa nuque. C'était le vent d'est qui venait de la grande mer de Djordjan et traversait la steppe du levant au couchant. Le vent que les Musulmans et les Chrétiens vivant dans le royaume appelaient le « vent des Khazars » !

Attex frissonna et se serra plus près de Joseph.

– Ils disent qu'Attiana ne va pas mourir mais qu'elle ne pourra plus jamais parler, chuchota-t-elle. Et cette fois-ci, elle n'a plus de dents pour de bon.

Ils étaient lovés dans l'échancrure d'un créneau sur le chemin de ronde de la forteresse. Joseph entendit les mots d'Attex mais sans y prêter attention. À leurs pieds rougissaient les larges méandres du fleuve, pareil au corps écaillé d'un dragon gigantesque. Joseph laissa son imagination l'emporter. Loin vers le sud déjà peuplé d'ombre, le dragon dressait une tête immense et terrible. Sa gueule béait sur d'énormes crocs. Ses yeux piquetés d'or roulaient de fureur. Une langue bifide, pareille à mille fouets assemblés, déchirait l'air du crépuscule !

Alors tous les habitants de la ville s'enfuyaient en hurlant. Les chameaux se dressaient, blatérant de terreur. Les chevaux s'échappaient, brisant les clôtures des enclos. Les mules, les chiens et même les oies et les canards fuyaient ! Dans leur course éperdue, ils voyaient au-dessus d'eux la tête du dragon dodeliner, le mufle levé vers le ciel pour lancer des crachats de feu dont les cendres enflammaient le cuir des tentes ! Les femmes, les filles, les vieux et même les guerriers sur les tours de Sarkel s'égosillaient d'épouvante.

Alors Borouh venait vers Joseph et lui disait : « Prince, le temps est venu. Tu dois m'aider. Nous devons abattre ce dragon. Il n'y a que toi et moi qui pouvons y parvenir avant qu'il ne ravage le royaume des Khazars !... »

En hâte, ils sellaient des chevaux arabes à la robe pâle et aux membres frémissants. Botte contre botte, dans un galop effréné, ils sortaient de Sarkel-la-Blanche, fonçant vers l'horizon, la lance au poing, sans se soucier des mugissements démoniaques du monstre !

– Hé ! protesta Attex en secouant l'épaule de son frère, pourquoi tu ne me réponds pas ?

Joseph soupira après son rêve enfui. Il n'y avait aucun dragon en vue. La pénombre effaçait déjà les remous du fleuve. Des torches et des feux paisibles s'allumaient entre les tentes, éclairant des groupes d'hommes accroupis.

– Répondre à quoi ? demanda-t-il.

– Qu'est-ce que tu crois qu'ils font des filles qu'ils enlèvent, les Petchenègues ?

– Des esclaves, des servantes... Que veux-tu qu'ils en fassent d'autre ?

– Moi, je n'aurais jamais accepté. Je suis une princesse ! Je ne peux pas être esclave. Je me serais noyée s'ils m'avaient prise !

Attex avait parlé avec un orgueil grave. Joseph lui jeta un regard affectueux. Elle avait beau n'avoir que cinq ans, il la savait presque aussi courageuse que lui. Il aimait aussi sentir les boucles soyeuses de sa petite sœur contre sa joue.

Elle serra sa main et ajouta :

– Maintenant, je te dois la vie. Tu es mon guerrier pour toujours. Et un jour, moi aussi je te sauverai la vie... C'est vrai, hein ? Même quand tu seras Khagan, tu me garderas près de toi ?

– Oui, dit Joseph avec émotion.

Il passa le bout des doigts sur le revers déchiré de sa tunique. Ne plus y sentir le poids de la vieille pièce d'argent le mettait mal à l'aise. Il en voulait à son grand-père de l'avoir obligé à jeter l'amulette dans le fleuve.

Jamais il n'oserait avouer à Borouh qu'il ne la possédait plus !

Mais peut-être Borouh le devinerait-il. Il en était capable. Il possédait l'intuition magique qui sauve les grands guerriers lorsqu'une flèche fuse dans leur dos ou que des ennemis se dissimulent. Borouh savait se retourner à temps et voir à travers les ombres.

Et malgré cela, le grand-père Benjamin ne voulait pas que Joseph ressemble à Borouh !

– À quoi tu penses ? demanda Attex. Tu as l'air tout triste...

– À rien...

C'était la pire des réponses qu'il pût faire à sa sœur. La curiosité d'Attex était insatiable. Elle s'écarta un peu et fit la moue.

– Ce n'est pas vrai ! Tu penses à demain quand tu vas entrer dans la synagogue ?

– Non.

– Au cheval et à l'épée que tu vas recevoir ?

Joseph sourit.

– Oui...

Dans la faible lumière des torches, Attex fronça ses jolis sourcils, l'air interrogateur, avant de demander encore :

– Qu'est-ce qu'il t'a raconté, grand-père Benjamin ?

– Des choses qu'on ne dit qu'à celui qui deviendra le Khagan des Khazars.

– Pourquoi ?

– Parce que c'est comme ça, grogna Joseph.

Attex plissa le nez de dépit.

De là où ils se trouvaient, ils pouvaient deviner les familles serrées autour des feux dans la ville. L'écho des mélopées des chanteuses, des tambours et des luths des marchands arabes rebondissait contre les murs de la forteresse. Quand il ferait nuit noire, qu'ils auraient

50

dévoré leurs rôtis et bu du vin de raisin, enfants ou adultes, bateliers ou bergers, tous danseraient en l'honneur de Joseph jusqu'à ce que la lune s'incline sur l'horizon comme si elle allait tomber dans la mer d'Azov. Les filles du peuple alain, à la peau si claire que sous la lune elle en devenait phosphorescente, tournoieraient en faisant gonfler leurs tuniques ! Mais lui, le prince des Khazars, le héros du jour, devrait se contenter d'écouter leurs rires se perdre dans la nuit.

– Je sais que grand-père t'a dit des choses qui ne te plaisent pas, reprit Attex, câline. Je sens toujours quand tu n'es pas content. À moi, tu peux bien le raconter.

Il marmonna :

– Il ne veut pas que je devienne un grand guerrier comme Borouh.

– Pourquoi ? s'étonna sincèrement Attex.

– Il dit que le Khagan est d'abord un sage.

– Ah ?

– Mais il se trompe. Un roi est puissant et respecté parce qu'il est le vainqueur de grandes batailles, non ?

Attex approuva de la tête.

– Oui, si tu n'étais pas un guerrier, tu ne m'aurais pas sauvée aujourd'hui.

– Grand-père dit que je dois être sage comme le plus sage des Juifs, poursuivit Joseph, la voix tremblante. Il dit que peut-être ce sera à moi de sauver les Juifs qui viendront chez nous, chassés de tous les autres royaumes...

– Et tu ne veux pas ? demanda Attex, impressionnée.

Joseph ne répondit pas. Un instant ils demeurèrent silencieux, enlacés, comme si le mur de la forteresse n'était qu'un frêle esquif perdu dans la nuit. Joseph montra les feux au bord du fleuve et gronda, plein de fureur :

– À quoi bon être le Khagan s'il faut toujours être sage ? Je n'aime pas passer mon temps à lire en chuchotant. Je veux juste devenir un guerrier, un grand guerrier comme Borouh !

Attex se laissa aller contre lui et souffla d'une voix à peine audible :

– Moi, je sais que tu vas être le Khagan, comme notre père. Et aussi un très puissant guerrier. Je le sais. Et quand je serai grande, je pourrai être comme ton épouse.

6

Paris, Montmartre

avril 2000

Durant les trois jours qui suivirent sa conférence de Bruxelles, Marc Sofer s'occupa exclusivement des rosiers qu'il entretenait avec un soin maniaque sur la grande terrasse de son appartement de la butte Montmartre.

Malgré les prévisions pessimistes des horticulteurs patentés, à force de soins méticuleux il était parvenu à faire croître dans une poterie italienne un admirable rosier ancien : *Buff Beauty*. Un nom que l'on aurait pu traduire par « Beauté chamoisée ». Les pétales des jeunes fleurs offraient une corolle ocre admirable. Après quoi, la rose se déployant et s'alourdissant, elle pâlissait, atteignant une tendresse de chair qui rappelait l'épaule d'une femme que le soleil aurait à peine effleurée.

Tandis qu'il jardinait, Sofer ne songea pas une seule fois à Ephraïm Yakubov, le Juif des montagnes. Mais le souvenir du beau visage de la questionneuse de Bruxelles ne le laissait pas en paix. Il avait beau tailler, nettoyer et surveiller les bourgeonnements des rosiers qu'excitaient les premières tiédeurs du printemps, les yeux verts, la chevelure rousse, la voix grave de l'inconnue s'imposaient à lui, suspendant les claquements de son sécateur.

Cette obsession lui semblait choquante et malsaine. Il aurait bientôt soixante ans. De nombreuses femmes avaient accompagné sa vie : belles amantes, toujours attentives, souvent intelligentes, tendres ou passionnées. Quelquefois tout cela ensemble, comme un miracle ou un don de l'Éternel.

Hélas, réclamant aussi plus qu'on ne pouvait leur accorder. Du moins plus que lui, Marc Sofer, ne pouvait leur accorder !

En somme, beaucoup de magnifiques moments, des plaisirs dont on aimait se souvenir. Mais des aventures qui marchaient inéluctablement vers leur fin dès qu'elles avaient commencé...

Sofer était de ces hommes à qui l'âge offrait un charme supplémentaire. Un âge, lui disait-on régulièrement, qu'il ne faisait pas. Sa silhouette s'affinait, les rides qui se creusaient et les grisonnements de sa chevelure ajoutaient à sa distinction. Sa séduction opérait encore à volonté, et parfois hors de son contrôle tant il était las des manèges sans lendemain. Il avait même songé à se laisser pousser la barbe afin de tenter de se vieillir pour de bon, puisque la nature s'y refusait.

En vérité, ce qu'il considérait comme son échec, à savoir sa si faible influence sur le cours réel des événements et sa décision de ne plus écrire de romans, avait également asséché son intérêt pour les jeux de la séduction et leurs fugaces satisfactions. Il goûtait sa solitude comme un vin longtemps conservé et enfin parvenu au meilleur de son bouquet.

Or voilà qu'une femme venait le provoquer sur ces deux terrains, à la fois en tant qu'écrivain et en tant qu'homme. Puis s'effaçait, si bien qu'il n'arrivait plus à l'extirper de son esprit !

– Vieil imbécile ! marmonna-t-il au moment où le téléphone sonnait.

Avec un soupir, Sofer reposa son arrosoir, ôta ses gants et entra dans la pièce pour saisir l'appareil vibrionnant sur son bureau.

– Monsieur Sofer ?

– Oui.

– Yakubov. Vous vous souvenez : Ephraïm Yakubov, le Juif des montagnes.

– Je me souviens, monsieur Yakubov, marmonna Sofer en russe.

– Je suis dans le café en bas de chez vous, j'arrive tout de suite, comme promis.

– Hé, mais...

Le Caucasien avait déjà raccroché.

Maugréant, Sofer alla se laver les mains et eut à peine le temps de passer un veston de tweed avant que la sonnette de la porte n'annonce le Juif des montagnes.

– Je vous avais dit trois jours ! s'exclama Yakubov lorsque la porte s'ouvrit. Il y a juste trois jours.

Il portait le même costume, la même chemise et la même cravate. Et il souriait de tout son or.

Sofer l'invita à entrer. Parvenu au centre du salon, Yakubov sembla intimidé pour la première fois. Ses yeux sombres scrutèrent chaque recoin de la vaste pièce, parcoururent les bibliothèques encombrées d'objets et de photos, mémoires d'une vie de voyages et de rencontres. Puis, découvrant la terrasse, il s'y aventura. La présence d'une tonnelle de rosiers au dixième étage d'un immeuble lui parut plus extraordinaire encore que la vue somptueuse sur Paris.

– C'est beau chez vous, conclut-il.

– Vodka ou café ? demanda Sofer en guise de remerciement.

– Vodka, je veux bien.

Les dents d'or réapparurent.

– Installez-vous, proposa Sofer en désignant les fauteuils de la terrasse.

Lorsqu'il revint avec une bouteille glacée de Zubrowska et deux verres, Ephraïm Yakubov avait tombé la veste et desserré sa cravate.

Sofer ne put s'empêcher d'admirer la faculté d'adaptation de son visiteur. Pour Yakubov, qui avait passé sa vie dans un village du Caucase, tout devait être neuf, aussi étrange que complexe. Mais il semblait capable de survivre à toutes les situations.

Ils burent un premier verre en silence, puis Sofer demanda :

– Je ne crois pas que vous m'ayez dit où vous habitiez en Géorgie.

– Kvareli. Enfin, un village pas très loin de Kvareli... C'est dans la montagne, tout près du Daghestan et de la Tchétchénie.

– Vous êtes parti à cause de la guerre ?

Yakubov regarda Sofer comme s'il racontait une bonne blague.

– La guerre ? Nous, les Juifs des montagnes, ça fait deux mille ans que nous vivons avec la guerre. Mon père s'est caché dans la montagne quand Staline a envoyé les Juifs du Caucase se geler en Sibérie !

– Alors, qu'est-ce qui vous a fait quitter votre famille et votre maison, monsieur Yakubov ? Pourquoi avez-vous besoin de mon aide et pourquoi devrais-je vous aider ?

Sofer avait parlé un peu vivement et Yakubov en parut étonné. Il prit le temps de réfléchir, et finalement demanda :

– Vous avez déjà entendu parler des Khazars, monsieur Sofer ?

Interloqué, Sofer cilla. Oui, il savait vaguement ce qu'étaient les Khazars. Koestler leur avait consacré un de ses livres.

– Ils avaient un royaume chez nous, poursuivit Yakubov sans attendre sa réponse. Un grand royaume qui allait de la mer Caspienne à la mer Noire et jusqu'à Kiev. Une sacrée étendue ! Et il y a très longtemps de ça. Il y a plus de mille ans...

– Ils se sont convertis au judaïsme...

– Oui ! Un royaume juif, en plein chez nous. Immense, très riche... Un royaume juif, comme en Israël !

Yakubov exultait. Ses yeux brillaient autant que ses dents. Combien de fois avait-on dû raconter, chez les Juifs des montagnes, cette extraordinaire histoire d'un royaume juif en plein Caucase ? se demanda Sofer. Comment ne pas être ému par ce peuple qui, au Moyen Âge, avait créé un Empire juif ?

Il remplit les verres, touché par l'enthousiasme de Yakubov.

– Oui, admit-il. J'ai lu deux ou trois choses
sur ces Khazars, mais il y a longtemps déjà.
C'étaient des nomades, n'est-ce pas ?

– Nomades d'abord. Ensuite ils ont eu un
vrai royaume, avec des villes, des forteresses,
des marchés... Un royaume ! Et c'est la seule
fois dans l'Histoire qu'un peuple a choisi le
judaïsme.

Sofer rit comme si l'idée lui paraissait
incongrue. Yakubov lui lança un regard cho-
qué et protesta en secouant sa puissante tête :

– Ils se conduisaient en vrais Juifs, monsieur
Sofer ! Ils allaient à la synagogue, apprenaient
la Torah et lisaient le Talmud comme nous...
C'étaient des sages !

Il avala une gorgée de vodka et s'inclina sur
la table en demandant à voix basse :

– Savez-vous ce qu'ils faisaient à leurs rois ?

Surpris par la ferveur inattendue du Caucasien, Sofer fit signe que non et l'invita à conti-
nuer. D'un ton savant Yakubov expliqua :

– Ils étaient rois de père en fils. Mais seul
un Juif pouvait être roi. Le jour du couronne-
ment, les Khazars conduisaient le futur roi
devant le peuple. Deux hommes lui passaient
une corde de soie autour du cou...

Yakubov remonta sa cravate, simulant un
étranglement :

– Comme ça ! Ils serraient pour de bon. Le
type pouvait tout juste respirer. Alors, vous
savez quoi ?

– Non.

– Eh bien, pendant qu'il avait le cou serré et la langue pendante, on lui demandait combien de temps il voulait être roi. Il devait dire un chiffre. Cinq ans, dix ans, quarante... Et hop, on relâchait la cravate ! Mais attention, ce n'était pas pour rire. Il se laissait vraiment étrangler et on ne lui posait la question que lorsqu'il commençait à s'asphyxier pour de bon ! Dans ces conditions, le futur roi n'osait jamais dire un trop grand nombre d'années. Et s'il disait quatre ans, après quatre ans, c'était fini ! S'il insistait pour garder le trône, hop, on lui tranchait la gorge !

Yakubov éclata de rire, plein d'admiration :

– Imaginez qu'on fasse ça à nos présidents, monsieur Sofer ?

Sofer sourit.

– Quel rapport entre les Khazars et votre venue en Europe, monsieur Yakubov ?

– Comme je vous l'ai dit, mon père n'a jamais quitté les montagnes de sa vie. Je les connais par cœur, mais lui, il pouvait s'y déplacer la nuit, dans la neige, sans jamais se perdre. Une fois, il y a disparu pendant deux ans. On a même cru qu'il était mort...

Yakubov se tut, grave, comme s'il voyait son père passer devant eux. Sofer commençait à apprécier le bonhomme. Soit le Caucasien était sincère, et il aimait cette sensibilité sous la carapace un peu brute des apparences. Soit Yakubov était un comédien. Et en ce cas, c'était un excellent comédien !

– Mon père a découvert une immense grotte, reprit Yakubov d'une voix plus sourde en regardant les rosiers. Et dans cette grotte il y avait des rues, des maisons, une synagogue...

– Une synagogue ?

– Oui. Construite par les Khazars ! Je l'ai vue de mes yeux... Une grande. Avec une énorme bibliothèque pleine de livres...

– Vous l'avez vue vous-même ? insista Sofer en même temps qu'une excitation trop reconnaissable s'emparait de lui.

– Que l'Éternel, béni soit Son nom, me terrasse si je mens !

– Je vous crois.

– Une synagogue unique, comme il n'en existe pas d'autre. Construite en pierre à l'intérieur de la grotte, avec des colonnes, des chandeliers et l'étoile de David... Il y a des bois couverts d'or...

– Comment l'avez-vous découverte ?

– Je vous ai dit, les Russes, les Soviétiques, ont tout fait pour qu'on oublie les Khazars. Ils voulaient que ce soit comme si ce royaume n'avait pas existé. Donc, quand mon père a découvert cette grotte, il n'a rien dit. À personne. Personne ! Seulement, de temps en temps, il s'en allait dans la montagne, il disparaissait pendant une semaine ou deux. On ne savait ni où ni pourquoi ! Et un jour, moi, j'ai voulu savoir. Je l'ai suivi. On a marché deux nuits durant. Lui devant, moi derrière. Le surlendemain, au matin, je me suis retrouvé devant une falaise pleine de trous. Mon père y grimpait par un escalier ! Dès qu'il a disparu dans une grotte, j'ai grimpé à mon tour. C'est comme ça que j'ai découvert la synagogue des Khazars.

Yakubov laissa passer un temps, hochant la tête à petits coups, avant de poursuivre :

– Et aussi que mon père venait y lire le Talmud, la Torah ! Vous vous rendez compte ? Il venait dans cette grotte, seul, dans cette synagogue, il y allumait de vieilles lampes à huile, il s'asseyait sur un banc, et voilà. Moi, caché dans l'ombre, je le vois qui prie en se balançant d'avant en arrière. Je le vois, mon père, la tête recouverte du talith, avec les tephillim au bras. Il prie, seul dans cette synagogue avec des chauves-souris perchées au-dessus de sa tête ! Vous vous rendez compte ? Il disparaissait de chez nous pour ça...

– Pourquoi êtes-vous certain que cette synagogue date des Khazars ? demanda Sofer.

Yakubov passa sa puissante main sur son visage et la ruse revint dans ses yeux.

– Mon père n'a jamais dit qu'il l'avait découverte, cette grotte. Et moi, je me suis tu aussi. Mais à l'intérieur, en plus des objets, il y avait des livres, une bible, de très vieux papiers. Et un coffre plein de vieilles pièces de monnaie. Il y a deux ans, j'ai fini par penser qu'il était idiot de laisser tout ça pourrir... J'ai montré une de ces pièces à quelqu'un. C'est comme ça que j'ai su pour les Khazars.

– À qui ?

Yakubov hésita, sincèrement mal à l'aise, sembla-t-il.

– Je ne peux pas vous le dire. C'est pas possible...

– Cela a un rapport avec votre venue en Europe, monsieur Yakubov ?

– J'ai plein d'ennuis depuis que j'ai montré cette vieille pièce. Il y a des gens qui veulent absolument savoir où est la grotte. Et j'ai pas confiance en eux.

– Mais vous avez confiance en moi, s'amusa Sofer.

Yakubov le regarda bien en face.

– Je sais qui vous êtes. Et voilà ce que je vous propose : vous m'obtenez un visa pour un ou deux ans, cinquante mille dollars, et je vous montre où est la grotte. C'est vous qui la découvrez officiellement. Avec tout ce qui est dedans. Ça vous fera un beau livre, non ? Sans compter les articles dans les journaux ! Qu'est-ce que vous en pensez ? Ce n'est pas cher...

Estomaqué, Sofer laissa échapper un sifflement.

– Eh bien vous, au moins !

Mais Yakubov ne plaisantait pas. Son expression n'avait jamais été aussi sérieuse.

– Il vaut mieux que ce soit vous. Vous êtes juif. Et à vous, ils n'oseront rien faire.

– Ils ?

Le Caucasien ne répondit pas et Sofer le regarda se lever sans réagir.

– Je vous appellerai, fit Yakubov en enfilant son veston trop étroit. Je vous laisse le temps de réfléchir.

Il plongea la main dans sa poche et en retira une grosse pièce de monnaie aux contours irréguliers qui tinta lourdement sur la table. En argent, estima Sofer d'un coup d'œil. Et fondue des siècles plus tôt. Sur la face polie par les frottements, en relief, un chandelier à sept branches était parfaitement identifiable.

7

Mâcon

954

En route pour un très long et très incertain voyage, le jeune Isaac Ben Éliezer parvint devant Mâcon un après-midi d'avril de l'an 954.

Parti de Cordoue un mois plus tôt, il avait quitté Lyon la veille et remontait les berges de la Saône sur une mule capricieuse. Le printemps était étouffant. Une heure avant qu'il puisse entrevoir les murs de la cité, le ciel vira au noir de suie et l'orage éclata. Les éclairs illuminèrent les ténèbres au-dessus de l'immense forêt qui recouvrait les collines. Le fracas du tonnerre devint si violent que la terre entière semblait menacer de se déchirer.

Isaac arriva en vue de la ville trempé comme une soupe.

La grande cité des marchés de Bourgogne s'étalait au pied d'une colline. Son mur d'enceinte crénelé et ponctué de tours de guet en rondins bien charpentés s'approchait à quelques arpents du fleuve devenu jaune. Sur le donjon central, l'oriflamme aux armes d'Othon, roi des Burgondes et d'Italia, pendait à une hampe, immobile, toute pesante de pluie, pareille à une loque abandonnée.

Contrairement à ses craintes, les portiers le laissèrent entrer dans la ville en se satisfaisant d'une pièce d'argent frappée à Narbonne et sans même lui demander d'ouvrir ses sacoches de selle.

L'orage avait transformé les ruelles en ruisseaux. Des détritus s'accrochaient aux pavés disloqués et aux seuils des maisons. Bousculant les poules et les oies aux plumes collées par la pluie, des porcs, à demi couverts de boue, fouillaient ces immondices en poussant de petits couinements aigus. Hors cette basse-cour, il ne paraissait pas y avoir âme qui vive. Les sabots de la mule résonnaient sinistrement entre les murs serrés.

Isaac s'engagea dans une rue plus large qui devait mener vers le cœur de la ville. Il lui fallait trouver le quartier des Juifs et la maison du changeur Nathan Judicaël, sage homme du Livre auquel ses amis de Lyon lui avaient recommandé de s'adresser.

Un jeune homme surgit d'une ruelle adjacente, trottinant sous un bât de fagots aussi haut que lui. Isaac eut tout juste le temps de retenir sa mule pour ne pas le heurter. Alors qu'il s'apprêtait à poursuivre son chemin, il découvrit, assis sur une bûche dans la pénombre d'un seuil, un vieil homme édenté qui mâchait une bouillie de son.

Isaac sourit, salua avec respect en s'inclinant sur sa selle et demanda :

– Grand-père, le bonjour pour vous et les vôtres, et que Dieu vous garde ! Je cherche la boutique du sage Judicaël, le changeur...

Le vieux lui jeta un regard tout délavé. Sans répondre, il replongea le bout de bois qui lui servait de cuiller dans son écuelle.

Isaac, un peu mal à l'aise, se demanda si le vieillard était fou ou s'il n'entendait pas le franc. Comme il avait encore moins de chances d'être compris en latin, il allait répéter sa question en germain lorsque le vieux se mit à rire, la bouche pleine de bouillie.

– Le changeur, pour l'heure, il sert l'évêque !

Isaac frémit. Il espéra avoir mal compris.

Les yeux du vieil homme se plissèrent et il pointa sa mauvaise cuiller vers le visage du voyageur.

– Et toi aussi, tu as la mine de Judas ! C'est Vendredi saint aujourd'hui, Judas ! Va donc servir l'évêque avec les autres Juifs ! Ils sont tous là-bas !

À travers la ruelle et les murs des maisons, il désigna un point en direction du nord avant de piocher à nouveau dans sa bouillie en ricanant.

La poitrine glacée, Isaac claqua la croupe de sa mule et s'éloigna après un salut à peine poli. Il devinait le spectacle qui l'attendait. La nausée le gagnait.

Il ne pleuvait plus du tout lorsqu'il pénétra sur la place du marché. Les étals étaient déserts. Seuls des gosses y jouaient, accroupis sous les planches, le cul dans la boue et rognant des pommes vertes. Certains d'entre eux sortirent de leurs abris pour mieux l'examiner et lui lancèrent quelques mots à peine intelligibles.

Maintenue très haut par des cordes, la croix des Chrétiens était plaquée sur les murs de la forteresse du duché des Burgondes. De là-bas arrivait la rumeur d'une foule. Un chant.

Sans prendre garde aux enfants qui le suivaient, sa mule trottinant, Isaac traversa la vaste place du marché.

Sur le flanc droit de la forteresse, sur un terre-plein pareil à un bourbier, tout ce que la ville rassemblait d'habitants, les loqueteux comme les riches, se tenait serré dans la prière.

Le palais du Christ n'était encore qu'une ébauche. Les murs de soubassement, surmontés d'échafaudages de bois, se dressaient à hauteur d'homme. Vers l'est, ils dessinaient un squelette de pierres noircies par l'orage formant une sorte de conque autour d'un bassin taillé dans le calcaire pour la cérémonie du baptême. Une estrade étroite dominait la foule. Un dais bleu aux broderies d'argent y était dressé. Il protégeait une statue de bois représentant Jésus le Christ, les yeux exorbités et le corps peint violemment de blanc, d'or et de rouge sang.

À côté se tenaient une dizaine de moines à la bure de lin et un évêque en cape pourpre. Dans un latin à peine compréhensible le prélat psalmodiait de longues phrases. Soudain, passant au franc avec un fort accent de Burgonde, il s'écria :

– Voici comment les choses se sont passées : Pilate a posé la couronne d'épines sur le front de Jésus et l'a fait fouetter ! Alors, les Juifs sont venus voir Pilate et lui ont dit : « Nous avons une loi. D'après cette loi, celui que vous appelez Jésus doit mourir car il prétend être le fils de Dieu. C'est faux ! Dieu n'a pas de fils !... »

Les moines se signèrent et un grognement parcourut la foule. Isaac retint sa mule et se figea, espérant que nul ne se tournerait vers lui. L'évêque, après avoir dévisagé son auditoire en homme habitué à le faire vibrer, reprit d'une voix hachée :

– Oui ! C'est ce qu'ont dit les Juifs. Et comme Pilate le Romain voulait tout de même relâcher Notre-Seigneur Jésus le Christ, ils lui ont dit : « Non ! Non, tu ne peux pas le libérer ! Cet homme veut être le fils de Dieu et il veut être le roi ! Tu dois le crucifier. Tu dois lui rompre les jambes et lui donner à boire du vinaigre !... »

Un nouveau cri de colère éclata. Des femmes se mirent à pleurer. Un vent furieux balaya l'esplanade.

La foule se resserra tout près du baptistère. Des hurlements jaillirent. L'évêque montra du doigt un homme que l'on poussait sur l'estrade. Il était de l'âge d'Isaac, à peine plus de vingt ans. Ses bras étaient liés à une poutre qui lui pesait sur les épaules. Il avait la tête nue et les cheveux rasés haut sur la nuque. À sa vue, les moines tombèrent à genoux, se signant avec véhémence comme si l'odeur putréfiée du diable leur bouchait les narines. L'évêque hurla :

– Voici le Juif ! Voici le Juif !

Loin sur la gauche d'Isaac, il y eut un gémissement retenu. Un petit groupe d'hommes et de femmes se pressait derrière des chars de betterave. Transis par la pluie, agrippés les uns aux autres, c'étaient les compagnons et la famille de l'infortuné qui là-bas, sur la scène du prélat des Chrétiens, jouait le rôle du vilain ! La plainte montait de la gorge d'une jeune femme, la tunique gonflée par un ventre qui contenait toute la vie à venir.

Sans trop réfléchir, Isaac poussa sa monture vers eux tandis que les vociférations des Chrétiens résonnaient entre les murs d'enceinte. Les regards inquiets des Juifs se tournèrent vers lui. Il eut conscience de son visage étranger et de la peur qu'il pouvait leur faire. Il leva une main en signe d'apaisement et souffla assez bas pour qu'eux seuls puissent l'entendre :

– Je suis des vôtres ! Mon nom est Isaac Ben Éliezer...

Il n'eut pas le temps d'en dire plus. La jeune femme enceinte poussa un cri :

– Simon ! Simon !

Sur l'estrade, l'évêque soufffletait le jeune Juif avec une brassée de ronces, lui déchirant le visage à chaque coup. La foule applaudissait en criant des vivats. Le bouquet de ronces se brisa entre les mains de l'évêque. Il gifla alors le jeune homme avec tant de vigueur que celui-ci, les épaules et les bras toujours entravés, s'écroula sur le côté, incapable de se relever.

Sa femme voulut se précipiter. Ses compagnons la retinrent, lui bâillonnant la bouche pour étouffer ses cris. Isaac déjà avait repoussé les pans de sa cape. Brutalisant les flancs de sa mule, debout sur les étriers, il hurla en dégainant sa dague de Tolède.

La surprise lui permit d'entrer dans la foule tel Moïse fendant les eaux ! La stupeur figea les Chrétiens. Un instant ils ne virent que cet homme debout sur sa monture, les cheveux longs et bouclés couleur de miel, le visage fin, la bouche nette et belle, le regard plus bleu que les eaux d'un lac et scintillant de colère. À leurs yeux, il était beau comme un démon déguisé en ange.

La lame pointée devant lui, Isaac parvint jusqu'à l'estrade. Collant sa mule contre le bâti de bois, en quelques coups agiles il délivra le jeune Juif de sa poutre de pénitence.

– Viens ! murmura-t-il. Saute derrière moi !

La foule se ressaisit. Les femmes et les enfants se retournèrent contre le groupe des Juifs. Puisant dans la boue, ils se mirent à lancer des mottes de terre en hurlant :

– Mort aux Juifs ! Mort au Judas !

Ralentie par le poids du garçon au visage sanguinolent, effrayée par les hurlements, la mule d'Isaac hésita à prendre le trot. Brandissant sa crosse, l'évêque cria qu'on les attrape. Des hommes agitèrent des bâtons, des fourches ou des houes. Isaac para quelques coups de sa lame, lança sa botte dans des bouches gueulantes. Mais sa mule allait en crabe, toute prête à tourner sur elle-même. Un cri d'une grande férocité attira son attention vers le petit groupe qu'il tentait de rejoindre.

Des enfants agrippaient les bras de la jeune femme enceinte et lui arrachaient ses vêtements.

Isaac sentit le souffle terrifié de son compagnon sur sa nuque.

– Ne lui faites pas de mal, balbutia le jeune homme comme si on pouvait l'entendre. Je vous en supplie !

La jeune femme était presque nue. Les gosses traînaient ses jupons dans la boue en riant. Entre les déchirures de sa chemise apparaissait la pâleur de son ventre rond sans défense.

Simon sauta de la mule et se précipita vers sa bien-aimée. Isaac voulut le suivre, mais un gros homme, à cet instant, le chargea avec une fourche de bois. Il détourna la première attaque d'un coup de pied. À la seconde, il abattit sa dague sur le bois comme une hachette. Deux des dents de la fourche se brisèrent. Emporté par son élan furieux, le Chrétien parvint à l'enfoncer dans la cuisse du jeune garçon. Isaac gémit. Mais sa mule, affolée par la violence qui l'entourait, lui sauva la vie, l'emportant en quelques bonds à l'autre bout de l'esplanade. Il ne la maîtrisa que pour sentir le brusque changement dans la folie qui l'entourait.

Il n'y avait plus de hurlements ni de vociférations.

Un silence lourd comme une aile de ténèbres gelait l'air.

Avant même que Simon puisse se porter à son secours, sa bien-aimée avait reçu dans le ventre une lourde pierre tirée des échafaudages. Elle gisait dans la boue, nue et souillée, sans connaissance.

Comme rassasiée par l'odeur de la souffrance et de la mort, la foule marmonna et se détourna, prête à reprendre sa prière interrompue par sa soif de vengeance.

Avant la nuit, les nuages, pourtant si bas qu'on aurait pu les toucher, s'entrouvrirent. Un rai de soleil caressa les plus hautes cimes de la forêt. En un instant, le rai devint lame, puis onde. La chaleur revint d'un coup. La forêt fuma, mêlant sa brume aux nuages qui se retiraient.

La lumière surgit en un scintillement de verts. Le monde parut immense, beau et paisible.

En un tout autre moment, Isaac, adossé au mur d'une petite masure à une lieue de la ville, aurait aimé remercier le Tout-Puissant de cette soudaine splendeur. Mais au plus profond de son cœur il ne ressentait que colère et dégoût.

On avait soigné sa blessure. Mais, en vérité, sa cuisse lui cuisait moins que sa fureur. La jeune femme était morte, emportée par l'enfant broyé dans son ventre !

Un petit homme au regard doux et accablé vint s'asseoir près de lui. Après un soupir il dit :

– Quand les enfants perdent leur innocence, le monde perd son âme.

Il ajouta :

– Je suis Nathan Judicaël, le changeur. Nous te remercions tous pour ton aide... Sans toi...

– Je n'ai pas empêché la mort de cette jeune femme, le coupa durement Isaac. Et peut-être même l'ai-je provoquée. De quoi donc voulez-vous me remercier ?

Le changeur esquissa un sourire amer :

– D'avoir refusé ce que nous n'aurions pas dû accepter.

– Je n'ai eu qu'un mouvement d'humeur !

Le changeur balaya l'objection d'un geste de la main.

– Chacun fait ce qu'il peut... On m'a dit que tu me cherchais ?

– Oui. Je n'ai qu'une bourse en monnaie de Narbonne et je vais loin dans l'est.

Nathan Judicaël l'examina avec plus d'attention.

– Loin dans l'est ? En Poline [1] ?

– Je suis né en Poline, dit Isaac avec réticence.

– Tu es bien jeune pour avoir tant voyagé.

– Mon père étudiait. Il est parti rejoindre le grand rabbin Hazdaï Ibn Shaprut chez les Maures d'Andalousie. Il m'a emmené avec lui quand j'avais dix ans...

– Et tu es déjà savant, je parie. Cela se voit à ton visage. Tu as la beauté du savoir et de l'intelligence. Et donc tu retournes en Poline ?

– Non. Je vais plus loin que cela. Au-delà du pays magyar...

Le changeur sursauta.

1. Pologne.

– Au-delà du pays magyar ? Mais mon garçon, il n'y a que des Hongrois assoiffés de sang, au-delà ! Des barbares fous comme ceux qui nous ont envahis sans cesse avant que le roi Othon ne les repousse...

Isaac hésita. En un jour comme aujourd'hui, il connaissait le poids d'espérance et de rêve que contenait sa réponse. Mais justement, en un jour comme aujourd'hui, il était plus indispensable que jamais que l'espérance soit davantage qu'un rêve.

– Je vais dans un royaume dont le roi est juif, annonça-t-il en détachant les mots. Ils se nomment Khazars et ils ont décidé de respecter la loi de Moïse...

Le changeur ne broncha pas, comme s'il n'avait pas entendu. Puis ses lèvres se mirent à trembler. Il se redressa, s'appuyant sur l'épaule d'Isaac.

– Un roi juif ! À l'est... Un nouveau royaume d'Israël, dis-tu ? Mais alors... Que le Tout-Puissant me pardonne. L'heure du Messie serait-elle donc arrivée ?

Isaac évita le regard trop flamboyant qui se posait sur lui et ne répondit pas.

8

Paris, Montmartre
mai 2000

Durant les deux semaines qui suivirent la visite de Yakubov, trois événements perturbèrent la vie de Sofer.

Selon l'expertise d'un spécialiste de la numismatique du Moyen Âge, la pièce d'argent semblait effectivement d'origine khazar.

Contrairement à ce qu'il avait promis, et contre toute logique, Ephraïm Yakubov ne rappela pas.

Durant plusieurs nuits, l'inconnue rousse de Bruxelles ruina le repos de Sofer. Il rêvait qu'elle lui posait sans cesse la même question et il préférait se réveiller plutôt que de devenir fou. Il commença à haïr cette femme et à souhaiter de toute son âme avoir l'occasion de le lui dire.

L'expert était suisse et réputé auprès des salles de vente, recommandé par Sotheby's ou Christie's. Il accepta, contre un chèque de quinze cents francs, que l'expertise dure moins de trois mois.

– Cette pièce est bien en argent, confirma-t-il, mais fondue selon une technique très ancienne et qui vient du bassin de l'Euphrate. Très ancienne, cela signifie deux ou trois siècles avant l'ère chrétienne. Toutefois, la pièce elle-même est beaucoup moins vieille. Entre le VIIIe et le IXe siècle, à mon avis...

Il bascula une énorme loupe autoéclairante sous le nez de Sofer et fit tourner la pièce entre ses doigts finement manucurés.

– C'est une monnaie juive, vous le saviez déjà, frappée du chandelier à sept branches. Elle comporte deux inscriptions en hébreu indiquant son poids, ce qui à l'époque signifiait sa valeur... Ce qui est surprenant, ce qui la rend tout à fait intéressante, c'est ça !

Son ongle verni désignait un groupe de trois signes superposés. Il changea de ton, lança un regard complice à Sofer :

– J'ai mis un moment à comprendre. Pièce juive, vieille technique de fonte... Cela paraissait aller de soi : une monnaie syrienne, ou même de la colonie juive de Bagdad. Sauf que cette inscription ne collait pas. Elle ne correspond à aucune des langues utilisées dans cette région à cette période ! Et puis je me suis souvenu d'une pièce identifiée il y a quelques années...

Sans mot dire, la paupière à demi close pour se protéger de l'éclat violent de la loupe, Sofer attendait patiemment d'en avoir pour son argent.

L'expert quitta son bureau et ouvrit la porte blindée d'un meuble de classement en acier brossé. Il fit coulisser un mince tiroir d'où il retira une pièce de monnaie semblable à celle de Yakubov, mais plus petite.

– Regardez, ordonna-t-il en la plaçant sous la loupe. Vous voyez, ici ?

Sofer voyait. Le même groupe de signes, tout aussi incompréhensible, était moulé dans l'argent.

– Qu'est-ce que cette inscription signifie ? demanda-t-il.

– *Bulan, roi des Khazars* !

Sofer leva un sourcil.

– On dit qu'à part les Byzantins seuls les Khazars savaient fondre la monnaie dans la région caucasienne avant le xe siècle. Ils le faisaient même pour leurs voisins... Bulan fut roi des Khazars au viiie siècle. Selon la légende, c'est lui qui ordonna la conversion des Khazars au judaïsme.

Ainsi, Yakubov ne lui avait pas menti.

De là à lui donner cinquante mille dollars que Sofer ne possédait pas, du moins pas sans complications, cela nécessitait plus de détails et surtout une franche explication.

Mais voilà, le Caucasien ne rappelait pas.

Deux semaines s'écoulèrent. Puis encore la moitié d'une.

Chaque matin, chaque soir, avec un agacement croissant, Sofer considérait la pièce sur son bureau. L'expert l'avait évaluée à une cinquantaine de mille francs... Il avait du mal à croire que Yakubov allait lui abandonner cette pièce et disparaître. Cela n'avait pas de sens. D'autant qu'il avait l'air plutôt pressé, le découvreur de grotte !

Yakubov s'était-il attiré des ennuis ? Il y avait fait allusion. Mais quels ennuis, et venant de qui ?

Détenait-il une cassette pleine de pièces de monnaie khazars, comme celle qu'il lui avait laissée ? En ce cas, pourquoi lui réclamer de l'argent ? Il lui aurait suffi de les vendre, même à bas prix, et sa fortune était assurée !

Sofer s'installa sur son balcon et observa Paris s'offrir au soleil du printemps nouveau. Il détestait les questions sans réponse. La plupart du temps, c'était ainsi que lui venait l'envie d'écrire !

Un matin, il se décida. Il abandonna ses rosiers, qui n'avaient nullement besoin de lui, déposa une pile d'encyclopédies sur son bureau et brancha son ordinateur.

Après avoir perdu un temps fou sur Internet, il réunit les maigres informations qu'il avait pu collecter. Elles étaient aussi concises qu'indigentes.

Apparemment, il restait peu de traces archéologiques des Khazars. Yakubov avait raison, une fois de plus. Tout au long de leur histoire, Russes et Soviétiques s'étaient efforcés de les faire disparaître. La forteresse de Sarkel-la-Blanche, au bord du Don, avait été, par exemple, malencontreusement engloutie sous un lac de barrage dans les années cinquante. Toutefois, quelques maigres vestiges subsistaient dans les environs d'Itil, la grande capitale khazar sise à l'embouchure de la Volga. Bien sûr, il n'était nullement question de grottes ou de synagogue secrète dans les monts du Caucase.

En fait de traces, les articles évoquaient trois documents intéressants. Trois lettres écrites entre 940 et 960.

L'une avait été rédigée par un noble khazar et adressée à l'importante communauté juive de Cordoue. Conservée à Cambridge, elle recelait apparemment de nombreuses informations sur la vie du royaume et de ses sujets. Les deux autres étaient plus essentielles encore.

En l'an 953 de notre ère, le grand rabbin Hazdaï Ibn Shaprut, conseiller du calife Abd al-Rahman III, fort connu pour sa science et ses poésies, avait fait parvenir à Joseph, le jeune roi des Khazars, une missive pleine de questions. Un jeune Juif intrépide, Isaac Ben Éliezer, affrontant mille épreuves à travers une Europe en plein chaos, s'était chargé de porter ce message. Un délai de sept années s'était écoulé avant que la réponse de ce même Joseph parvienne entre les mains du rabbin Hazdaï, toujours grâce à Isaac Ben Éliezer. Ces deux missives, également conservées à Cambridge, semblaient contenir toutes les questions que l'on pouvait se poser sur le royaume des Khazars, et quelques-unes des réponses...

Deux nuits de suite, le souvenir de la femme rousse le hanta. Il se demandait où elle vivait.

Était-elle belge ? Était-elle française ? Sofer en eut la chair de poule tout à coup : la rencontre avec Yakubov l'avait à ce point troublé qu'il n'était plus certain que l'inconnue se soit adressée à lui en français !

Non, c'était absurde : il avait répondu en français. La salle d'ailleurs avait ri...

Oui, mais il parlait cinq langues et les mélangeait à volonté. Si la beauté rousse avait utilisé le russe ou l'hébreu, l'anglais, même, personne ne s'en serait offusqué !

De ses vêtements, il se souvenait avec précision : un manteau de peau clair cintré et une robe noire. Pas de bague, pas de boucles d'oreilles. Juste un collier d'argent.

Un caractère entier, vraisemblablement. Déjà, enfant, elle devait être sûre d'elle-même, aimer se faire obéir. Jouer de la séduction et du caprice...

Quel métier pouvait-elle exercer ? Était-elle seule, mariée, amante, ou même mère de famille ?

Il la voyait bien conduire une voiture. Une voiture rapide. Elle devait avoir de l'argent, mener une vie de luxe.

Mais comment obtenait-elle cet argent ? En vendant des pièces de monnaie khazars ?

Allongé dans le noir, Sofer émit un ricanement en se rendant compte de la tournure que prenaient ses pensées. Un processus se mettait en place malgré lui et qu'il ne connaissait que trop bien : il modelait son souvenir pour transformer l'inconnue en un personnage !

Il se retourna sur le côté et, pour échapper à cette obsession, songea aux Khazars. À quoi pouvaient-ils bien ressembler, ces Juifs du bout du monde, ces hommes qui avaient décidé d'adopter la loi de Moïse alors qu'elle signifiait déjà exil et opprobre dans la plupart des pays ?

Et pourquoi une telle décision ?

Que représentait le judaïsme pour eux, là-bas, perdus dans les steppes de la Caspienne, sous la surveillance de Byzance ?

Et comment avaient-ils disparu ? Pourquoi ? Comment vivaient-ils, aimaient-ils ?

Sofer comprit que le vieux démon reprenait possession de lui : qu'il songe à l'inconnue rousse ou aux Khazars, l'écriture l'attirait comme un aimant. Le démon lui soufflait que plonger dans le flot d'un roman n'était pas si terrible. Après tout, on ne s'y brisait rien de bien définitif. Tout au plus devait-on s'accommoder d'accomplir une tâche super-flue, de rêver un rêve inutile !

Et puis le lendemain les choses se passèrent ainsi.

De longue date, un déjeuner était prévu avec son éditeur.

Prudent, Sofer se rendit dans le charmant patio de l'hôtel Plaza Athénée. Son éditeur, aussi fin que cultivé, avait l'art de vous amener à écrire des livres auxquels on ne songeait pas avant qu'il ne vous en parle. Sofer redoutait une charge qui ne manqua pas de venir :

– Marc, depuis combien de temps n'as-tu pas signé de roman ?

– Sept ans, six mois et douze jours. Je te fais grâce des heures.

– Tu vois ? On croirait entendre un amant lâché par l'amour de sa vie ! Peux-tu m'expliquer aujourd'hui la vraie raison de ce silence ? Je sais que tu n'es pas « à sec ». Sauf financièrement, peut-être ! Veux-tu que nous trouvions un sujet ensemble ?

– Si j'ai besoin de quelque chose, ce n'est certainement pas qu'on me tienne la main comme à un vieillard sénile, répliqua sèchement Sofer.

Il piocha nerveusement dans ses coquilles Saint-Jacques à la sauce aux morilles, mécontent de gâcher son plaisir, lorsqu'une voix le fit sursauter.

Un rire suivi d'une exclamation. Une exclamation russe !

Son regard parcourut rapidement le patio. Derrière un arrangement savant de bananiers et palmiers en pots, il reconnut la silhouette. La silhouette seulement, car le costume était méconnaissable : gris anthracite sur une chemise noire. Pas de cravate mais une pochette de soie jaune canari. L'ensemble, cette fois taillé convenablement, absorbant la largeur des épaules.

Lorsque Yakubov tourna la tête, Sofer se demanda s'il ne délirait pas.

– Nom de Dieu ! s'écria-t-il.

– Qu'y a-t-il ? s'inquiéta son éditeur, médusé.

Sofer se leva sans répondre. Il contourna le patio en zigzaguant entre les chaises. Yakubov quittait une table en compagnie de deux hommes et s'éloignait en direction du grand hall. Sofer bouscula sans ménagement une jeune Américaine et se précipita dans le hall.

– Monsieur Yakubov ! Monsieur Yakubov !

Le Caucasien pila tandis que les deux hommes à ses côtés se retournaient. Yakubov parut terriblement gêné. Il jeta un coup d'œil penaud à ses compagnons ; ceux-ci s'écartèrent, faussement indifférents.

– Monsieur Yakubov ! Vous deviez m'appeler, non ?

Avec la mine d'un enfant pris en faute, Yakubov tripota le revers de son costume neuf.

– Je sais, mais ce n'est plus la peine que je vous dérange.

Sofer désigna le costume, narquois :

– Oui, on dirait que vos affaires s'arrangent. Joli costume, bel hôtel...

– Oui, très bien.

– Plus besoin de visa ? Vous avez trouvé vos cinquante mille dollars ?

Yakubov jeta un nouveau regard vers les deux hommes qui patientaient devant la porte à tambour.

– Je suis désolé, j'aurais dû vous appeler.

– On va arranger ça. Dites-moi où nous pouvons boire un verre ce soir tous les deux et vous me raconterez vos aventures.

– Pas possible. Je prends l'avion tout à l'heure, fit-il en retrouvant son grand sourire en or.

– Ah bon ? Vous retournez en Géorgie ?

– Non, oh non ! Au Canada.

Sofer en resta pantois.

– Et la grotte ? Cette grotte que je devais découvrir ?

Le sourire de Yakubov s'effaça. Il inclina la tête sur le côté.

– Désolé, monsieur Sofer.

– Comment ça, « désolé » ?

– Je dois y aller. Vous pouvez garder la pièce en souvenir.

– La pièce... Bon sang, Yakubov ! s'énerva Sofer. Qu'est-ce que c'est que ces âneries ?

Mais le Caucasien lui tournait déjà le dos. Ses deux acolytes avancèrent d'un pas. Sofer comprit : des gorilles. Des gardes du corps, des « messieurs muscles » comme on pouvait en louer, paraît-il, à la journée ou au mois.

De toute évidence, Yakubov avait trouvé un bon usage à son émouvante histoire paternelle et à ses pièces de monnaie khazars.

La moitié du hall s'était tue et les observait. Tandis que le trio quittait l'hôtel, Sofer se contenta de grommeler une insulte bien sentie.

Le soir même, il dénicha le nom et le numéro de téléphone, à Bakou, du président de l'Association des Juifs des montagnes, Mikhaïl Yakovlevitch Agarounov.

Agarounov répondit à la quatrième sonnerie. Il se montra à peine surpris lorsque Sofer se présenta.

– Quel plaisir de vous entendre ! Savez-vous que j'ai lu trois de vos livres ? En allemand !

Après quelques civilités, Sofer lui raconta l'apparition-disparition de Yakubov.

– Yakubov ? Non...

Après quelques secondes de réflexion, Agarounov répéta avec assurance :

– Non, ça ne me dit rien. Il faudrait que je consulte notre fichier pour plus de certitude, mais s'il vient de Géorgie, ce n'est pas étonnant que je ne le connaisse pas. Notre association ne regroupe que les Juifs des montagnes d'Azerbaïdjan...

– Dommage.

– Qu'avait-il à vous vendre ?

Sofer devina le sourire au ton de la voix. Il raconta succinctement l'histoire de la grotte et de la pièce de monnaie. Agarounov ne le laissa pas achever :

– Les Khazars ! s'exclama-t-il. Voilà qui est extraordinaire ! Savez-vous qu'hier un attentat a endommagé gravement quatre stations de pompage pétrolier dans la baie de Bakou ? Il y a une heure à peine, la radio parlait d'une revendication lancée par un groupe inconnu jusque-là. Je vous le donne en mille, monsieur Sofer ! Ce groupe s'appelle le « Renouveau khazar » !

Sofer ferma les yeux tandis que le charmant Agarounov lui donnait autant de détails qu'il en possédait.

– Et que veulent-ils ? murmura Sofer.

– Ça, ce n'est pas clair. La lettre de revendication n'a pas été diffusée à la radio. De l'argent, certainement. Mais je peux vous le dire, ce n'est pas bon pour notre communauté...

Sofer reconnaissait le frisson qui le saisissait : il n'avait plus qu'à prendre un billet de train pour Londres et se rendre à Cambridge, pour voir de ses propres yeux les documents khazars.

9

Mâcon

954

Le soir même de cette terrible journée qui vit la mort de la jeune femme enceinte, les Juifs de Mâcon se réunirent à l'appel de Nathan Judicaël, le changeur.

Ils se retrouvèrent dans une grange à la lisière de la forêt, à une demi-lieue des murs de la ville, et qui leur servait de synagogue.

– Synagogue secrète, précisa Nathan à l'adresse d'Isaac. Il vaut mieux qu'elle le soit car, sinon, il vient toujours à l'idée d'un « Gentil » d'y mettre le feu. Ils sont persuadés que nous y entretenons des conversations avec le diable, que nous y mangeons des enfants ou je ne sais quelles horreurs encore !

Il y avait autant d'amertume que d'ironie dans la voix du changeur.

– Mais évidemment, tenir nos synagogues secrètes ne fait qu'accroître leurs soupçons ! intervint un petit homme chauve, meunier de son état, en riant. Et les Chrétiens ont donc d'autant plus envie de nous faire rôtir. Tu le vois, courageux Isaac, le Tout-Puissant tient à nous mettre à l'épreuve par toutes sortes de moyens, et particulièrement en nous pressant entre les pierres des meules !

– Au moins nous enseigne-t-Il la modestie, soupira Nathan en désignant les murs de planches nues autour d'eux.

Quelques porte-chandelles y étaient fichés. Une lampe à huile suspendue à une poutre chantournée éclairait mal un pupitre supportant un rouleau du Livre et un pauvre matériel d'écriture. Il n'y avait ni table ni banc, et pas davantage de textes sacrés à étudier. Isaac sentit son cœur se serrer devant pareil dénuement. Comme les belles bibliothèques de Cordoue étaient loin !

Nathan Judicaël raffermit son châle de prière sur ses épaules et murmura :

– *Assurément le Seigneur est présent en ce lieu et moi je l'ignorais...*

Isaac, reconnaissant le verset de la Genèse, ajouta :

– *Que ce lieu est redoutable ! Il n'est autre que la maison du Seigneur et c'est ici la porte du ciel.*

Nathan et son compagnon chauve le dévisagèrent avec admiration.

– Il semble bien que l'Éternel, béni soit-Il, ait déversé sur toi l'abondance de Ses bienfaits, compagnon voyageur ! déclara Nathan. Nous allons réciter la prière du soir et ensuite tu nous raconteras la raison de ton voyage. La nouvelle est assez merveilleuse pour que chacun en profite et s'en réchauffe le cœur en ce jour de tristesse.

Ainsi fut fait.

Avant la fin de la prière, une cinquantaine d'hommes surgirent soudain de la nuit pour entrer discrètement dans la lumière chiche et vacillante de la grange. Ils se pressèrent autour d'Isaac.

Il leur parla d'abord de l'extraordinaire vie que les Juifs menaient à Cordoue, en Andalousie.

– Les orangers recouvrent les collines d'une floraison plus blanche que la neige. Elle est si parfumée qu'au plus chaud des soirs de printemps, lorsque le soleil plonge dans l'envers du monde, chacun respire à petites goulées pour ne pas suffoquer de douceur.

Il expliqua encore que les Juifs y étaient correctement traités et parfois appréciés pour leur savoir.

– Le calife Abd al-Rahman le troisième, fils de Mohammed, fils d'Abd al-Rahman, fils de Heschem, fils d'Abd al-Rahman, que Dieu lui prête longue vie, accorde sa confiance et sa miséricorde au grand rabbin Hazdaï Ibn Shaprut qui est son conseiller et un maître pour tous les Juifs de Séfarade.

– Qu'est-ce que c'est, « Séfarade » ? demanda un jeune homme aux yeux cernés et au visage griffé de croûtes.

Isaac reconnut Simon, celui-là même que l'évêque avait giflé de ronces. Celui-là qui, en un instant, outre l'humiliation, avait perdu sa bien-aimée et l'enfant qu'elle portait. Comment avait-il encore la force de venir dans cette synagogue après toutes ces horreurs ?

– C'est le nom que donnent les Ismaélites à l'Andalousie, répondit Isaac avec douceur.

L'Andalousie est la partie sud du continent d'Espagne. Elle est bordée par le Grand Océan où baignent les terres du monde. De l'autre côté, plus au sud, commence l'autre partie de la terre qui va à Jérusalem...

– Isaac, mon garçon ! intervint Nathan avec impatience. Ne nous fais pas languir. Parle-nous de ce nouveau royaume des Juifs.

– Tout a commencé il y a une dizaine d'années, raconta Isaac avec feu. En l'an 4710 après la création du monde par l'Éternel. Des marchands de Constantinople sont venus vendre des tissus et des objets en Séfarade. L'un d'eux chercha à vendre un rouleau contenant des règles d'arithmétique grecque au rabbin Hazdaï. Vous savez comment sont ces commerçants. Toujours bavardant, toujours colportant des anecdotes. Et voilà que celui-ci affirme qu'il existe un royaume juif à la frontière nord de Byzance !

Isaac sourit en voyant les visages s'éclairer d'eux-mêmes dans la pénombre, sans aucun besoin de chandelles ou de lampes.

– Continue, mon enfant, souffla un vieil homme aux yeux si gris qu'ils paraissaient ne plus rien voir. Continue, c'est une belle histoire !

– Le rabbin Hazdaï s'étonne. Il demande : « Comment cela ? Un royaume juif ? Mais il n'en existe qu'un ! Il n'existe qu'un Israël, qu'une Jérusalem ! Et il n'a plus aucune existence d'État, sinon dans nos cœurs et notre mémoire ! Il a sombré dans les calamités par notre faute, car Dieu n'a jamais ôté de nous

Son ombre protectrice... » Le marchand proteste avec véhémence : « Non, Rabbi ! L'Éternel me foudroie dans l'instant si je mens. Il y a un royaume juif au nord de Byzance. On m'a assuré qu'il est peuplé de Juifs qui suivent la loi de Moïse, même s'ils ne sont pas fils d'Abraham ! – Pas fils d'Abraham ? Est-ce possible ? » s'exclame le rabbin Hazdaï. « C'est possible comme je le dis, insiste le marchand. Ces Juifs-là ne paient aucun tribut aux Gentils et ils sont maîtres chez eux ! »

Isaac fit une pause pour reprendre son souffle avant de poursuivre :

– Le rabbin Hazdaï Ibn Shaprut est un vrai sage. Il n'est pas homme à croire le premier racontar venu. Il pensa que cette histoire était trop belle et que le marchand voulait croire à ses rêves. Il conserva ce conte dans son esprit et n'en parla à personne afin de ne pas faire lever un espoir sans fondement...

Isaac s'interrompit.

– Enfin si. Il en parla à mon père, l'astronome Josué Ben Éliezer, car il appréciait son jugement et avait toute confiance en lui. Mais peu de temps après, dans le mois d'Av 4712, mon père est mort dans les bras du rabbin. Je n'étais qu'un enfant d'à peine treize ans et n'avais pas encore reçu la bar-mitsva. Pressentant l'appel du Tout-Puissant, sa main serrant la mienne, il m'avait confié ce secret en me faisant promettre de n'en rien révéler. « Espère, Isaac mon fils, me dit-il. Espère de tout ton cœur que ce royaume existe et qu'il soit celui que nous attendons tous. Espère, prie pour qu'il le soit, mais n'en souffle mot à personne. C'est une promesse que j'ai faite au rabbin, et tu dois la tenir... »

Il y eut des murmures et des hochements de tête. D'un geste machinal, Isaac ramena en arrière les longues mèches blondes qui lui couvraient le front.

– Cependant, les saisons des marchés passant, d'autres détails parvinrent aux oreilles du rabbin Hazdaï. Des commerçants de Khorossan ou de Bagdad, pleins de sagesse, d'autres, venus jusqu'ici, ou allant encore plus loin à l'est, en Poline et en pays magyar, confirmèrent l'histoire du marchand de Constantinople. Ils assurèrent avoir rencontré des habitants de ce royaume juif et qui se nommait le pays des « Khazars ». Des hommes aux pommettes hautes, comme tous ceux qui venaient d'Asie, vêtus de longues tuniques de peau ou de lin selon les saisons, parlant et écrivant une langue inconnue mais aussi assez d'hébreu pour être capables de lire la Torah...

– Est-ce seulement possible ? murmura le meunier.

– Mieux que possible, affirma Isaac. On raconte qu'ils se donnent des rois dont les noms sont tirés du Livre, que le roi qui règne aujourd'hui s'appelle Joseph, et que seul son descendant juif pourra lui succéder ! On dit que ces Khazars ont décidé d'eux-mêmes de devenir juifs, qu'il y a des synagogues partout dans leur pays, qu'on y vit en paix selon la Loi et que...

– C'est pas si sûr ! fit une voix grave.

Isaac, comme tous les autres, sursauta. Celui qui venait de parler était un homme grand, à la silhouette mince mais au visage puissant. Ses yeux étaient profondément enfoncés dans ses orbites. Une cicatrice, qui rendait sa peau lisse comme de l'huile, marquait toute la largeur de sa tempe droite.

– Que dis-tu, Saül ? s'écria Nathan le changeur. Tu connais ce royaume ?

Saül hocha la tête et affronta les expressions stupéfaites qui l'entouraient.

– Moi aussi je suis un marchand. Moi aussi je suis allé, il y a sept ans, acheter des épées et des couteaux forgés par les Magyars. Que j'ai fort bien vendus, d'ailleurs. Et là-bas, j'ai entendu ce nom qu'il vient de prononcer : les « Khazars ».

– Et pourquoi n'en as-tu rien dit ? demanda le jeune Simon.

– Et pourquoi j'en aurais dit ? s'énerva Saül. On m'a seulement raconté qu'il existait un royaume khazar à l'est de la mer d'Azov, celle qui porte jusqu'à Constantinople. Mais personne ne m'a raconté qu'il était peuplé de Juifs.

Le silence fut si violent qu'on entendit une chevêche hululer. Saül se tourna vers Isaac :

– Moi, tout ce que j'ai entendu, c'est que ces Khazars vivent dans des tentes, vont à cheval et ne cessent de faire la guerre aux barbares du Nord, qu'on appelle les Russes. Qu'ils soient juifs, je peux jurer que je ne l'ai jamais entendu ! Pourtant je suis allé loin vers l'est. Presque jusqu'à Kiev. Tout ce qu'on m'a dit, c'est qu'il y a des fils d'Ismaël en Khazarie, et en grand nombre. Des Chrétiens un peu, et aussi des idolâtres. Beaucoup d'idolâtres ! De ceux qui font surgir les démons avec leurs amulettes... Pas question d'un roi juif dans tout ça !

Le silence revint, pesant. Nathan évita le regard d'Isaac. Les yeux du jeune Simon brillaient de fièvre.

Isaac ouvrit la sacoche qu'il tenait serrée contre lui. Il en tira un rouleau de cuir.

— Là-dedans est rangée la lettre qu'a écrite le rabbin Hazdaï Ibn Shaprut au roi des Khazars, Joseph. Et le rabbin m'a désigné, moi, Isaac, fils de Josué, pour aller déposer cette missive dans les paumes mêmes du roi Joseph. Et je le ferai.

— Tu vas là-bas ? murmura Simon.

— Oui. Et même si l'on me vole la lettre, je pourrai la réciter au roi des Khazars, car je la connais par cœur.

— Et s'ils ne sont pas juifs ? insista Saül.

— Ils le sont, trancha durement Isaac. Et il est une question posée par le rabbin Hazdaï qui doit obtenir une réponse.

— Laquelle ? demanda le changeur d'une voix étouffée par l'émotion.

Isaac pressa le rouleau de cuir contre son cœur et commença :

— *Je demande encore une chose à mon maître, Joseph, roi des Khazars. Qu'il daigne m'apprendre ce qu'il sait du miracle que nous attendons depuis tant d'années, tandis que nous passons d'une captivité à une autre. Ah, com-*

ment pourrais-je être en repos alors que la destruction de notre Temple nous jette d'un exil à l'autre ? Nous ne sommes plus qu'en petit nombre dans la grande multitude. Déchus de notre ancienne gloire, nous n'avons rien à répondre quand on nous dit : « Chaque nation possède une patrie, et vous, les Juifs, n'avez plus même une terre qui porte trace de la vôtre ! » Aussi, mon seigneur, en apprenant la nouvelle de l'existence de votre royaume, la puissance de son empire et de son armée, notre courage ressuscite, la force nous revient. Mon seigneur est-il ce roi tant espéré de nous, gouverne-t-il la patrie que le peuple éparpillé attend dans l'épuisement de la servitude ? La terre des Khazars est-elle celle que le Tout-Puissant a désignée pour que soit enfin relevé le Temple ? Plaise au ciel que cette nouvelle soit réelle. Que l'éternel Dieu d'Israël soit béni pour n'avoir refusé aux tribus d'Israël ni un libérateur, ni une patrie !

– Amen !

Le murmure gronda dans la grange, prononcé d'un même souffle par toutes les bouches.

– La lettre est longue, et elle contient bien d'autres choses, ajouta Isaac.

– Aucun de nous ne sait avec exactitude ce qui est au-delà du pays magyar, reconnut Nathan. Cependant, un grand rabbin du pays de Séfarade ne s'aventure pas à écrire à un roi si celui-ci n'existe pas.

– Moi, je suis certain que ce royaume juif existe ! s'exclama le jeune Simon en pleurant.

Et je veux y accompagner Isaac! Je n'ai plus rien qui me retienne ici sinon le dégoût de vivre. Autant périr cn route, s'il le faut, pour une cause qui vaut pour nous tous, plutôt que subir encore la haine de l'évêque!

– Il faut faire une copie de cette lettre, intervint le vieil homme aux yeux gris. Nous la garderons ici. Ainsi, en cas de malheur, quelqu'un pourra prendre votre relève et aller la porter chez ce roi Joseph!

Le meunier saisit le bras du marchand :

– Saül! Tu sais voyager, tu es allé plusieurs fois dans les pays de l'Est. Tu en connais les usages et les routes. Accompagne Isaac et Simon.

– Tu me le demandes, à moi qui ne suis pas certain, comme vous, que ce royaume juif existe?

– Précisément. Tu garderas la tête froide. Regarde-les! Isaac est courageux et savant, sage pour son âge. Mais son âge est ce qu'il est. La passion l'emportera. Il sera toujours prêt à faire des folies comme aujourd'hui... Et regarde notre Simon. Il n'est que plaies et douleur. Il a tout perdu en un jour et, au premier rayon de soleil, il prendra ses rêves pour la réalité.

– Tandis que moi, je peux au moins aller faire du commerce chez ces Khazars! ricana Saül. C'est bien ce que tu veux dire?

– En quelque sorte. Cela te donnera l'envie d'aller et de revenir.

– Le meunier a raison, fit Nathan. Tu pourras leur être d'une grande aide, Saül. Et songe à la cause!

– Je serais heureux d'être en ta compagnie, admit Isaac. Et le roi Joseph sera sans doute heureux d'apprendre comment tu exerces ton commerce.

Saül jeta un regard sourcilleux à Isaac pour s'assurer que ces mots ne contenaient aucune moquerie. Il haussa les épaules.

– Je me déciderai demain.

Jusque tard dans la nuit, ils lurent la longue lettre du rabbin Hazdaï Ibn Shaprut de la première à la dernière ligne. Puis ils la recopièrent avec un soin minutieux.

Quand enfin ils quittèrent la synagogue, en groupes serrés dans l'obscurité, des loups hurlaient dans la forêt.

10

Oxford, Angleterre
mai 2000

Nul n'ose approcher le Khagan des Khazars, si ce n'est pour une affaire d'une grande importance. En ce cas, le visiteur doit se prosterner devant lui, toucher la terre de son front et demeurer en cette position aussi longtemps que le Khagan ne lui aura pas ordonné de se relever. De même, chacun doit se taire tant que le Khagan ne souhaite pas que l'on parle. En vérité, le pouvoir du Khagan des Khazars est si absolu que ses ordres et ses moindres volontés sont accomplis avec une obéissance aveugle. S'il juge bon de se défaire de quelqu'un de sa cour, il lui suffit de le convoquer. Le Khagan dit alors à ce seigneur, aussi puissant soit-il : « Retire-toi de ma vue. Ta faute souille le règne du Tout-Puissant. Rentre chez toi et donne-toi la mort. » Alors ce seigneur va dans sa maison et se tue...

Sofer poussa un soupir et ferma ses paupières fatiguées.

Dans le silence de la pièce luxueusement lambrissée, il entendit monter le clapotement réconfortant de la pluie. Bien sûr, il pleuvait. L'Angleterre sans pluie serait comme New York sans gratte-ciel ! Fine et régulière, elle laquait les massifs de rhododendrons et d'azalées entourant la cour du Randolph, vaste et typique hôtel victorien au cœur d'Oxford.

La tête renversée sur le dossier du fauteuil de cuir, Sofer caressait de ses doigts la pièce de monnaie khazar, lissée par le temps, que Yakubov lui avait laissée. Depuis, tel un talisman, elle ne le quittait plus. Tout à la fois énervé et épuisé, il était incapable de trouver le repos. Les jours précédents avaient été éprouvants.

Aussitôt arrivé à Cambridge, il s'était rendu à l'université. Des cars y déversaient les touristes en troupeaux bruyants. Pris dans la cohue, il avait dû faire une interminable queue avant d'accéder à la bibliothèque du Queen's College. Enfin parvenu dans ce saint des saints, on lui avait refusé, à sa grande surprise, l'accès aux documents.

En vain avait-il fait appel à toute sa capacité de persuasion : au département des manuscrits anciens, on ne faisait pas d'exception. L'idée lui était venue de téléphoner à la maison d'édition londonienne qui assurait la traduction de ses ouvrages. Le lendemain matin, comme par miracle, les portes de la Queen's College Library s'ouvrirent devant lui avec tout le respect dû à sa tâche !

Une bibliothécaire d'âge mûr l'assura que, bien sûr, il pourrait consulter les documents médiévaux de la collection Taylor-Schechter.

– Les originaux eux-mêmes ? insista Sofer.

– Certainement, certainement !

De même que l'on pourrait lui fournir toutes les copies nécessaires. D'ailleurs, une spécialiste de ces textes, prévenue, serait à sa disposition pour la journée.

La salle de consultation ne contenait qu'une quinzaine de pupitres. Quatre fenêtres étroites et hautes laissaient entrevoir les bâtiments de brique du *College*. Il régnait là une atmosphère de recueillement, une tension si grande qu'on y percevait le souffle de chacun. Ici, la lecture tenait de la prière. Sofer n'avait pu s'empêcher de songer à l'atmosphère d'une yeshiva.

Après une brève attente, une souriante jeune femme poussa jusqu'à lui une table roulante silencieuse évoquant le chariot des desserts d'un grand restaurant. Elle supportait une sorte de caissette de verre dans laquelle étaient étalés quatre feuillets de parchemin.

– Voici le document que vous avez demandé, monsieur, annonça la jeune femme à voix basse. Ce que nous appelons *the Schechter letter* [1]...

Ces manuscrits étaient en bon état. Un seul présentait des déchirures et des traces d'humidité. L'encre, brune et par endroits presque pourpre, dessinait des lettres nettes. La calligraphie était ferme et épaisse. Sur chacun des parchemins, le texte était réparti en deux colonnes.

Au premier coup d'œil, Sofer repéra les signes de l'hébreu ancien, cette manière si par-

1. « La lettre de Schechter ».

ticulière à l'époque médiévale d'accoler les mots les uns aux autres, sans espace inter-calaire ni signe de respiration ou de ponctua-tion.

D'être là, devant cette présence physique des temps anciens, l'émotion lui noua la gorge. Ces pages avaient été écrites plus de mille ans auparavant, pourtant elles contenaient encore le battement de la vie ainsi qu'une lumière tremblotante dans l'abîme d'un puits.

La jeune historienne, près de lui, eut conscience de son trouble. Elle sourit avec douceur.

– Ces manuscrits anciens sont toujours émouvants. Ils nous font penser à un vieil album de famille.

Sofer leva les yeux vers elle. Jusque-là, il ne lui avait pas accordé beaucoup d'attention. Il découvrit avec surprise un visage sensuel et intelligent qui éveilla aussitôt son intérêt.

– Ne peut-on ouvrir cette fichue boîte ? demanda-t-il.

– Hélas non, *sir* ! Nous devons éviter tout contact avec ces parchemins. Ils paraissent en bon état, mais à l'air libre ils s'oxyderaient très facilement...

De sous le chariot elle tira un dossier.

– Voici les photocopies des originaux, ainsi que la traduction que Schechter en a faite, comme vous l'avez demandé. Désirez-vous connaître l'historique de ces documents ?

Sofer feuilleta le dossier et approuva de la tête :

– Je vous en prie.

– Comme beaucoup de documents anciens concernant le monde juif, celui-ci provient de la Gheniza du Caire. En 1890, le chercheur Solomon Schechter y faisait des fouilles, c'est lui qui l'a rapporté à Cambridge, six mois plus tard. Nous considérons aujourd'hui que cette lettre a été rédigée au tout début du Xe siècle. Certainement avant 955...

– Par qui ?

– L'identité du rédacteur n'est pas certaine, mais les chercheurs s'accordent à y reconnaître la marque d'un personnage important de la cour khazar. Juif, sans aucun doute, et qui résidait à Constantinople lorsqu'il l'a écrite.

– Comment pouvez-vous être certaine de sa date de rédaction ? l'interrompit Sofer. Elle ne semble pas datée...

La jeune femme approuva d'un bref hochement de tête.

– C'est un travail de déduction assez simple, répondit-elle avec un soupçon d'ironie dans ses prunelles claires. Il ne s'agit pas d'une correspondance ordinaire mais d'une sorte de rapport. Ce document résume l'origine, l'histoire et la situation du royaume khazar. Il décrit sa conversion au judaïsme, le rêve du roi Bulan, ses visions de l'ange, la dispute religieuse qu'il organisa entre le prêtre, le rabbin et l'imam pour savoir quelle était la meilleure religion... Certains faits contemporains du rédacteur y sont également évoqués : les affrontements avec les Russes et les Petchenègues ou les négociations difficiles avec Byzance !

101

Elle se pencha légèrement vers Sofer comme pour partager avec lui un secret.

– Il paraît presque certain que ce rapport est parvenu entre les mains du rabbin Hazdaï Ibn Shaprut de Cordoue avant qu'il n'écrive lui-même sa fameuse lettre au roi Joseph.

Puis elle conclut d'un ton définitif :

– Grâce à cet ensemble de données, nous pouvons situer la rédaction du texte avant 955 de notre ère...

Cette dernière phrase laissa Sofer songeur. Involontairement, ses doigts caressèrent la vitre de protection du manuscrit comme s'il pouvait atteindre à travers elle la texture tiède et lisse du parchemin, çà et là griffé par le calame.

– Ils écrivaient comme au temps des pharaons, murmura-t-il. Une tige de jonc ou de roseau taillée en biseau et fendue par le milieu. Quelque chose comme nos plumes Sergent-Major ! Sauf qu'ils retaillaient leurs calames au gré de l'usure, ainsi que des crayons.

La jeune Anglaise l'observait avec un sourire attendri. Oublieux de sa présence, Sofer continuait son monologue.

– C'est donc bien ainsi que les choses se sont passées... Des marchands juifs vont et viennent entre les grandes cités de la Méditerranée. Ils ont constamment en tête Jérusalem... Le Temple détruit, l'exil, les tribus dispersées ! Et voilà que, par les hasards du commerce, plusieurs d'entre eux séjournent à Constantinople. Pour une raison ou une autre, ils entrent en contact avec le Khazar qui a écrit ces mots...

Sofer tapota la vitre et poursuivit avec une émotion retenue :

– Peut-être un marchand comme eux ? Pourquoi pas. Et cet homme leur parle du royaume des Juifs ! Imaginez leur stupéfaction. Un royaume juif quelque part au-delà des montagnes du Caucase. *Oye, oye !* Bien sûr qu'ils songent au Messie ! Dans la seconde ! Ils y songent, mais n'en disent certainement pas un mot. En revanche, ils pensent au rabbin Hazdaï. C'est un important personnage, le chef de la communauté juive la plus savante et la plus influente. Et sans doute la plus riche... Nos marchands filent donc à Cordoue et racontent leur histoire au rabbin. Hazdaï n'en croit pas ses oreilles : un roi juif ! Il lui faut en savoir plus...

La jeune bibliothécaire opina de la tête. Cet homme si enthousiaste, si ancré dans son histoire, la séduisait. Elle commença à se piquer au jeu.

– Le rabbin Hazdaï Ibn Shaprut envoie un messager auprès des Khazars, enchaîna-t-elle, en espérant qu'il atteigne le royaume par la mer Noire. Mais Romain, l'empereur byzantin, mène campagne contre les Khazars : il veut conquérir le royaume. Les Khazars sont riches mais tolérants : si l'élite est juive, le peuple khazar peut être musulman aussi bien que chrétien ou païen. Ce qui fait horreur à l'Église byzantine... Les autorités byzantines interdisent donc le passage au messager de Cordoue...

Sofer leva à nouveau la tête vers la jeune femme et, comme lors d'une lecture à deux voix, il poursuivit :

– Après cet échec, le rabbin Hazdaï décide d'envoyer une lettre de sa main au roi des Khazars. Pour contourner la surveillance de Byzance, le nouveau messager prendra le risque d'un long voyage à travers l'Europe...

La jeune femme rit, les joues empourprées :

– Vous trouverez le nom de ce messager...

– Je le connais déjà ! s'exclama Sofer, fier de lui. *Isaac Ben Éliezer !*

– Ah, vous avez déjà vu ce document ?

– Des extraits seulement ! Et je compte sur vous pour me le faire voir en entier !

– Sur moi ?

La jeune femme l'avait regardé avec de grands yeux navrés :

– Mais, *Mister* Sofer, vous faites erreur. La correspondance entre le rabbin Hazdaï et le roi Joseph n'est pas ici ! Elle est au Christ Church College d'Oxford !

Sofer avait quitté Cambridge profondément déçu. Avant son départ, la jeune historienne avait contacté ses collègues d'Oxford, s'assurant qu'ils pourraient lui fournir une copie de la « correspondance khazar ». Cela se révéla plus compliqué que prévu.

– Les documents originaux ne sont pas visibles en ce moment, lui annonça-t-elle avec une moue de dépit. Ils n'ont pas voulu me dire pourquoi...

Devant la mine de Sofer, elle ajouta précipitamment :

– Attendez un instant, tout n'cst pas perdu. Je vais joindre un de mes amis. Nous nous rendons de petits services quand cela en vaut la peine.

La jeune femme multiplia les appels. Enfin son regard se fit plus brillant.

– C'est bien, vous aurez tout, chuchota-t-elle. Mais il vous en coûtera cinquante livres sterling...

Sofer haussa les sourcils. Des photocopies à prix d'or ! Cependant, la jeune historienne était séduisante. Comment la décevoir après tant d'efforts ?

Il opina. Elle lui tendit un post-it sur lequel elle avait griffonné un nom et un numéro de téléphone. Puis, timidement :

– Puis-je vous demander quelque chose, monsieur Sofer ?

– Tout ce que vous voudrez. Je suis en dette désormais.

– Mon nom est Janet Woolis. Lorsque votre livre sur les Khazars sera publié, pourrez-vous m'en offrir un exemplaire dédicacé ?

– Qui vous dit que je vais l'écrire, ce livre ? avait-il grommelé, surpris.

Par chance, la jeune Anglaise avait ri, protestant qu'il l'écrirait certainement.

Maintenant, Sofer s'en voulait de sa réaction. Pour se faire pardonner, il lui enverrait ses derniers ouvrages dès son retour à Paris. Toutefois, sa grogne n'était pas un caprice. Rien encore n'était irréversible. Il était seulement en chasse. Il n'avait pas cerné son gibier, pas écrit un mot et encore moins une ligne. Il se tenait sur le seuil de l'aventure imaginaire, vacillant et attiré, mais encore assez lucide pour s'en détourner !

À peine installé au Randolph, il avait appelé le numéro confié par Janet Woolis. Une voix jeune et froide lui avait répondu :

– Oui, je sais qui vous êtes. Je ne peux pas vous parler maintenant. Ne quittez pas votre hôtel, je vous ferai signe bientôt...

Le ton péremptoire l'agaça. Pourquoi tant de manières autour de documents connus depuis des années et auxquels une poignée de personnes, tout au plus, devait porter un quelconque intérêt ?

Il fut sur le point de se rendre directement au Christ Church College, afin de s'assurer qu'on ne le menait pas en bateau. Sauf qu'il pleuvait et que le trajet depuis Cambridge via Londres n'avait pas été de tout repos. Le confort du Randolph n'encourageait pas les exploits. Après tout, puisqu'on lui demandait de ne pas quitter l'hôtel...

Il commanda par téléphone un Bloody Mary et des journaux. Il n'eut que le temps de défaire son sac avant qu'un groom en veste blanche impeccable ne frappe à la porte.

Sirotant son cocktail, Sofer feuilleta le *Times*, s'attardant un instant sur le supplément littéraire. Puis il ouvrit le *Guardian*. Dans les pages intérieures il découvrit un bref article signalant l'attentat de Bakou. Curieusement, le journal ne faisait aucune allusion au

106

« Renouveau khazar », le groupe terroriste dont avait parlé Agarounov, le président de l'Association des Juifs des montagnes. Le correspondant du *Guardian* signalait seulement que :

L'explosion a provoqué des dégâts matériels assez importants. Un collecteur de pompage pulsant le pétrole dans le pipeline de Bakou à Tupsa, sur la mer Noire, et récemment mis en service par l'O.C.O.O. (Offshore Caspian Oil Operating) a été fortement endommagé. Les techniciens estiment qu'une dizaine de jours leur sera nécessaire avant que l'approvisionnement vers la mer Noire puisse reprendre.

Pour l'heure, la police semble avoir reçu les revendications les plus fantaisistes. Aucune ne paraissant crédible, les mobiles de cet acte terroriste ne sont pas définis. Certains responsables des compagnies pétrolières réunies dans le consortium d'exploitation de l'O.C.O.O. paraissent craindre que ce ne soit là le signe avant-coureur d'un débordement de la guerre en Tchétchénie et au Daghestan...

Pensif, Sofer se remémora sa conversation avec Agarounov. Celui-ci n'avait certainement pas inventé cette revendication. Les rumeurs les plus folles devaient circuler à Bakou et ce « Renouveau khazar », terminologie dont on saisissait d'ailleurs mal le sens, faisait sans doute partie des « revendications fantaisistes » dont le *Guardian* se faisait l'écho.

Les hasards étaient pourtant troublants. Yakubov et son histoire de monnaie khazar, Yakubov et son histoire de grotte secrète, sa disparition dans un flot inexplicable d'argent, cet attentat... Tout cela alors que ces fameux Khazars sommeillaient dans un tranquille oubli depuis des siècles !

Des hasards trop insistants pour n'être que des hasards !

Mais il devait se défier de son imagination si rapide à tisser des fils entre des événements sans liens réels. En vérité, il ne pouvait se laisser aller à aucune conclusion. Sinon... que le hasard lui faisait à nouveau signe.

« Le hasard des Khazars ! » marmonna Sofer en se moquant de lui-même.

Après une nouvelle gorgée de Bloody Mary, plus riche en vodka qu'en jus de tomate, il était revenu aux documents de Cambridge. La fascination des textes anciens l'avait bien vite happé. Une heure durant il tenta de déchiffrer lui-même le texte d'origine, griffonnant quelques notes sur un vieux carnet.

Le roi des Khazars porte le titre de Khagan. Mais, à ses côtés, un autre prince dirige l'armée des Khazars ; il porte le titre de Beck. Bien que ses pouvoirs soient considérables, le Beck est contraint de s'entendre avec le Khagan pour décider la paix ou la guerre et, en dernier recours, il lui est soumis. Les princes qui deviennent Becks sont choisis parmi les meilleurs guerriers, mais ils ne sont pas obligatoirement juifs...

Les grandes villes khazars se nommaient Itil, Samandar, Tmurtorokan, Sarkel... Itil, la capitale royale, était installée sur plusieurs îles reliées entre elles par des ponts flottants, dans le delta de la Volga, appelé à l'époque le fleuve Atel. Samandar, sur la Caspienne, appelée alors la mer des Khazars, possédait un immense marché fréquenté par les commerçants de l'Orient, de Perse, de Bagdad.

La grande forteresse de Sarkel-la-Blanche, sur les bords du Varshan, aujourd'hui le Don, avait été construite avec l'aide des Byzantins. Ce n'était pas la moindre ambiguïté des rapports entre les Khazars et la Nouvelle-Rome.

Face à la Crimée, Tmurtorokan contrôlait le détroit du Bosphore, passage commercial essentiel entre la mer d'Azov et la mer Noire, que l'on appelait respectivement la mer des Russes et la mer de Constantinople.

Construite à l'extrême pointe du Caucase, accrochée aux premiers contreforts de l'immense chaîne montagneuse, entourée de jardins qui s'étageaient jusqu'à la mer : Tmurtorokan. Sofer l'imaginait splendide. C'était une ville qui comptait pour Joseph. Âgé de vingt ans, tout jeune Khagan, il y avait livré sa première grande bataille contre les Russes, soutenus et manipulés par Byzance. Il l'avait gagnée, s'illustrant si bien dans les combats que ses sujets le considérèrent dès lors aussi grand guerrier que son Beck, le renommé Borouh. Cette victoire avait marqué le début de la légende.

Assurément, le royaume khazar devait provoquer bien des envies. Vaste et riche, il était au cœur des routes commerciales circulant d'est en ouest, du nord au sud. Cette dynastie juive aux portes de la riche et puissante

Byzance ne pouvait que profondément déplaire aux dévots du Christ Pancréator! Il fallait la soumettre d'une manière ou d'une autre...

Le téléphone sonna. Sofer sursauta. Ce brusque passage de l'imaginaire au réel le heurta. Sa main tremblait quand il décrocha le combiné. Il reconnut aussitôt la voix :

– Monsieur Sofer ?

– Oui.

– Je suis l'ami de Janet Woolis. J'ai ce dont nous sommes convenus.

– Bien. Je vous remercie de votre aide. Dites-moi où je...

– Je suis à la réception de votre hôtel, monsieur.

– Ici, au Randolph ?

– Oui. Puis-je monter dans votre chambre ? Ce sera plus discret.

L'homme qui le rejoignit quelques minutes plus tard semblait dénué de cou, le visage comme enfoncé de force dans le col de son blouson de cuir. Il tenait une grande enveloppe à la main.

– Nous n'avons pas le droit de sortir des copies de documents, annonça-t-il dès que Sofer eut refermé la porte derrière lui. Mais je fais confiance à Janet...

– N'ayez crainte, vous aurez vos cinquante livres sterling ! dit Sofer.

L'Anglais ne releva pas l'ironie. Il ouvrit l'enveloppe pour étaler une vingtaine d'excellentes photos sur la table basse de la chambre. Certaines reproduisaient des parchemins et d'autres des feuillets qui semblaient bien être du papier.

– Voici la lettre du rabbin Hazdaï. Ceci est la réponse du roi Joseph...

– On dirait du papier, s'étonna Sofer.

Le garçon opina, une pointe de mépris dans la voix.

– C'est du papier, monsieur Sofer. Les Khazars en fabriquaient. Ils en avaient appris la technique des Chinois. Ils écrivaient sur du papier trois ou quatre siècles avant les moines d'Europe !

Sofer enregistra la nouvelle sans commentaire mais demanda :

– Pourquoi tant de mystère autour de ces documents ? Ils n'ont rien d'extraordinaire.

– Si l'on excepte que ce sont les seuls et uniques documents attestant l'existence du royaume khazar !

– Vous oubliez celui de Cambridge...

– Son auteur n'est pas identifié avec certitude. Ce n'est qu'un témoignage de seconde main, pour ainsi dire. Ce document-ci a été écrit par l'un des derniers rois khazars...

– Très bien, admit Sofer. Mais pourquoi ne peut-on les voir ?

– Ils ont été retirés du domaine public de la bibliothèque depuis quatre jours.

– Quatre jours ? Pour quelle raison ?

Le jeune homme eut une moue de désintérêt. Il était pressé et attendait d'être payé. Sofer avait cependant décidé d'en avoir pour son argent. L'Anglais haussa les épaules :

– Quelqu'un a exigé une nouvelle expertise. À moins qu'on ne les réclame pour une exposition... Ou qu'il n'y ait une nécessité technique. Ce sont de très vieux documents. Il faut parfois les soigner...

– Qui peut obtenir que l'on retire ces documents pour une nouvelle expertise ?

– Un grand spécialiste de l'époque ! Vous savez, il y a...

Le garçon s'interrompit brusquement, accordant enfin de l'attention aux interrogations de Sofer :

– Vous avez raison... Ça ne m'avait pas frappé, monsieur Sofer. Mais en y réfléchissant, c'est bizarre. Ces documents n'ont pas été consultés depuis des années et voilà que tout le monde s'intéresse à eux !

– Tout le monde ? Que voulez-vous dire ?

– Hier, une jeune femme étrangère m'a posé les mêmes questions que vous. Elle voulait absolument avoir une copie et...

– Comment était-elle ? le coupa brutalement Sofer.

Pour la première fois le visage du garçon s'épanouit.

– Belle, monsieur Sofer, très belle.

– Rousse, la trentaine ?

– Rousse, oui. Mais plus jeune que trente. Je dirais vingt-sept ou vingt-huit. Un accent étranger. Des yeux émeraude. Avec une petite cicatrice au menton. Là, comme ça, le long de la mâchoire... Qu'y a-t-il, monsieur Sofer ? Vous la connaissez ?

11

Tmurtorokan

mai 955

– Ils sont arrivés de nuit comme des hyènes surgies des ténèbres et maintenant leurs griffes brillent dans le jour !

La voix de Borouh était pleine d'aigreur.

Attex frissonna et referma sur sa poitrine sa grande cape brodée. Ce n'était pas la fraîcheur du matin qui lui donnait la chair de poule mais bien ce qu'elle voyait devant elle. Immobiles dans la baie de Tmurtorokan, aussi énormes que des rochers, une demi-douzaine de navires refermaient le détroit.

Des *dromons* ! Les formidables machines de guerre de Byzance, capables de cracher leur terrible feu grégeois à plus de cinq cents coudées !

Les vagues ne les faisaient même pas frémir. Dans la lumière montante du jour, les longs cols de cygne à gueule d'or de leurs proues jetaient des éclats menaçants. Les lames de bronze des étraves, de la largeur d'un homme et assez solides pour briser n'importe quelle embarcation, luisaient au ras des flots, tranchant dans le ressac. Sur les ponts laqués de blanc, des hommes en cuirasse s'affairaient autour d'arbalètes géantes dirigées sur les berges.

– Ils ne sont là que pour une ambassade, déclara Attex en masquant son émotion. Pas pour la guerre...

Borouh grogna et répondit sans même tourner son regard vers elle :

– Kathum, les ambassades de Byzance ne sont jamais qu'une autre forme de la guerre. Si les Grecs étaient si paisibles, ils n'auraient pas besoin de ces énormes bateaux pour venir saluer ton frère le Khagan ! Voilà quinze ans qu'ils nous font la guerre et, aujourd'hui, ils voudraient la paix ?

Borouh frappa de son poing contre sa cuirasse de cuir et cracha sur le sol.

– Crois-en mon expérience, Kathum. Si l'empereur de Byzance tend la main, c'est pour mieux tromper celui qui la saisit...

Attex haussa les épaules, piquée par l'ironie du ton de Borouh.

– Tu vois toujours les choses en noir, messire le Beck !

Borouh cette fois lui fit face. Son expression mit Attex mal à l'aise. Mais il inclina la tête avec respect :

– Peut-être as-tu raison, Kathum.

Borouh n'était plus le jeune et intrépide guerrier qui les fascinait, son frère Joseph et elle, autrefois. Sa taille s'était empâtée et les rides creusaient des sillons autour de ses yeux sombres. Ses cheveux, toujours nattés impeccablement, étaient désormais plus gris que noirs. Seules sa bouche et sa voix n'avaient pas changé, dures et implacables l'une et l'autre. Bien qu'il soit désormais le Beck, le chef de toutes les armées khazars et le second personnage du royaume, ses manières avaient toujours quelque chose d'insatisfait. Plus le temps passait, plus il devenait raide et cérémonieux. Désormais, il ne s'adressait à Attex qu'en usant de son titre, Kathum, qui signifiait : « sœur du Khagan », comme s'il voulait la tenir à distance.

– Borouh, regarde ! s'écria soudain Attex.

Une voile rouge s'était gonflée entre les dromons, celle d'un navire de petite taille, à un seul banc de nage. Déjà, ils pouvaient voir le mouvement régulier des rames.

– Le navire de l'ambassadeur, marmonna Borouh. Ils ne perdent pas de temps !

Il se détourna et jeta quelques ordres brefs. La vingtaine de guerriers qui les suivaient se mirent en selle. Ils étaient en grande tenue de combat, lances à la main, visages à demi masqués par les casques à pointe. Recouvrant leurs cottes de mailles, la tunique rouge brodée du chandelier à sept branches signalait leur appartenance à la garde royale.

Ils vinrent se ranger de part et d'autre de la litière d'Attex. Les porteurs eunuques attendirent un signe de leur maîtresse pour soulever les brancards. Le cortège se dirigea vers le port.

Dans la lumière du matin, la mer de Constantinople paraissait blanche comme du lait. C'était l'heure que préférait Attex : la baie de Tmurtorokan semblait être une réplique de l'Éden.

Depuis le palais royal construit à la grecque sur une pente abrupte, les terrasses cascadaient par centaines jusqu'au rivage. De jardin en jardin, le vert velouté des figuiers succédait à celui, plus dense, du seigle et de l'orge. Les reflets gris des champs de millet alternaient avec ceux des vignes et des oliviers. Des buissons de roses apportées de Chine, des haies de lauriers, de canas, de lys ou d'arums bordaient les chemins. Toutes les richesses que pouvait produire la terre se trouvaient là, sur ces pentes adoucies par le travail des hommes.

Sur la rive, un éperon de roches rouges s'avançait, protégeant une crique de hauts-fonds et formant un port naturel. La ville elle-même, faite de maisons de bois, s'étendait plus au nord, disséminée sur le piémont de la montagne, face aux immenses plaines et marécages qui longeaient la mer d'Azov.

Ils parvinrent au port en même temps que le navire y jetait l'ancre. Une barcasse à fond plat l'accosta. Une demi-douzaine d'hommes y prirent place, debout, et furent conduits jusqu'au rivage.

Alors que Borouh descendait de cheval, Attex ordonna aux porteurs de maintenir la litière sur leurs épaules.

Parmi les Grecs, l'ambassadeur était aisément reconnaissable. Sur la toge jaune, un gros collier d'or retenait une médaille à l'effigie de l'empereur Constantin. Grand, les joues glabres, il était tout empreint d'aisance et d'autorité. Son nez épais et une étrange absence de sourcils lui donnaient l'apparence d'un fauve aux aguets. Ses paupières semblaient à demi refermées et sa bouche, très dessinée, s'étirait vers le bas.

Derrière lui, outre la poignée de soldats en cuirasse, venait un homme vêtu de noir qui se signa plusieurs fois en marmonnant dès qu'il posa ses sandales sur la terre ferme. Une croix de bois luisait à son cou. Attex reconnut l'un de ces prêtres du Christ, à l'apparence modeste et fragile mais capables de parcourir la steppe des années durant pour convertir à leur foi ceux qu'ils rencontraient.

L'ambassadeur leva les mains en direction de Borouh. Deux grosses bagues brillèrent à ses annulaires tandis qu'il souriait avec un soupçon de lassitude.

– Messire le Beck, je vous salue...

Attex fut étonnée de l'entendre prononcer ces mots dans la langue des Khazars. Il s'exprimait avec une maladresse désinvolte, mais d'une voix douce et charmeuse.

– Il est toujours agréable d'arriver à Tmurtorokan. C'est un véritable paradis !

Son regard glissa des montagnes à Attex. Il s'y fixa avec surprise, comme si la chevelure de feu de la Kathum, simplement retenue par un diadème d'or, le fascinait. Tout à côté de lui, le prêtre reprit ses marmonnements.

Borouh s'inclina brièvement :

– Soyez le bienvenu. Le Khagan Joseph m'a demandé de venir à votre rencontre en compagnie de sa sœur, la Kathum Attex...

L'ambassadeur battit des paupières en direction d'Attex :

– C'est un plaisir de faire enfin votre connaissance, Kathum. Les marchands khazars ne se contentent pas de vendre leurs peaux de renard dans la Nouvelle-Rome : ils y chantent aussi vos louanges.

Il porta la main droite à son cœur, saluant à la manière des Chrétiens, mais son geste contenait autant de feinte politesse que de sarcasme. D'ailleurs, tout aussitôt, son regard bleu se durcit et c'est en grec qu'il annonça :

– Mon nom est Bardos Blymmédès. J'apporte au seigneur des Khazars le message d'amitié de Constantin, né dans la pourpre, seigneur du monde entier, empereur autocrate et basileus des Romains ! Je vous prie de bien vouloir me conduire jusqu'à votre maître.

Dans son dos, le moine traça rapidement un signe de croix sur sa poitrine. Dans un grec guttural, Borouh déclara :

– Messire l'ambassadeur, je vais t'escorter jusqu'au palais du Khagan. Avant cela, je dois m'assurer que tu connais la règle royale du salut. Tu ne pourras voir le Khagan qu'après une journée et une nuit de patience. Lorsque tu seras devant lui, tu devras t'agenouiller et poser ton front contre le sol. Tu devras te taire aussi longtemps qu'il ne te questionnera pas...

L'ambassadeur esquissa un sourire de souverain mépris :

– Messire le Beck, va pour la journée de patience ! D'ailleurs, le voyage a été ennuyeux et j'aurai plaisir à prendre le temps d'une fête.

Cependant, vous savez fort bien que l'ambassadeur de Byzance ne peut se prosterner devant quiconque sinon son maître l'empereur. Quelle qu'en soit l'envie sincère qu'il en ait, bien sûr. N'y voyez pas d'insulte.

– Il n'y a pas d'exception à la règle, seigneur Blymmédès.

– Ah ! Mais si ! s'énerva l'ambassadeur. Je représente Constantin né dans la pourpre. L'empereur, à travers ma personne, ne peut s'agenouiller que devant le Christ !

Borouh sourit, découvrant des dents très blanches, et posa paisiblement la main sur la poignée de sa longue épée :

– En ce cas, ambassadeur, il vaut mieux que tu retournes sur ton bateau, car le Khagan ne saurait te recevoir.

La fureur autant que la stupéfaction ouvrit la mâchoire de Blymmédès. Le rire d'Attex ne lui laissa pas le temps de trouver une réponse.

– Messire Blymmédès ! s'exclama-t-elle dans un grec limpide. Allons, ne vous fâchez pas pour si peu. Ce que vous ne pouvez faire que pour le Christ, j'ai entendu dire que bien des hommes de la Nouvelle-Rome l'accomplissaient volontiers pour des femmes. Je serai derrière mon frère lorsque vous viendrez le saluer : il vous suffira d'imaginer que vous vous prosternez devant moi...

Le silence était assez grand pour que tous puissent entendre le gémissement d'horreur du moine. Borouh et Blymmédès contemplèrent Attex avec un même ahurissement offusqué. Elle fit un signe à ses porteurs en annonçant d'un ton égal :

– À demain, seigneur ambassadeur. Pardonnez-moi, mais c'est l'heure de mon bain.

– Kathum! gronda Borouh.

Attex leva une main pour le faire taire.

– Rien du tout, Borouh! C'est l'heure de mon bain. De plus, c'est aujourd'hui mon anniversaire. En guise de présent, le Khagan Joseph m'a accordé de faire jusqu'à la nuit ce que bon me semble...

Du haut de sa litière, elle dédia son sourire le plus charmeur à Blymmédès. Borouh et les Grecs la regardèrent s'éloigner, emportée par le balancement des robustes eunuques, aussi gracieuse et légère qu'un songe.

– Vous autres Khazars, murmura Blymmédès, vous avez décidément de curieuses manières. Mais cette jeune Juive, je dois le reconnaître, est encore plus belle qu'on ne le dit.

Le rire d'Attex résonna entre les murs recouverts de faïences. L'eau de la grande piscine creusée à même la roche provenait d'une source naturelle. Elle était si chaude qu'elle dégageait des volutes de vapeur tourbillonnante jusqu'aux voûtes de briques vernissées.

– Borouh était très en colère, fit-elle en riant. J'ai bien cru qu'il allait me massacrer devant l'ambassadeur!

– Ton frère le Khagan aussi sera en colère! marmonna Attiana.

– Et pourquoi? Demain, l'ambassadeur Blymmédès posera son front sur le tapis de la salle d'audience, avec son air de Grec soumis à un supplice barbare! Quand il se relèvera, il me regardera droit dans les yeux alors que moi, je ne lèverai pas une paupière!

Attex rit encore en se roulant avec volupté dans l'eau. Son corps pâle disparut un instant dans le liquide chaud. Lorsqu'il ressurgit à la surface, Attiana accourut en agitant ses mains dodues :

– Sors de là! Tu restes trop longtemps dans cette eau brûlante. Un jour tu en mourras.

Les yeux clos, Attex se laissa porter par l'eau sans même feindre d'écouter les jérémiades de la servante.

– C'est vrai! s'obstina Attiana d'une voix gutturale. Le bain chaud fait bouillir le sang. On meurt d'un coup. Je l'ai vu moi-même! Une fille toute jeune, comme toi...

Contrairement à ce que les médecins avaient prédit, Attiana parvenait à parler malgré sa mâchoire brisée. L'attaque des Petchenègues, qui avait failli la laisser morte près de seize années plus tôt, la veille de la bar-mitsva de Joseph, n'était plus qu'un lointain souvenir. Endurant de terribles douleurs, elle était parvenue à conserver une mobilité suffisante de la bouche pour formuler des phrases courtes qu'elle n'adressait guère qu'à Attex. Hélas, le temps passant, son visage n'avait cessé de se déformer au gré de ses os mal recollés. Horrifiée par son propre reflet, elle vivait dans l'ombre de la Kathum, se dissimulant sous des voiles épais dès qu'elle sortait du palais. Sa dévotion envers Attex était ainsi devenue son unique raison de vivre. Avec une fascination mélancolique, elle avait vu le corps de la fillette devenir celui d'une femme et atteindre la perfection. Dans cette grâce féminine éblouissante, elle discernait la volonté du Tout-Puissant.

Lorsque les rumeurs vantant l'incroyable beauté d'Attex parvenaient à ses oreilles, Attiana se sentait déchirée entre l'orgueil et la tristesse. L'heure approchait où cette admirable innocence, qui avait jusque-là compensé tous ses malheurs, allait être captée par les mains d'un homme, offerte aux jeux de ses désirs et de son pouvoir. La splendeur d'Attex lui échapperait alors pour toujours. Elle cesserait d'en jouir seule, comme on jouit d'un secret jamais découvert.

C'était là une sotte pensée, elle le savait, mais qu'y pouvait-elle ?

En quelques mouvements souples, Attex s'était approchée de l'escalier du bain. Elle s'ébroua, ses longs cheveux de feu inondant le sol autour de la piscine.

— Cesse donc de ronchonner, Attiana ! Va chercher les huiles au lieu de dire des sottises !

Tandis qu'Attiana, maugréant, se dirigeait vers la petite pièce adjacente, Attex appela :

— Hakon ?

Un eunuque imposant, dont les yeux bleus et la chevelure blonde révélaient l'origine nordique, surgit de la pénombre.

— Oui, Kathum.

— Apporte-moi les linges, veux-tu ?

Elle sortit du bain dans un clapotis cristallin et attendit, nue et ruisselante, que l'eunuque revînt avec un grand drap. Attiana n'avait pas tout à fait tort : sa peau fine, si souple, était devenue aussi rouge et gonflée qu'un grain de grenade ! Cependant, l'éclat qu'elle surprit sur le visage d'Hakon lorsqu'il lui tendit le drap lui apprit qu'elle n'en était pas moins belle.

– Les huiles sont prêtes, annonça brusquement Attiana en revenant avec un panier rempli de fioles et de pots.

Hakon disposa d'autres linges sur une banquette de briques. Attex s'y allongea. De la pointe d'un drap, il ôta la buée qui recouvrait la plaque de cuivre polie servant de miroir.

– Ça suffit, Hakon, grinça Attiana. Nous n'avons plus besoin de toi.

L'eunuque quêta un signe d'Attex dans l'espoir qu'elle contredise l'ordre. Mais la Kathum se contenta de murmurer :

– Merci, Hakon. Fais préparer ma tunique, s'il te plaît.

L'eunuque blond esquissa un sourire mauvais à l'adresse d'Attiana et quitta, sans un mot, les voûtes humides du bain. Marmonnant des insultes incompréhensibles, Attiana s'enduisit les paumes d'onguent et, dénudant le dos d'Attex, commença son massage.

– Cesse de t'en prendre à Hakon, fit soudain Attex. Je l'aime bien.

– Une Kathum n'a pas à aimer un esclave, et encore moins un eunuque ! Elle s'en fait servir. Or celui-là a des yeux bien trop curieux !

– Il m'aime ! Tu ne vois pas qu'il m'aime ?

Le massage d'Attiana se durcit.

– Hé ! Tu me fais mal, vieille folle ! protesta Attex en se redressant à demi.

Son regard croisa celui de la servante dans le cuivre poli. Elle ajouta :

– Tu es jalouse. Voilà ce que tu es, une vieille jalouse ! Et tu as raison. Hakon est bien plus agréable à regarder que toi !

L'une et l'autre se turent, ravalant leur colère.

Les mains d'Attiana reprirent leur mouvement et firent pénétrer les huiles parfumées. Attex, s'apaisant, finit par se rendre compte qu'elles tremblaient. Elle chercha le visage de la servante dans le miroir de cuivre et découvrit les larmes qui débordaient des paupières fripées.

– Attiana !

Elle se retourna, agrippant la servante par la taille et la serrant fort, comme elle le faisait autrefois.

– Attiana, je t'en prie. Pardonne-moi ! Ce n'est pas vrai, tu n'es pas une vieille folle. Tu sais bien que ce n'est pas vrai !

Un sanglot roula entre les mâchoires de la servante.

– Pardonne-moi ! répéta Attex. Je me fiche d'Hakon ! Toi, je t'aime...

Du bout des doigts, elle chercha les joues difformes d'Attiana et sécha les larmes avec tendresse.

– Ne pleure pas, Attiana. Je t'aime. Tu ne me quitteras jamais...

Attiana la repoussa sans un mot et l'obligea à s'allonger. Elle s'essuya les yeux d'un brutal revers de main puis, relevant les boucles rousses de la princesse, elle fit couler sur ses épaules un peu d'huile de benjoin mélangée de lait d'ânesse où avaient macéré des clous de girofle et des pétales de rose.

Attex s'abandonna aux mains expertes et répéta :

— Je te le jure, jamais on ne nous séparera !

— Mais si ! marmonna Attiana. L'homme qui te prendra ne voudra pas de moi.

— Alors, je ne le prendrai pas ! dit Attex en riant.

— Ne dis pas de sottises. Il aura raison. C'est mauvais d'avoir une servante si laide !

— Je choisirai un homme qui voudra de toi, je te le promets.

— Attex, ma fille, ne fais pas l'enfant ! Tu ne choisiras rien du tout. Ton frère le fera pour toi, tu le sais bien. C'est la loi du Khagan. C'est la loi du Tout-Puissant. Même toi, tu devras la respecter.

Attex se redressa brutalement, le visage crispé, les bras pressés sur sa poitrine.

— J'ai peur, Attiana ! J'ai peur qu'il ne me plaise pas.

— Toutes les femmes ont peur avant de savoir qui sera leur époux.

— Je veux pouvoir l'aimer.

Attiana leva les yeux vers la voûte et laissa fuser un grognement ironique :

— Espère surtout qu'il t'aime, lui !

— Je le veux fort, beau et respectueux du Tout-Puissant ! insista Attex.

— Ah ?

— S'il aime l'Éternel, il sera bien obligé de m'aimer un peu, n'est-ce pas ?

Cette fois, un vrai rire agita l'ample poitrine d'Attiana.

– J'espère que tu ne dis pas des choses pareilles au rabbin !

– Attiana ! Tu crois que je vais devoir attendre encore longtemps ?

– Avant d'avoir un époux ? Hélas, je crains bien que non, ma petite fille chérie !

À Tmurtorokan, le Khagan Joseph donnait ses audiences dans une salle au sol recouvert de tapis dont le plafond était soutenu par une forêt de piliers de bois sculptés et peints. Son trône était un simple siège surmonté d'un chandelier d'or à sept branches. Un dais en cuir tissé de fils d'or, très semblable à une tente, recouvrait l'estrade qui le supportait. Assis bien droit, la barbe taillée court et le front large, comme auréolé par sa chevelure, Joseph avait fière allure.

Ainsi que tous les Khagans, il avait appris à endurer les audiences, aussi longtemps qu'elles pussent durer. Il savait demeurer immobile, toujours maître de ses émotions. En six années de règne, ses yeux avaient acquis une gravité qui surprenait dans la jeunesse de son visage.

Comme l'avait prévu Attex, l'ambassadeur Blymmédès se mit à genoux et posa son front sur le tapis. À son côté, deux éminents Grecs de sa suite l'imitèrent. Seul le moine en noir resta dans le patio, chuchotant ses prières afin que Dieu lui permette de souffrir l'humiliation qui l'accablait dans un lieu juif.

Immobilisant les Byzantins dans leur humble posture, Joseph garda le silence un court instant. Attex ne put retenir un sourire. Elle chercha le regard de Borouh pour goûter sa victoire. Ce ne furent pas les yeux du Beck qu'elle rencontra, mais ceux, pétillants de malice, du rabbin Hanania.

À peine plus grand qu'un adolescent et bien plus maigre, le vieil homme disparaissait sous un manteau grenat, retenu à la taille par un cordon. Son visage paraissait minuscule sous l'espèce de turban de lin blanc qui couvrait son front. Sa bouche semblait toujours prête à l'ironie ou à la tendresse. Attex se demandait comment tant de savoir pouvait tenir dans un corps aussi fragile !

– Relevez-vous, ambassadeur, ordonna enfin Joseph d'une voix égale. Soyez le bienvenu dans le royaume des Khazars.

Blymmédès, le visage écarlate, se redressa vivement, époussetant sa tunique d'un mouvement sec de la main.

– Khagan Joseph, ce salut m'est tout personnel et il est le signe de mon amitié pour vous. Il ne concerne en rien mon maître, que je représente ici, Constantin le septième, né dans la pourpre, seigneur du monde entier, empereur autocrate et basileus des Romains.

Le visage de Joseph resta sans expression, tout comme son ton lorsqu'il déclara :

– Vous avez traversé la mer avec six de vos dromons, ambassadeur. Je suppose que la raison en est bonne.

Un instant, le Grec hésita à prendre le chemin contourné des politesses. Mais les regards concontrés sur lui le décidèrent à en venir au fait.

– La paix, Khagan Joseph, voilà la raison ! L'empereur m'envoie près de vous pour jeter aux orties les anciennes rancunes. Il veut que vous sachiez que c'est contre sa volonté et contre son avis que son père Romain a poussé les Russes contre vous, ici même, à Tmurtorokan...

– Et il s'y est cassé les reins ! intervint Borouh avec une fureur à peine contenue. Comme tous les Russes qui ont tenté d'atteindre Itil avant lui !

– Nous le savons, messire le Beck. Constantin le sait ! Voilà pourquoi il vous offre la paix et la chaleur de son amitié...

Le regard de Blymmédès glissa jusqu'à Attex. Son sourire ne fut qu'une grimace. Ses yeux demeurèrent froids et calculateurs.

– J'aime la paix, seigneur Blymmédès, lorsqu'elle n'est pas le simple silence qui précède la bataille. Car en ce cas, je préfère la bataille.

Blymmédès agita les mains comme s'il voulait repousser les mots de Joseph :

– Je sais, Khagan Joseph, quel grand guerrier vous êtes. Nous connaissons votre courage. Mais nous savons aussi que vous éprouvez en ce moment bien des difficultés à contenir les Russes sur les frontières du Nord. Il ne se passe plus une saison sans que l'armée de Kiev tente d'atteindre votre capitale Itil. Dormir dans votre palais semble être devenu leur vœu le plus cher ! Votre royaume est riche, Khagan. Votre commerce avec l'Orient est florissant. Vous êtes le maître des côtes de la mer des Khazars où prospèrent de belles et riches villes marchandes qui vous payent tributs ! Les Russes ne sont encore que des barbares. L'or excite leur appétit et leur violence. Aujourd'hui leur excitation est à son comble. Leur soif de l'or khazar est plus fort que jamais ! Constantin sait tout cela. Il n'aspire qu'à un règne de paix et de tranquillité. La paix sur les terres de Byzance bien sûr, mais aussi parmi les peuples voisins qui nous sont chers.

– Seigneur Blymmédès...

La voix douce et au fort accent surprit chacun. Le rabbin Hanania quitta l'ombre de Borouh pour s'avancer tout près de l'ambassadeur. Si près que celui-ci esquissa un pas de retraite. Mais le rabbin, avec un sourire qui découvrit ses gencives édentées, posa sa main aux doigts transparents sur le bras du Grec.

– Seigneur Blymmédès, permettez à un vieillard de dire quelques sottises... Le prince de Kiev n'est-il pas un enfant de dix ans ?

Blymmédès opina, soupçonneux :

– Onze ans, oui. Sviatoslav... C'est sa mère, Olga, qui conduit la marche du royaume. Mais...

– On dit ici qu'Olga de Kiev est entrée dans la foi du Christ de la Nouvelle-Rome. On dit qu'elle est en ce moment à Constantinople où le basileus Constantin lui-même doit la conduire au bain du baptême.

– Olga de Kiev est chrétienne depuis l'hiver dernier, ce n'est pas un secret, s'agaça Blymmédès.

Le rabbin secoua la tête avec contrition, comme s'il ne parvenait pas à se faire comprendre.

– Seigneur Blymmédès, soyez patient avec les sottises d'un vieillard ! Car voyez-vous, tous les jours nous recevons ici, dans le royaume, des Juifs fuyant la Nouvelle-Rome. Tous déplorent les brutalités et les humiliations que l'on y fait subir aux fidèles de la loi de Moïse... Pourquoi l'empereur Constantin voudrait-il que nous vivions en paix avec lui, nous, le peuple juif du royaume khazar, alors qu'il insulte et brime ceux d'entre nous qui vivent sous son toit ?

– Non ! Non ! L'empereur Constantin réprouve les violences faites aux Juifs ! protesta Blymmédès.

Puis il jeta un coup d'œil derrière lui, s'assurant que le moine était assez éloigné. Il avança d'un pas et ajouta à voix basse :

– L'empereur est tout à fait contre ! Mais les moines sont parfois si exaltés, Khagan Joseph, qu'ils en deviennent incontrôlables ! Je suis ici pour vous faire la promesse que désormais les Juifs pourront vivre à Constantinople en toute sécurité. Ils pourront y pratiquer leur commerce comme ils l'entendent...

Le rabbin plissa sa bouche édentée dans un sourire malin et tapota le bras du Grec.

– C'est une très bonne nouvelle, seigneur ambassadeur. Une excellente nouvelle, si elle est vraie !

Blymmédès fronça les sourcils, offusqué, et s'écria :

– Elle est vraie ! Absolument ! Une alliance, voilà ce que l'empereur Constantin veut offrir au Khagan des Khazars ! Étroite, fructueuse, affectueuse...

– Si étroite qu'il vous faut pointer les bouches à feu de vos dromons sur son palais ? ironisa Borouh.

– Ne vous fiez pas aux apparences, messire le Beck ! Faites la guerre aux Russes et tôt ou tard vous la perdrez. Faites confiance à Constantin et il obtiendra d'Olga de Kiev qu'elle retienne ses guerriers...

– Ambassadeur, intervint Joseph, pourquoi ferait-il cela ? Olga est son alliée. Elle est désormais de votre religion et nous savons très bien l'importance qu'il y accorde. Pourquoi cherche-t-il soudain notre amitié ?

Le visage de Blymmédès se figea dans une pose pleine de sérieux. Les yeux rivés à ceux de Joseph, il déclara :

– Byzance a été longtemps en paix avec le royaume khazar. Nous nous sommes entraidés. Des hommes de l'art venant de la Nouvelle-Rome ont construit votre forteresse de Sarkel et votre palais d'Itil lui-même est...

– Je connais l'histoire de mes pères, ambassadeur ! le coupa sèchement Joseph. Je me souviens aussi que Byzance s'est appuyée sur nos guerriers pour repousser les armées de Perse et de Bagdad.

Blymmédès inclina la tête avec un sourire rusé :

– C'est précisément ce que je voulais dire, Khagan Joseph ! Si Olga de Kiev et son fils parvenaient, par malheur, à conquérir votre royaume, ils seraient maîtres d'une immense nation. Immense, riche, puissante... Or il n'y a que Byzance qui puisse être immense, riche et puissante.

Joseph laissa le silence peser sur chacun, puis il demanda :

– Pourquoi croirais-je vos paroles, ambassadeur ?

Blymmédès leva la main droite. Dans un scintillement de bague, il désigna Attex que tous avaient oubliée :

– Une alliance, Khagan ! Une véritable alliance de chair et d'amour ! Voilà ce que propose Constantin le septième au roi des Khazars. Pour montrer sa sincérité, il demande, par ma présence et par ma bouche, la main de votre sœur, la Kathum Attex, afin de la poser dans celle de l'un de ses meilleurs généraux, Jean Tzimiskès.

Un cri de surprise s'échappa des lèvres d'Attex en même temps que de celles de Borouh. Tous, même Joseph, se tournèrent vers elle.

– Me marier, me marier avec l'un des vôtres, messire l'ambassadeur ! s'exclama-t-elle. C'est cela votre alliance ?

Le silence lui répondit. Blymmédès ne cessait de sourire tandis que le rabbin Hanania, comme saisi d'un haut-le-cœur, mâchonnait nerveusement ses gencives.

Attex chercha le regard de Joseph, mais le Khagan était déjà debout et déclarait de sa voix égale :

– Ambassadeur Blymmédès, je dois partir demain pour Sarkel afin de rendre visite à mon aïeul Benjamin. Vous pouvez nous y rejoindre.

12

Oxford, Angleterre
mai 2000

– Une femme rousse, une belle femme, oui, mais que voulez-vous que je vous dise de plus ?

Malgré son insistance, Sofer n'avait pu obtenir du jeune Anglais plus d'informations sur l'inconnue. Elle était venue chercher les copies des documents khazars la veille, voilà tout ce qu'il savait. Non, il n'avait pas noté son nom. Pour quoi faire ? Elle avait simplement passé un coup de fil, comme lui.

– Mais comment a-t-elle appris que vous faisiez des copies ? questionna Sofer.

L'autre haussa les épaules.

– Comment voulez-vous que je le sache ? Elle a dû se renseigner.

Sofer eut un sourire dubitatif. Son intuition ne pouvait pas le tromper. Il était certain qu'il s'agissait d'elle. Oui, *elle*, l'inconnue de Bruxelles.

Pourquoi, comment, il l'ignorait. Peut-être simplement parce que, durant les dernières semaines, il n'avait pu la chasser de son esprit. Elle, la belle rousse qui lui avait demandé s'il croyait encore aux rêves !

Dès que le jeune Anglais eut tourné les talons, les cinquante livres sterling en poche, Sofer quitta à son tour le Randolph. Certes, il était impatient de lire la lettre du rabbin Hazdaï au Khagan Joseph, mais la seule pensée que l'inconnue pût encore être à Oxford le poussa littéralement dehors malgré la pluie qui s'intensifiait.

Il alla droit devant lui. Il remonta High Street, atteignit le quartier des *Colleges*, puis bifurqua dans Lodge Lane, Merton Street. Poursuivant jusqu'à St. Aldates, il longea les bâtiments vénérables de la science et du savoir, se fondant dans la cohue des étudiants et des touristes, scrutant les visages. En vain.

Il décida d'aller jusqu'à l'esplanade de St. Gille, traversa la foule qui sortait des musées, rejoignit les rues commerciales au bas de Beaumont Street. Là, il erra autour de la gare routière où des jeunes gens, cheveux longs ou crânes rasés, des billes de métal incrustées dans les lèvres, les narines ou les sourcils, attendaient sagement les bus de banlieue. Il eut soudain l'impression de changer de monde, de sauter d'une époque à une autre.

Il était tard, l'obscurité grandissait, les magasins fermaient, les clientes refluaient. Sofer nota combien, même ici, en terre anglaise, les femmes rousses étaient rares. Et aucune, évidemment, ne ressemblait à l'inconnue.

Non, à la vérité, il ne croyait pas avoir la moindre chance de la retrouver. D'un coup il se sentit ridicule de courir ainsi, à son âge, après une ombre ! Elle n'était certainement venue à Oxford que dans le but d'obtenir une copie de la correspondance khazar. Tout comme lui.

Mais pourquoi ?

Tant de questions, tant de secrets, de bizarreries ! Comme s'il était soudain englué dans une toile aux fils invisibles qu'une main inconnue tissait patiemment dans l'ombre. Il commençait à douter de son bon sens.

La pluie avait cessé sans qu'il en prenne conscience. Les rues se vidaient à l'approche de la nuit. Il demanda son chemin à un vieux monsieur. L'hôtel était loin. Les jambes lourdes et la cervelle brumeuse, il poussa la porte d'un *coffee shop*, s'assit à une table et commanda un thé.

Marcher ainsi jusqu'à l'épuisement avait au moins l'avantage de l'apaiser.

Dehors, derrière la vitre du coffee shop, quelques rares passants traversaient dans la lumière orangée des réverbères. Son regard se posa sur une fillette qui jouait en sautant dans les flaques abandonnées par la pluie. Alors il la vit. Elle : Attex enfant, la sœur de Joseph, le futur Khagan. Il la vit qui jouait au bord du fleuve sous la forteresse de Sarkel, plus de mille ans plus tôt.

Il la vit enfonçant son pied dans la boue, fascinée par la vague grise du fleuve qui venait effacer sa trace. Et lorsqu'elle releva le visage pour répondre à la servante qui la mettait en garde contre le danger du courant, Sofer se rendit compte que la fillette Attex avait les traits de l'inconnue !

Oh, ce n'était encore qu'une ébauche, mais déjà la beauté de la femme de Bruxelles était là : les yeux d'émeraude, le dessin de la bouche, le menton volontaire et, bien sûr, la chevelure de feu.

« Bon sang. Elle est là ! Je l'ai ! Je les ai tous ! » s'exclama-t-il sans se rendre compte que ses voisins de table jetaient des regards amusés vers ce touriste qui parlait seul.

D'un pas rapide, presque en courant, Sofer rentra au Randolph. Il commanda un Bloody Mary, se calfeutra dans sa chambre et parcourut les feuillets de la correspondance entre le rabbin Hazdaï et le Khagan Joseph. Puis il alluma son ordinateur portable.

L'histoire s'était mise à chuchoter à son oreille. Sous ses doigts le roman prenait forme. Bientôt, il les retrouva tous sur son écran.

Attex, d'abord. Belle mais avec un fichu caractère. Ironique, moqueuse. Inquiète du désir d'amour qui montait en elle sans qu'elle sache quel serait celui que Dieu lui enverrait.

Joseph, plus sévère, plus grave que sa sœur, avec la grâce de celle-ci mais le poids de la responsabilité en plus. La charge de Khagan l'obligeait à compter ses phrases, ses gestes. La perspective d'être un chef spirituel ne l'enthousiasmait pas...

Puis apparurent le vieux Khagan Benjamin, Borouh, le rabbin Hanania, la servante Attiana, l'ambassadeur Blymmédès. Ils se mirent tous à vivre dans l'ombre de la chambre. Enfin vint le tour d'Isaac Ben Élie-zer, et de ses amis Simon et Saül.

Il les vit, voyageant des mois à travers la Germanie, la Hongrie, s'enfonçant toujours plus vers l'est. L'été passait. L'automne trans-formait les chemins en fondrières retenant les chaussures. Le froid mordait. Atteindre une masure avec un feu où l'on vous offrait un bol de soupe était une délivrance. Parfois, ils dor-maient sous la pluie, se recouvrant, pour se protéger, de feuilles mortes. Quelquefois une auberge, une servante à la peau douce, un baquet d'eau chaude.

Une fois cela faillit être la fin. Alors qu'ils peinaient à s'endormir à l'abri d'un grand pin, les yeux des loups brillèrent dans la nuit noire. Simon gémit de peur et Saül pour une fois invoqua l'Éternel, béni soit Son nom.

Les bêtes étaient assez près pour qu'Isaac, comme Sofer, perçoive leur souffle. L'une d'elles commença à japper, une autre répondit. En quelques secondes elles se mirent à pousser jusqu'aux étoiles leur hurlement de mort !

– Nous sommes fichus, marmonna Saül, furieux. Je n'aurais jamais dû t'écouter, Isaac. Mourir pour aller dans un royaume qui n'existe même pas ! Belle affaire !

Simon partit d'un rire nerveux :

– Ah, moi je veux bien qu'ils m'égorgent. J'irais rejoindre ma bien-aimée !

Soudain Isaac se souvint de son luth. Avec des gestes prudents, il tira l'instrument de son sac. Ses doigts gourds pincèrent les cordes, cherchant le rythme.

Il fallut quelques secondes pour que les loups cessent de hurler. Intrigués par le son des cordes et le chant plaintif d'Isaac, certains geignirent bizarrement et s'éloignèrent. D'autres posèrent leur arrière-train dans l'herbe glacée. Ceux-là levèrent le siège au petit matin.

Leur voyage se poursuivit jusqu'aux plaines sablonneuses de Kiev. Saül ne tarda pas à y trouver des marchands juifs. Ils lui affirmèrent que le royaume des Khazars existait bel et bien et que son Khagan se nommait Joseph !

Oh, Isaac en fut si joyeux qu'il dansa seul comme s'il était ivre ! Saül, pour une fois, fut ému au point d'aller prier avec tous à la synagogue. Simon, épuisé comme un homme délivré de l'angoisse, dormit quatre jours d'affilée, si bien que le petit groupe ne repartit qu'un jour de mai de l'an 4715 après la création du monde par le Tout-Puissant, béni soit Son nom...

Depuis Kiev, qu'ils quittèrent précisément par la porte des Khazars, il fallait deux semaines, avec de bonnes mules, pour arriver au fleuve Varshan. Là, si tout allait bien, cinq semaines de navigation leur suffiraient pour atteindre la forteresse de Sarkel-la-Blanche.

Sofer voyait un Isaac impatient. Impatient d'arriver. Sentant le but au bout de sa chaussure. Rêvant de sa rencontre avec le roi des Juifs. Préparant déjà un discours. Imaginant la réponse...

Comment pouvait-il, plein de fougue et d'allégresse, gorgé par l'espérance et les illusions, deviner que le destin allait tout à la fois le combler et le vaincre ?

13

Sarkel
juin 955

Benjamin sourit. Ses lèvres exsangues découvrirent les quatre dents jaunes qui lui restaient. De sa voix presque inaudible, il souffla :

– *Il y a un temps pour vivre et un temps pour mourir.* Ce sont les mots de l'Ecclésiaste, ceux que tu m'as appris, Rabbi Hanania ! Cette fois j'y suis, au temps de la mort.

Le vieux Khagan se tut, son œil valide clos, incapable de poursuivre, seulement occupé à respirer. Huit lampes à naphte brûlaient en permanence dans la pièce presque nue, mais elles ne parvenaient pas à y consumer l'odeur de la mort. Voilà dix jours, en ce lendemain du jour de l'an, qu'il agonisait sur la banquette de bois couverte de peaux de renard qui lui servait de lit. La souffrance de Benjamin ne transparaissait que dans la brûlure de son regard et la grimace qui par instants le saisissait. Sa chevelure blanche s'étalait autour de son visage comme une fumée d'argent. Sa peau était devenue d'une finesse extrême. Tendue au point d'effacer toutes ses rides, elle semblait vouloir se fondre dans les os, dessinant des traits parfaits et d'une étrange beauté.

Assis à son côté, un rouleau de la Torah reposant sur ses genoux, le rabbin Hanania paraissait bien plus vieux et fragile que le mourant ! Sous son large turban blanc ses yeux étaient tout plissés de tristesse.

Frémissants, les trois doigts de Benjamin se tendirent vers lui. Le rabbin hésita. Un bref instant, il observa cette main aux ongles racornis, à la chair lustrée et craquelée. Enfin il tendit sa propre main. Leurs doigts de vieillards s'enlacèrent. À la surprise du rabbin, celle de Benjamin était si brûlante que la sienne lui parut glacée.

– Rabbi ! chuchota le vieux Khagan. Rabbi, crois-tu que je vais recevoir le baiser de l'ange ?

Le rabbin esquissa un sourire. Sans lâcher la main de Benjamin, se balançant doucement comme une mère berce son enfant, il se mit à réciter les versets des *Berakhoth* :

– *Lorsqu'un homme va quitter le monde, l'ange de la mort apparaît pour emporter son âme. Elle ressemble à une veine qui court dans son corps et y disperse ses racines. Alors l'ange saisit une extrémité de la veine et la tire hors du corps du mourant. Si l'homme est un juste, cela se fait sans plus de difficulté que de retirer un cheveu du bol de lait. Si l'homme est un méchant, son âme lui est reprise comme dans la cataracte d'une rivière folle ou comme on arrache une épine d'une balle de laine : en la déchirant en son entier !*

Le rabbin Hanania s'interrompit et lâcha les doigts de Benjamin. Puis il reprit d'une voix claire :

– N'aie crainte, Khagan ! L'ange viendra et tu ne seras que cheveu sur le lait...

Après un temps d'hésitation, il ajouta :

– Khagan Benjamin, sans vouloir contredire l'Ecclésiaste et même s'il est beau de voir un navire rejoindre son port, je dois t'avouer que je suis triste... Ta présence va me manquer.

– La tienne va me manquer aussi... Ah ! Mais surtout je vais regretter de n'être jamais allé jusque sur la terre d'Israël. Ces derniers mois, j'ai souvent rêvé de Jérusalem...

L'excitation saisit le vieillard. Une sorte de rire fit vibrer sa poitrine. Son chuchotement rugueux emplit l'air confiné et malodorant de la pièce :

– Rabbi ! Rabbi, je croyais entrer dans Jérusalem, et je reconnaissais même les rues ! Je reconnaissais la lumière sur les toits et entre les tentes ! Je reconnaissais l'odeur des fumées et le parfum du fleuve à la tombée du jour ! Rabbi... Je croyais entrer dans Jérusalem, or c'était dans Itil que je revenais.

Il y eut un court silence avant que Benjamin souffle encore :

– Itil, notre Itil ! La nouvelle Jérusalem. Pour Lui ! Pour Son retour, enfin...

– Amen, dit sobrement le rabbin, qui murmura une prière pour conjurer tant d'espérance.

– Ah... Si seulement cela pouvait être ! Car il peut venir, le fils de David, n'est-ce pas,

Rabbi ? Il peut réunir ici les tribus comme il l'a fait sur la terre d'Israël ! Il faut nous repentir, il faut nous repentir...

L'exaltation de Benjamin rendait sa voix aiguë et cambrait son corps. Mais cette fois le rabbin ne répondit pas, se balançant simplement en silence. Après un instant, l'agitation du Khagan retomba. Sa respiration s'apaisa et il porta un regard très clair sur son compagnon.

– Je sais ce qu'offre Byzance, Rabbi. Joseph ne doit pas accepter. L'empereur Constantin joue avec lui. C'est un tricheur. Les Grecs sont des hommes sans parole. Joseph ne doit pas lui livrer ma petite-fille...

C'est alors que la voix de Joseph résonna :
– Grand-père, tu devrais être en train de te reposer ou de prier !

Debout sur le seuil de la pièce, fronçant le nez sur l'odeur, Joseph hésitait à avancer jusqu'à la couche de son grand-père. Le visage fermé, il s'approcha enfin et s'inclina assez bas pour que le vieux Khagan puisse poser la main sur son front.

Le rabbin Hanania fut frappé par la ressemblance de leurs visages. Tous deux avaient la même finesse de traits, la même bouche sensuelle et volontaire, les hautes pommettes des hommes de la steppe, et les paupières en amande de leurs ancêtres d'Orient. Mais la puissance était désormais concentrée dans les prunelles implacables de Joseph.

– Joseph ! reprit Benjamin, en proie à une nouvelle agitation. Joseph, te souviens-tu de ta bar-mitsva ?

– Je me souviens.

– La veille, Joseph, mon fils, pour la première fois tu as pris la vie d'un homme. C'était pour le bien et contre le mal...

Benjamin s'interrompit, essoufflé, grimaçant un sourire de joie.

– Je me souviens, répéta Joseph.

Hanania fut surpris par la rudesse de son ton. Benjamin puisa dans ses dernières forces. Ses doigts s'agrippèrent à l'ourlet de fourrure du manteau de soie de Joseph comme s'il craignait de tomber de sa couche.

– Joseph, tu n'as pas voulu que ta sœur soit emportée par les Petchenègues... Tu ne peux pas la livrer aujourd'hui aux Grecs ! Tu ne peux pas !

Joseph saisit la main du vieux Khagan et, dans un geste ambigu, autoritaire et affectueux, l'obligea à lâcher prise.

– Grand-père ! Tu ne dois plus te soucier de ces choses...

– Ton père Aaron, que Dieu le garde dans Sa miséricorde, n'a jamais rien cédé à Byzance ! Il leur a fait la guerre. Aux Russes aussi. Et avant lui je n'ai, moi non plus, jamais cédé à Byzance ! Ils sont fourbes. Ils promettent la paix pour mieux faire la guerre. Ils disent une chose et en font une autre. Ils rusent par plaisir, Joseph ! Tu ne peux pas...

C'était presque un cri de rage, mais le vieux Khagan était maintenant terrassé par la douleur. Le rabbin Hanania se redressa, l'œil dilaté, attentif à l'instant du passage. La bouche de Joseph frémit. Il s'agenouilla et serra les trois doigts misérables du mourant entre ses mains puissantes.

– J'entends tes paroles, grand-père, murmura-t-il. Je sais ta sagesse. Sois en paix. Rien n'est décidé...

Les paupières closes sur des yeux qui semblaient vouloir disparaître dans son crâne, Benjamin secoua la tête avec effort. Stupéfait, le rabbin Hanania vit des larmes mouiller les joues du mourant.

– Joseph... Joseph ! Si ta sœur Attex devient chrétienne, le royaume des Khazars ne sera plus juif. Il ne pourra plus être la terre élue. Le fils de David n'entrera jamais dans Itil sur sa mule blanche !

Un long silence s'ensuivit, ponctué par la respiration rauque de Benjamin. Ni le rabbin ni Joseph n'eurent cette fois le courage de le rompre.

Au-dehors s'entendaient les bruits de voix, les allées et venues du palais. Depuis la veille tous les seigneurs de la cour étaient réunis dans la forteresse, prêts à accompagner le vieux Khagan jusqu'à son tombeau. Autour de la forteresse, trois mille archers de la garde royale formaient une ceinture infranchissable et tous les marchands étrangers avaient été éloignés sur l'autre rive du fleuve Varshan. Dans la ville de tentes, même ceux qui n'étaient pas juifs retenaient leurs enfants et parlaient bas.

La voix de Benjamin s'éleva, si basse que le rabbin Hanania devina les mots plus qu'il ne les entendit.

– Que Dieu te prête longue vie, Joseph. Souviens-toi que je t'ai aimé autant que mon fils Aaron. Va et fais venir Attex près de moi.

Attex arriva en larmes au chevet de son grand-père. Au contraire de Joseph, elle ne chercha pas à masquer sa tristesse.

En la voyant, le vieux Khagan esquissa un sourire, mais la discussion avec Joseph l'avait trop épuisé pour qu'il puisse prononcer quelques phrases. Il leva maladroitement ses mains pour effleurer la chevelure ondoyante de sa petite-fille et balbutia :

– Splendeur ! Splendeur !

Puis encore :

– Tu sens bon... Bon comme l'ange...

Comme elle ne trouvait pas de mots pour lui répondre, Attex s'allongea près du vieillard, glissant son jeune corps tout contre celui de Benjamin, l'enlaçant et posant sa joue contre la sienne. Le rabbin poussa un grognement de protestation, tendit le bras pour attraper Attex par l'épaule, afin de lui faire quitter cette posture sacrilège. Mais le vieux Khagan s'agrippait si bien à sa petite-fille que le rabbin interrompit son geste :

– Tu ne dois pas être triste, Khatum, soupira-t-il. Souviens-toi des paroles de l'Ecclésiaste : *Deux navires sont en mer, l'un quitte le port et l'autre y rentre. Le peuple se réjouissait du départ du premier mais non de l'arrivée du second. Un sage qui se trouvait là dit alors :*

« *Mon opinion est contraire à la vôtre. Vous ne devriez pas vous féliciter du départ de ce navire, car nul ne sait quelles grosses mers, quelles tempêtes l'attendent. Alors que ce navire qui vient d'atteindre sa destination, sain et sauf, devrait vous emplir de joie... »*

Attex renifla en secouant la tête :

– Je ne peux me réjouir, Rabbi, chuchota-t-elle avec un regard plein de reproches. Je ne peux...

Soudain le vieux Khagan poussa un râle violent. Hanania lui saisit la main. Il eut peur que Benjamin ne meure ainsi, dans les cris et la douleur, ce qui eût été de très mauvais augure. Attex serra contre elle le corps tremblant. Benjamin rouvrit les yeux. Un sourire de joie étira ses lèvres exsangues.

– Tu es la beauté de la terre, Attex ! murmura-t-il. Tu es la volonté de l'Éternel, béni soit Son nom !

Ses pupilles se dilatèrent, et son corps se tendit entre les bras d'Attex comme un fagot de bois sec.

– Ah ! gémit-il. Aah... L'ange approche, Rabbi ! J'entends les chants qui l'entourent ! Oh, j'entends sa voix !

Attex dut le retenir tout contre elle tant il s'agitait :

– Attex, ne va pas chez les Grecs ! Ne fais pas cette folie ! Attex, ne renie pas le Livre de Moïse !

– Non, grand-père ! Sois rassuré.

Elle ne sut jamais s'il l'avait entendue, car à cet instant, le regard halluciné, son grand-père referma les paupières et trépassa dans un ultime soupir.

Ainsi, en ce lendemain du Kippour de l'an 4715 après la création du monde, mourut le douzième roi juif des Khazars...

14

Oxford, Angleterre
mai 2000

Il n'était pas loin de quatre heures du matin lorsque Sofer s'octroya une pause. Pas un bruit ne troublait le calme du Randolph. Le silence dans sa chambre était si grand qu'il entendait le ronronnement du minibar.

Dehors, derrière les rideaux, la nuit était jaune. Oxford baignait dans les lumières d'halogènes. Il ne pleuvait plus. Sofer ouvrit la fenêtre et massa ses yeux endoloris. Il était fatigué mais heureux. Exalté même. Il se sentait formidablement en vie. Comme si l'on avait versé un peu plus de sang dans ses veines ou agrandi son cœur. Après tout, il portait désormais jusque dans sa poitrine le souffle et les émotions d'Attex, d'Isaac, de Joseph et des autres.

Un instant, il laissa ses yeux se reposer sur l'image immobile de la pelouse, des massifs de rhododendrons et d'azalées nappés d'ocre par les lampadaires. Il respira à pleins poumons l'air humide. Alors il sut. Il voulait respirer le vent des Khazars !

Il lui fallait aller là-bas, voir le soleil sur la Caspienne, la mer des Khazars. Oui, il devait y aller !

Il consulta à nouveau sa montre. Il était à peine neuf heures du matin à Bakou. Un peu tôt, mais acceptable. Et peut-être la bonne heure pour joindre Agarounov avant qu'il ne parte de chez lui.

Il revint s'asseoir sur son lit pour former le numéro du président de l'Association des Juifs des montagnes. Tandis que différentes sonneries tintaient à ses oreilles, il passa la main sur ses joues râpeuses. Il ne s'était pas rasé depuis la veille. Quelle tête il devait avoir !

– *Da ?* répondit Agarounov en russe.

Sofer se présenta, indiqua qu'il appelait depuis l'Angleterre.

– Je vous prie de m'excuser de téléphoner si tôt. Je voulais être certain de vous joindre...

– Pas de problème, mon ami ! répondit Agarounov, toujours aimable. Vous ne me dérangez jamais. Du reste, je pensais justement à vous hier soir.

– Ah ?

– L'attentat du pipeline, vous vous souvenez ?

– Justement je...

– Le « Renouveau khazar ». C'est bien eux qui ont fait le coup. Étonnant, n'est-ce pas ?

– Vous en êtes certain, monsieur Agarounov ? J'ai devant moi des journaux anglais qui parlent de l'attentat. Il n'y est pas question du « Renouveau khazar »...

– Bah, s'amusa Agarounov, les Anglais ne peuvent raconter que ce qu'on veut leur laisser croire... Non, c'est sûr. Mes amis sont formels.

– Et vos amis connaissent les membres de ce « Renouveau khazar » ?

Ça... non. Je ne pense pas.

– Une drôle d'idée, non, de faire référence aux Khazars, vous ne trouvez pas ?

Agarounov eut un petit rire.

– Les gens d'ici, de temps en temps, ont besoin de faire revivre le passé. Surtout aujourd'hui...

– Monsieur Agarounov! s'exclama Sofer. Les Khazars étaient *juifs* ! Vous vous rendez compte de ce que cela peut signifier ?

– Bien sûr, bien sûr !

Sans parvenir à en comprendre la raison, Sofer devinait dans le ton et les réponses de son interlocuteur une gêne croissante devant ses questions. Fronçant les sourcils, il demanda encore :

– Et que veulent-ils ? On connaît maintenant leurs revendications ?

Il y eut un silence. Il dura assez pour que Sofer, un peu brusquement, demande :

– Allô ? Monsieur Agarounov ? Vous êtes toujours là ?

– Oui. Oui, je suis là. Mais à vos questions, il m'est difficile de répondre. Au téléphone...

Ce fut au tour de Sofer de se taire, pensif, cherchant à dénouer les méandres de cet étonnant sous-entendu. Enfin, il s'exclama avec un petit rire :

– Bien, tant pis pour moi. D'ailleurs, peu importe, vous le ferez de vive voix ! Je vous appelais pour cela : j'ai décidé d'aller passer quelques jours à Bakou. Je veux voir la mer des Khazars !

– Oh, magnifique ! Bonne nouvelle, bonne nouvelle !

La joie d'Agarounov paraissait sincère.

– C'est que j'ai commencé à écrire ma chose, marmonna Sofer avec le besoin soudain de s'épancher un peu.

– Votre... chose ?

– Oui. Mon bouquin. Un roman, sur les Khazars, évidemment...

Pendant un court instant Sofer ne résista pas au plaisir de raconter brièvement pourquoi il était à Oxford. Il décrivit les documents en sa possession, l'écriture du rabbin Hazdaï et, surtout, celle du roi Joseph.

– Enfin, là je m'avance un peu, car il n'est pas dit que le Khagan ait écrit la réponse de sa propre main. On peut imaginer qu'il avait une sorte de secrétaire. De copiste. C'est même probable. D'ailleurs, certains chercheurs assurent que la lettre du rabbin est également une copie. Quand même, je peux vous le dire, monsieur Agarounov : c'est émouvant d'avoir cela sous les yeux !

À l'autre bout du fil, là-bas, en Azerbaïdjan, Agarounov poussait de petits cris enthousiastes.

– Je vous les montrerai, promit encore Sofer. Je les emporte avec moi.

– Merveilleux ! répéta Agarounov. Quelle émotion pour nos amis juifs des montagnes de voir les lettres de celui qui est peut-être leur ancêtre !

– À ce propos, demanda Sofer, aucune nouvelle du mystérieux Yakubov ?

Agarounov soupira :

– Aucune. Nous avons fait des recherches dans les fichiers de l'association. Pas de Yakubov, nulle part. J'ai posé des questions à nos amis au sujet de la grotte. On sait qu'il existe des grottes, et que l'une d'elles contienne une synagogue n'aurait rien de très extraordinaire. Mais rien de précis. La montagne est grande, évidemment...

– Évidemment. Encore une question, monsieur Agarounov, si vous me le permettez. Connaîtriez-vous une jeune femme rousse très... très belle ? Je veux dire : d'une beauté rare. Vous voyez ?

– Ah ? Une femme ? Une belle femme ?

– Presque anormalement belle, si je puis dire.

– Oh !

– La trentaine, peut-être moins. Des yeux d'émeraude... Pas très grande, toujours vêtue avec soin, semble-t-il. Rousse, comme je vous l'ai dit...

– Vous avez des ennuis aussi avec elle ?

– Non, non, aucun, c'est seulement...

Sofer se sentit ridicule. Comme s'il avouait tout de go à ce presque inconnu qu'il était obsédé par une femme. Il rit, un peu brutalement, et ajouta :

– Je me demande si elle ne pourrait pas devenir un personnage de mon histoire.

La réponse d'Agarounov vint, perplexe :

– Vous n'avez rien d'autre, pas de nom ?

Sofer grogna avec une fausse indifférence pour effacer la gêne qu'il percevait dans la voix d'Agarounov.

– Non, ce n'est rien. Juste une idée... Je vous expliquerai quand on se verra...

Lorsqu'il raccrocha, Sofer songea qu'il se conduisait comme un gamin. La gentillesse d'Agarounov le rendait volubile. Et sans doute aussi le fait que cet homme si loin, dont il ne connaissait pas même la voix quelques semaines plus tôt, fût l'unique lien réel qui le rattachât aux événements incompréhensibles qui l'entouraient. Agarounov lui-même était un étrange personnage. Aussi chaleureux que mystérieux. À quoi pouvait-il ressembler ?

Et à quoi pouvait bien ressembler Bakou ?

La fatigue à présent lui tombait sur les épaules. Il hésita à se remettre au travail. Il pensa à prendre une douche mais se contenta de s'allonger, adossé aux oreillers empilés. Les premiers bruits du réveil de l'hôtel se firent entendre.

Les yeux clos, il tenta de réfléchir à ce que pouvait signifier ce « Renouveau khazar ». Qui se dissimulait derrière ce nom ? Que voulaient-ils ? Pourquoi détruire des installations pétrolières ?

De buter contre tant de mystères sans pouvoir les déchiffrer l'amena à évoquer une fois de plus l'inconnue rousse. En vérité, les mystères semblaient se superposer !

À moins qu'il ne fasse preuve d'un peu de bon sens et ne se contente de la réalité.

Une femme avait posé quelques questions dans une conférence. Comme elle était belle et que ses questions, par le plus grand des hasards, avaient réveillé des interrogations qui le tourmentaient depuis quelque temps, il en faisait toute une histoire. Toutefois, dès la fin de sa conférence – un peu avant, même, et sans se retourner – cette beauté inconnue était rentrée gentiment chez elle, ravie d'avoir embarrassé ce vieil écrivain bougon de Sofer. Elle avait dû appeler toutes ses amies pour leur raconter la scène. À l'heure qu'il était, elle dormait dans les bras d'un amant ou d'un mari. Dans deux heures, elle confectionnerait avec un amour maternel accompli le petit déjeuner de ses enfants, avant de filer à son travail, lisant peut-être un roman de John Irving ou d'on ne sait quel auteur débordant de rêveries !

Oui, voilà quelle était sans doute la réalité !

Sentant le sommeil l'engourdir, Sofer sourit de ses élucubrations. Avant de sombrer, il eut juste le temps de prendre conscience qu'il avait en fait oublié le visage de l'inconnue. Désormais, contre ses paupières closes, il ne voyait plus que celui d'Attex, de la Khatum Attex, gorgé de jeunesse, d'impatience, et de ce quelque chose d'indicible qui n'était peut-être qu'un fragment incarné du divin.

Il n'était pas loin de midi lorsqu'il se réveilla. Le téléphone sonnait, il mit quelques secondes à le comprendre. Une voix aimable lui demanda s'il souhaitait rester une nuit supplémentaire. Il répondit qu'il n'en savait rien. Il devait d'abord obtenir un billet d'avion pour Bakou. La voix aimable lui annonça qu'elle pouvait s'en charger s'il voulait bien la rejoindre d'ici une heure.

– Après un brunch peut-être ?

Sofer accepta tout ce qu'on lui proposait et remercia chaleureusement. Il ne reprit véritablement conscience que sous la douche. Puis, se rasant, il découvrit avec un infini plaisir que son visage avait changé, devenu d'un coup plus jeune et plus vif. Un regard plus incisif. Moins de poches sous les yeux. Plus de fermeté dans la bouche. Au total, un visage long, aux traits fins débarrassés de leur lassitude. Un visage en éveil qu'il reconnaissait : celui des temps d'écriture !

Rien à voir avec la face cireuse du vieux Khagan mourant et encore moins avec celle, décrépite, du rabbin Hanania. Bon sang, il avait bien le temps de devenir aussi vieux que cela !

Maintenant qu'il était rasé de frais, une femme pourrait encore caresser ses joues avec un certain plaisir. Attex, par exemple. Il n'avait pas encore imaginé les mains d'Attex. Des mains de princesse à la peau très blanche, pas abîmées par les feux et les lessives. Des doigts plus longs que les paumes.

Hélas, il n'était pas Isaac. Isaac le chanceux !

Sofer, une main pleine de mousse et l'autre tenant le rasoir, suspendit son geste et sourit à sa propre image dans le miroir.

Si, bien sûr que si : il *était* Isaac !

15

Sarkel

juin 955

– Il se passe quelque chose ! Quelque chose de pas bon, gronda Saül.

Debout sur le banc de la barcasse, se protégeant les yeux du soleil de la main, il scrutait anxieusement l'aval du fleuve et les bosquets de peupliers remontant sur les collines. Des centaines de cavaliers venaient d'y apparaître. Telle une ceinture refermant les deux rives du fleuve, ils progressaient de front, dessinant une ligne parfaite.

– C'est pas bon ! C'est pas bon, gémit à nouveau Saül.

Les cavaliers ne cessaient d'approcher. Isaac bientôt devina les arcs en bandoulière, les cottes de mailles brillant au soleil sur les tuniques brodées, les épées courbes retenues aux larges ceinturons, les casques en cuir à pointe d'acier ou d'argent... À l'instant où il parvint à distinguer les moustaches, quelqu'un dans le convoi hurla en russe :

– Khazars ! Khazars !

Saül comme Simon se retournèrent vers

Isaac. D'autres cris jaillirent parmi les marchands et tous exprimaient la crainte.

– Les Khazars ! Mais pourquoi arrêtent-ils le convoi ? demanda Saül sans que personne puisse lui répondre.

Parvenus à une portée de flèche, les guerriers khazars immobilisèrent leurs chevaux. Quelques-uns posèrent leurs arcs sur le licol de leur monture. La trentaine de lourdes barques à demi échouées sur les graviers de la rive du Varshan étaient désormais prises dans une tenaille.

– Pourquoi nous traitent-ils comme des Petchenègues ? s'offusqua encore Saül.

Le gros homme du Nord qui les avait accueillis dans son bateau entendit la question. Avec la moue de quelqu'un que plus rien ne surprend, il grogna :

– Va savoir ! C'est comme ça les Khazars ! Ils sont les maîtres ici. Ils font ce qui leur chante. Un jour on a le droit d'accoster à Sarkel, un autre jour non. C'est comme ça. Et c'est pas la peine de râler...

Il montra la ligne de cavaliers et ajouta :

– Je ne vous conseille pas de les approcher. Leurs flèches font mouche à cent coudées aussi sûrement que vous éteignez un lumignon avec vos deux doigts !

Il mima le geste en roulant les yeux.

– Combien de temps peuvent-ils nous empêcher d'avancer ? demanda Isaac.

– Va savoir ? Un jour, deux ou trois... Dix, si ça leur plaît !

Haussant les épaules, sans plus s'occuper

des guerriers khazars désormais aussi immobiles que des statues, le batelier alla s'affaler sous l'espèce de tente dressée à l'arrière du bateau.

– Bah! soupira Simon. Qu'importe? Rien ne nous presse. Tant que nous restons dans le bateau, nous ne risquons rien.

– Sinon de rôtir sous le soleil, bougre d'âne! explosa Saül. Tu as oublié tes délires, il me semble! On devait nous accueillir avec des fruits, du vin, des danses et des larmes de joie! Regarde-les, tes Khazars! Vois-tu des Juifs dans ces brutes à têtes de barbares, de Turcs ou de je ne sais quoi?

Le sourire de Simon se figea. Il chercha le regard d'Isaac dans l'espoir d'un secours. Mais Isaac se détourna froidement.

Ses compagnons l'agaçaient, l'un tout autant que l'autre. Le chemin depuis Kiev avait été plus pénible et plus incertain qu'ils ne le craignaient. Les Petchenègues infestaient la région, menant des rapines d'une plaine à l'autre, obligeant les marchands à se déplacer en longs convois.

Était-ce parce que Saül touchait du doigt les difficultés qu'il aurait à rapporter des marchandises de valeur en Germanie? Son caractère, naturellement peu aimable, n'en était devenu que plus inquiet et maussade. Il promenait son corps bizarre, sa face large et son ventre creux comme si à chaque instant on allait lui faire un mauvais sort, et plus un jour ne passait sans qu'on l'entendît lancer des jérémiades.

À l'inverse, Simon faisait preuve de son peu d'éducation et de la fragilité de son esprit. Selon lui, leur mission était devenue si sacrée qu'elle ne pouvait échouer. Il assurait que l'Éternel, béni soit Son nom, voulait de Sa volonté qu'ils rencontrent le Khagan et que celui-ci, sans nul doute, leur apparaîtrait comme le fils de David. Ainsi deviendraient-ils eux-mêmes de nouveaux prophètes ! Il répétait à l'envi les merveilles que les marchands racontaient sur le royaume juif de Khazarie : sa richesse, la splendeur de ses bâtiments, le trône d'or du roi, sa forteresse blanche, sa science et sa sagesse, son courage au combat. En tout il voulait voir la preuve que le Tout-Puissant protégeait extraordinairement le peuple et la terre des Khazars. Jusqu'à la sœur du Khagan Joseph qui était, paraît-il, la plus belle femme qu'un homme ait jamais pu voir de ses yeux. Comme si cela ne suffisait pas, il assurait qu'une nuit prochaine les étoiles se mettraient en mouvement, entamant une sarabande, ultime signe de la Fin des miracles !

Excédé par le mauvais caractère de l'un, la foi rustre et fantasmagorique de l'autre, Isaac n'était plus qu'impatience. Or voilà que ce matin, alors qu'ils ne se trouvaient plus qu'à une demi-journée de navigation de Sarkel-la-Blanche, les premiers Khazars qu'ils rencontraient étaient de redoutables guerriers qui leur interdisaient l'approche de la forteresse !

Un long moment, ils restèrent tous trois désunis et malheureux. Chacun tenta de ronger son frein sans oser s'éloigner de la rive du fleuve où, par moments, il plongeait la main pour se rafraîchir.

Les premières heures de la matinée s'écoulèrent dans une attente pesante. Lorsque la chaleur commença à faire trembler l'air et à brûler les bouches, bateliers et marchands s'accroupirent à l'ombre des bateaux, le cul dans l'eau comme des poules. Les cavaliers khazars, eux, ne bougèrent pas plus que leurs chevaux. Leurs cottes de mailles scintillaient dans la lumière, mais ils se tenaient si immobiles qu'on les aurait crus de pierre.

Les barques du convoi étaient bord à bord, la proue fichée dans la grève. Certaines étaient chargées jusqu'aux lisses de fourrures de renard. Elles dégageaient une pestilence qui écœurait même les oiseaux. La plupart transportaient des esclaves capturés dans les pays du Nord ou vendus par les Russes. Femmes, enfants, hommes, vieux, jeunes, épuisés et traités comme du vil bétail, tous souffraient du soleil à en périr. Les liens de cuir qui les retenaient les uns aux autres blessaient leurs chairs, les entaillaient comme des lames. Parfois, l'un d'eux gémissait et s'écroulait. Alors un marchand les aspergeait d'eau froide avec de grands baquets, comme il le faisait pour les paniers de courges, de pommes ou de concombres.

Quand le soleil parvint au zénith, une demi-douzaine d'hommes apparemment ivres de bière d'orge se laissèrent glisser dans le Varshan pour se rafraîchir. Ils riaient haut, criant et s'arrosant. L'un d'eux, battant des bras, s'éloigna un peu trop de la rive. En moins de temps qu'il ne faut pour le dire, il fut happé par le courant. Son gros corps bascula comme un fétu dans un remous. Il disparut, réapparut cinq ou six coudées en aval. On aperçut sa tête et un bras entre les paquets d'écume. Isaac devina qu'il hurlait de peur, mais le grondement du fleuve était si violent qu'on ne pouvait l'entendre.

Ses compagnons sortirent en toute hâte de l'eau, braillant à leur tour, attrapant des rames et des cordes pour le secourir. Ils se précipitèrent pour arriver à sa hauteur. C'est alors qu'Isaac vit quatre ou cinq cavaliers rompre l'alignement.

Ils s'approchèrent du fleuve au trot. D'un même mouvement leurs arcs se levèrent. Silencieuses, majestueuses, les flèches filèrent dans un orbe parfait jusqu'à l'homme qui se noyait. Elles se fichèrent en lui au même instant. Il coula d'un coup, avalé à tout jamais par les vagues boueuses.

– Que le Tout-Puissant me pardonne ! souffla Simon, livide.

Pour une fois Saül se tut. Il n'y avait pas besoin de mots.

Les bateliers et les marchands qui couraient sur la rive s'immobilisèrent net. Plus un n'osa faire un pas. Les cavaliers khazars se tournèrent vers eux, bandant leurs arcs. Les pointes mortelles des flèches brillèrent dans le soleil. Les hommes du Nord hurlèrent en agitant les bras, tombèrent à genoux et montrèrent tous les signes de soumission. Les flèches cependant s'envolèrent. Elles se plantèrent juste devant eux, formant une manière de grille parfaite. D'un bout à l'autre du convoi, esclaves, bateliers ou marchands, aucun n'osa plus ouvrir la bouche.

Le vacarme du fleuve recouvrit toute la vallée.

Alors, un cavalier au long manteau rouge, la chevelure tressée en une natte qui lui descendait jusqu'aux reins, lança son cheval bai dans un court galop jusqu'au groupe toujours agenouillé. Parvenu à leur hauteur, il fit volter gracieusement sa monture dont la tête était protégée d'une calotte d'argent repoussé. Dégageant son épée du fourreau, il en fit siffler la lame en hurlant quelques mots.

Isaac ne perçut que des sons chuintants et violents portés par la brise. Mais les marchands et les bateliers se remirent debout et revinrent aux bateaux en courant tandis que le guerrier khazar, sans hâte, rejoignait la file des archers.

Peu après la nouvelle remonta le convoi telle une fumée poussée par le vent. Le Khagan des Khazars était mort. Aucun étranger n'avait le droit d'approcher de Sarkel-la-Blanche pendant les cinq prochains jours sous peine de mort.

Ce n'est que quelques heures avant le crépuscule que la méprise s'éclaircit. Après avoir inlassablement posé des questions à ceux qui comprenaient un peu de russe, Isaac revint vers ses compagnons en riant.

– Idiots que nous sommes ! Ce n'est pas le roi Joseph qui est mort ! C'est son grand-père, le Khagan Benjamin !

Simon en pleura de joie sous le regard indifférent de Saül. Isaac les tira à l'écart et leur expliqua son intention. Il allait quitter le convoi à la nuit. Il profiterait de l'obscurité pour échapper à la vigilance des cavaliers khazars et atteindre Sarkel au petit jour.

– Si tu ne te perds pas dans les bois, ou ne te fais pas bouffer par ces fauves qui y vivent, s'insurgea aussitôt Saül. À moins que tu ne tournes en rond dans le noir et ne finisses par tomber dans les bras des cavaliers !

– Je sais me diriger avec les étoiles, affirma tranquillement Isaac. Mon père me l'a appris quand j'étais enfant.

Saül balaya l'objection d'un geste :

– Pourquoi risquer ta vie et ne pas attendre tranquillement que le convoi puisse atteindre la forteresse ?

– J'ai promis au rabbin Hazdaï de remettre sa lettre au roi Joseph. De la main à la main. Je le ferai.

– Et alors ?

Isaac eut un geste d'agacement.

– Fais un peu marcher ta cervelle, Saül ! Si le vieux Khagan est mort à Sarkel et si l'on nous interdit l'approche de la cité, cela signifie certainement que le roi Joseph est dans la forteresse ! C'est une chance inespérée ! Cela nous évitera de traverser tout le pays à sa recherche des mois durant ! Souviens-toi de ce que les Juifs de Kiev nous ont raconté !

– Que le Khagan Joseph est si puissant qu'il se tient dans ses palais et sous sa tente royale d'un bout à l'autre de l'année ! intervint Simon.

– Et surtout que les Khazars eux-mêmes peuvent vivre toute une vie sans jamais voir son visage ! ajouta Isaac. Qu'il n'apparaît que lors des grandes cérémonies et des guerres...

– Des foutaises, s'il se trouve, maugréa Saül. Des boniments de marchands qui veulent se donner de l'importance !

Isaac soupira et pointa du doigt les cavaliers khazars qui gardaient un alignement parfait :

– Regarde-les, Saül. Souviens-toi de l'homme qui a été tué tout à l'heure ! Regarde ce dont est capable le Khagan pour s'assurer la paix à l'heure de mettre son grand-père en terre ! Cela ne te donne pas une idée de sa puissance ?

– Quand bien même !

– Nous ne parviendrons jamais à l'atteindre en nous présentant simplement au guichet de la forteresse ! affirma Isaac en retenant mal sa colère.

Le regard dur de Saül demeura incrédule. Il voyait les marchands et les bateliers s'installer pour la nuit, allumer des feux, former des cercles. Il était comme eux. La vie lui avait enseigné une loi qui permettait de vivre long-temps : on est plus fort en groupe que seul.

– Attendons que les bateaux puissent repartir et nous nous présenterons pour ce que nous sommes : des ambassadeurs juifs ! Le Khagan ne nous refusera pas une audience. D'ailleurs, si tu parviens à la forteresse, que feras-tu ? Tu ne connais pas sa langue !

– Je parlerai en hébreu ! Cela dira d'un seul coup d'où je viens !

La main de Simon se referma avec passion sur le poignet de Saül.

– Saül, mon frère ! Ne comprends-tu pas que le deuil du Khagan est une chance inouïe que nous offre l'Éternel de voir le roi Joseph et de lui remettre la lettre ?

– Cesse donc ces âneries, Simon ! s'énerva Saül. Ne pourrais-tu comprendre une bonne fois que le Tout-Puissant, béni soit Son nom, n'est pas à Sa croisée pour suivre tes faits et gestes ? La seule chance inouïe qu'encourt Isaac, bougre d'âne, est de se faire percer la panse par une flèche !

Simon secoua la tête avec fermeté, indifférent aux insultes.

– Tu te trompes. Le Tout-Puissant continue de nous aider. Mais toi, tu n'as que du plomb dans la tête !

Isaac rompit la dispute. Elle était inutile, sa décision était prise et il devait se préparer.

Depuis Kiev, il portait la tenue commune aux hommes de la région : une sorte de large pantalon descendant jusque sous le genou et une tunique de coton brodée de fils de laine colorée qu'un cordon de lin serrait autour de la taille. Des sandales en corde de chanvre lui servaient de chaussures. Il dissimula l'étui de cuir de la lettre sous sa tunique, passa sa dague de Tolède dans le cordon de sa ceinture et remplit une gourde en peau de chèvre dans le fleuve.

Lorsque l'ombre fut assez dense, il se glissa sous le plat-bord d'un bateau qui le cachait aux regards des cavaliers khazars. Ses compagnons l'y rejoignirent.

– Laisse-moi t'accompagner, implora Simon.

– Il vaut mieux pas... On ne sait jamais, Saül pourrait avoir raison. Reste avec lui car je sais que, si jamais il m'arrivait malheur, tu ferais tout, toi aussi, pour saluer le roi Joseph à ma place. Tu as une copie de la lettre du rabbin Hazdaï, tu la lui donneras...

Le regard de Simon faisait pitié. Isaac le serra contre lui :

– Prends soin de mon luth, Simon. Tout ira bien.

La mine sombre, Saül lui donna l'accolade sans mot dire.

Isaac abrégea les adieux. L'obscurité à présent faisait disparaître jusqu'à la lueur des pierres de la berge. Il s'y enfonça, aussi silencieux qu'une belette. Le buste courbé, il courut le long du fleuve, en direction du nord, pendant une longue minute. Rien ne se passa. Aucun sifflement de flèche. Pas de cris ou de galop. Nul ne le poursuivait.

Il n'avait pas menti à Saül. Depuis longtemps il savait lire les repères qu'offraient les étoiles.

Il remonta la rive, suivant ses méandres sans hésiter. La nuit était bien noire car la lune, en cette saison, ne se levait que peu d'heures avant le matin. Plus il avançait, plus ses yeux s'habituaient à l'obscurité.

Il cessa de trébucher dans les replis de la berge. Lorsque enfin il devina un chemin qui partait sur sa gauche à travers l'herbe courte de la steppe, il se coucha sur le dos, les pieds en direction de l'aval du fleuve.

La terre était encore chaude et sentait la poussière. La beauté du ciel le fit cependant frissonner. Au-dessus de lui, l'immense chemin de la Voie lactée joignait les horizons. Le semis de lumière était si net qu'on aurait pu compter les étoiles. Cela aurait pris sans doute plus d'une vie !

À l'exacte verticale, dans la partie de la Voie lactée qui se resserrait comme un col de sac, il repéra Deneb et la constellation du Cygne.

Ce fut comme s'il entendait l'enseignement de son père : « Isaac, souviens-toi de cette règle. Lorsque Deneb occupe le centre du ciel à la place de la Polaire, c'est que l'on est dans le premier mois de l'été. Alors la Voie lactée indique par ses extrémités le nord-est et le sud-ouest. La Polaire demeure toujours au nord. Ainsi son axe avec Deneb t'indique le sud aussi nettement qu'une baguette de jonc. D'ailleurs, tu ne peux pas te tromper, mon fils : l'été, il y a toujours moins d'étoiles au sud qu'au nord ! »

Ce qu'Isaac, en cet instant, voyait bien. Au-dessous de Deneb tout au plus étaient visibles les cinq points du Dauphin et l'entremêlement du Verseau et du Capricorne.

Isaac eut une affectueuse pensée pour son père, que Dieu préserve sa mémoire.

Lorsqu'il se remit debout, il découvrit, tutoyant l'horizon, si basse qu'il semblait qu'un homme, là-bas, aurait pu la toucher du doigt, une étoile d'une grande brillance. Il ne la connaissait pas. Sans comprendre d'où lui venait cette assurance, il sut dans l'instant qu'elle lui indiquait son chemin avec précision.

Ainsi, comme aimanté, il marcha jusqu'à l'aube. La fraîcheur de la nuit lui donna une vigueur nouvelle. Pas après pas, les yeux rivés sur la brillante étoile, il se sentit porté sur un chemin de miracle, certain de ne pas se perdre. Parfois il lui fallait contourner un bois. Une autre fois il dut rebrousser chemin quand la corde de ses sandales s'englua dans la boue d'un marécage.

Alors qu'il allait couper à travers un creux de la steppe, il devina des tentes serrées autour des braises à peine rougeoyantes d'un feu. Il espéra qu'aucun animal ne repérerait son odeur et passa très au large.

Contrairement aux craintes de Saül, il ne rencontra aucun fauve. Quelquefois il perçut le crissement d'un serpent dans l'herbe sèche ou le vol silencieux d'un rapace. Rien qui pût l'effrayer.

Cent fois il songea à ce qu'il allait dire au Khagan. Pétrissant à travers sa tunique le rouleau de cuir contenant la précieuse lettre, il pensa au rabbin Hazdaï et pria pour qu'il soit toujours en vie. Comme il regrettait de ne pouvoir lui crier, à travers le ciel, qu'il touchait enfin au but !

Bien avant que la première lueur du jour ne blanchisse l'horizon, il atteignit l'extrémité d'un plateau. Sans qu'il s'en aperçoive, il avait gravi une pente douce et se trouvait soudain au-dessus d'une ravine. Il entendit à nouveau le grondement du Varshan. Mais surtout, à quatre ou cinq cents coudées devant lui, comme flottant dans les ténèbres, une vingtaine de torches brûlaient.

Dans leurs halos, il perçut le reflet des briques.

La forteresse !

Isaac s'immobilisa net.

Au même instant, l'étoile si brillante disparut dans la terre. Comme si elle avait achevé sa tâche.

Isaac eut envie de rire, de remercier le Tout-Puissant avec des cris de joie. Il eut un restant de sagesse et se contenta de murmurer une prière.

Il s'allongea. Alors seulement il perçut sa fatigue. Il se promit de garder les yeux fixés sur les torches jusqu'à l'aube, mais s'endormit sans même s'en rendre compte.

Un bruit de trompe le réveilla.

Il faisait grand soleil. Il crut qu'il rêvait encore. Sur un promontoire en partie encerclé par le fleuve, la forteresse se dressait, immaculée. Ses murs crénelés étaient si hauts qu'aucune échelle ne pouvait se construire qui en atteigne le sommet. Quatre tours surmontant les chemins de ronde permettaient de sur-

169

veiller l'horizon jusqu'à des dizaines de lieues. Contrairement aux forteresses qu'Isaac avait vues jusqu'alors, tout était de brique et de pierre. Pas de tour de guet en bois, aucune coursive en rondin. Rien que de la brique blanche ! Nulle part il ne distinguait de passage. La porte de la forteresse devait être de l'autre côté, en direction du fleuve et de la ville de tentes qui s'étalait longuement sur les berges.

Voir la forteresse devant lui fut tout autant source d'exaltation que d'abattement.

Malgré l'assurance affichée devant ses compagnons il se rendait compte de toute la difficulté qu'il aurait à parvenir jusqu'au Khagan Joseph !

Comment entrer dans la forteresse ? Comment faire comprendre l'importance de sa mission ? À qui ? À un garde qui n'aurait que le souci de le repousser, ou pis encore peut-être. Saül n'avait pas tort : ne pas parler la langue des Khazars allait lui rendre la tâche bien difficile. Il avait enfreint l'interdiction faite aux étrangers de s'approcher. Tout envoyé du rabbin Hazdaï qu'il était, il risquait plus sûrement d'atterrir dans un cul-de-basse-fosse que devant le trône royal !

Il distingua un groupe de guerriers qui cheminaient derrière les hauts créneaux. Se devinant bien trop visible sur le rebord du plateau, il se dissimula un peu sottement derrière un buisson. Indifférents et sûrs d'eux, les soldats khazars ne jetèrent même pas un regard sur la campagne alentour. Avec des rires dont

170

l'écho parvint jusqu'à Isaac, ils grimpèrent un étroit escalier menant à une tour et y disparurent.

Isaac se sentit ridicule et en colère contre lui-même. C'est alors que le grognement d'un cheval le fit sursauter.

Avec un cri d'effroi, il bondit sur ses pieds.

À dix pas derrière lui, un garçon d'une douzaine d'années, un arc serré dans son petit poing, se tenait sur un demi-sang pommelé. De longs cheveux aux reflets cuivrés enserraient son visage aux pommettes larges. Entre ses paupières fendues, des yeux gris-bleu le fixaient. Sa tunique semblait de soie, jaune d'or et richement brodée au cou. Sur sa poitrine pendait une chaîne d'argent retenant une grosse médaille, pareille à une pièce de monnaie.

Il n'avait rien d'agressif ni de craintif. Au contraire, se dégageaient de lui un calme et une grâce qui impressionnèrent Isaac.

Après une courte hésitation, où ni l'un ni l'autre n'esquissèrent le moindre geste, Isaac s'inclina dans un salut comme il l'aurait fait devant un adulte.

Le garçon talonna son cheval et le fit avancer de quelques pas. Il prononça une phrase inintelligible. Isaac reconnut les sons de la langue khazar. Il sourit à l'enfant et d'un geste de la main montra qu'il ne comprenait pas. Le garçon fronça les sourcils et répéta ce qui devait être une question.

– Je ne te comprends pas, fit Isaac en hébreu. Je suis un voyageur, je viens de très loin, de là-bas où le soleil se couche.

La surprise tendit les traits gracieux du garçon. Isaac le vit qui faisait un effort. Enfin, avec un étrange accent, pareil à un roulement de galet, l'enfant s'étonna :

– Tu parles la langue du rabbin et du livre de l'Éternel ! Es-tu un rabbin ?

Plein de soulagement, gorgé de joie, le rire d'Isaac sonna dans l'air. Il s'avança vers le garçon en secouant la tête :

– Non ! Non ! Je ne suis pas un rabbin, dit-il en détachant bien ses mots. Je suis un Juif de Séfarade, là-bas à l'ouest. Et je lis, comme toi, la Torah, le livre du rabbin !

– Tu es un Juif des Juifs du Livre ? demanda encore l'enfant, les yeux brillants de curiosité, comme s'il n'était pas certain que tout cela soit bien réel.

– Oui, si tu veux, admit Isaac. Mon nom est Isaac ben Éliezer. Quel est ton nom à toi ?

– Hezekiah !

L'enfant le prononça dans la langue khazar si bien qu'Isaac le lui fit répéter plusieurs fois avant de comprendre.

– Que fais-tu ici ? reprit le garçon, redevenu soupçonneux. Aujourd'hui les étrangers n'ont pas le droit d'approcher la forteresse. Mon père rend au Tout-Puissant le corps de son grand-père le Khagan Benjamin...

– Ton père ? s'exclama Isaac. Ton père ?

– Mon père est le Khagan Joseph, annonça fièrement Hezekiah. Mon père est le Khagan des Khazars ! Et toi, tu ne devrais pas être là...

Isaac était tombé à genoux. Balançant le buste, il remerciait l'Éternel de Sa mansuétude. Tout son aplomb retrouvé, Hezekiah fit avancer sa monture. Il tira une flèche de son carquois de selle et, de la pointe de métal, piqua le cou d'Isaac.

– Si je le veux, je te troue la gorge, dit-il avec une arrogance de jeune guerrier. J'en ai le droit. Même mon père et le rabbin me féliciteraient...

Comme Isaac relevait le visage, il ajouta en désignant la forteresse :

– Je peux crier aussi, les gardes m'entendront. Ils viendront te chercher...

Isaac opina avec calme. Il se redressa et, se pressant contre l'encolure du cheval, saisit doucement la main du jeune cavalier.

– Hezekiah ! Je suis un voyageur venu de très loin. Depuis presque un an je marche et traverse quantité de pays, de fleuves et de forêts pour rencontrer ton père le Khagan Joseph. Il ne faut pas me tuer avant que j'aie pu m'incliner devant lui.

– Pourquoi veux-tu rencontrer mon père ? Qu'as-tu à lui dire de si important ?

Isaac sortit le rouleau de cuir de sous sa tunique.

– Il y a là-dedans une lettre d'un grand rabbin de Séfarade ! Le rabbin Hazdaï. Il est très respecté, là-bas dans l'Ouest. Il a écrit à ton père parce qu'il le respecte et l'admire...

– Un grand rabbin ? l'interrompit l'enfant, pour qui ce mot semblait avoir une vertu magique.

– Oui ! Le plus grand et le plus savant des rabbins de tous les Juifs ! exagéra Isaac en demandant au Tout-Puissant de lui pardonner.

– Plus grand qu'Hanania, notre grand rabbin ?

– Peut-être pas, admit diplomatiquement Isaac. Mais aussi savant que lui... C'est très important, Hezekiah. J'ai promis de donner cette lettre moi-même à ton père le Khagan.

Hezekiah secoua la tête avec une moue :

– Si tu vas à la porte de la forteresse, on ne te laissera pas entrer.

Isaac vit alors le dessin en relief sur la médaille en argent portée par le garçon : un chandelier à sept branches.

– Hezekiah, souffla-t-il. Aide-moi.

Le jeune garçon fronça les sourcils. Il remit la flèche dans son carquois et tira sur la bride de son petit cheval. Avant qu'Isaac ait pu le retenir, il le lança dans un court galop, frôlant la ravine. Isaac n'osa pas crier pour le rappeler, craignant d'alerter des gardes. Au désespoir, il regarda l'enfant s'éloigner. Soudain, celui-ci stoppa net son demi-sang. Il pivota et revint au petit trot.

– Monte derrière moi, ordonna-t-il. Si tu mens, le Beck Borouh te fera couper la gorge.

Le cœur en feu, Isaac sauta sur la croupe du cheval.

– Quel âge as-tu, Hezekiah ?

– J'aurai treize ans l'an prochain. Alors je recevrai un vrai cheval de bataille et une épée comme celle de mon père. Et moi aussi je pourrai devenir Khagan !

Parvenir à la porte de la forteresse ne leur prit guère de temps.

Plus ils avançaient, plus les murs en parurent formidables à Isaac. À la vue de la haie de gardes armés de piques, d'arcs et d'épées qui interdisaient l'entrée de Sarkel-la-Blanche, il dut bien s'avouer qu'il avait peur. La porte était à peine assez large pour laisser passer un chariot et haute comme trois hommes. Son vantail de bois tout doublé de fer forgé était maintenu à la verticale par des chaînes qui se perdaient dans l'épaisseur du mur. Il devait suffire de quelques secondes pour le faire retomber.

Dès qu'ils les virent approcher, les gardes abaissèrent leurs piques. Hezekiah ne ralentit pourtant pas son cheval. Il cria quelques mots. Un jeune guerrier aux cheveux nattés désigna Isaac. Hezekiah, sans montrer la moindre inquiétude, cria à nouveau en fouettant l'encolure de son demi-sang avec l'extrémité de la bride.

Isaac perçut la surprise et l'hésitation des gardes. Cependant, il y avait tant d'autorité dans le comportement du jeune prince qu'ils reculèrent, relevant soudainement leurs lances. Un passage s'ouvrit devant eux, si étroit qu'Isaac sentit ses sandales frôler des poitrines !

Une fois franchie la haie de gardes, il n'osa pas se retourner. Craignant d'entendre le sifflement d'une flèche dans son dos, il serra un peu plus la taille d'Hezekiah. Rien n'advint qu'un lourd silence.

Ils s'engagèrent dans l'ombre de la muraille. Les sabots du cheval claquèrent sur des pavés.

Une manière de ruelle étroite serpentait entre les murailles vertigineuses. Hezekiah y mena son cheval d'une main habile.

Le cœur d'Isaac battait à tout rompre. Il lui sembla qu'il entrait dans le lieu le plus saint que pût porter la terre.

L'intérieur de la forteresse était d'une fraîcheur inattendue. Au-dessus de leurs têtes, sur un chemin de ronde, une trompe sonna. Isaac découvrit les visages casqués et les arcs bandés d'une dizaine de guerriers. Il comprit qu'ils avançaient dans un labyrinthe de défense où il était aisé d'anéantir un assaillant.

Un portique de pierre à l'arc parfait se dressa devant eux. Hezekiah fit ralentir sa monture et c'est presque au pas qu'il le franchit, pénétrant sur une étroite place toute en longueur.

De petits bâtiments, des resserres et des armureries, une forge dont l'âtre rougeoyait étaient adossés aux murailles. Des chevaux et des hommes se tenaient accroupis sous des auvents de joncs. Certains se levèrent alors qu'Hezekiah poussait brusquement son cheval. En quelques bonds, semant la stupéfaction derrière eux, ils atteignirent l'extrémité de la place.

Là, une nouvelle porte à arcs-boutants, plus imposante et aux piliers sculptés, donnait sur la partie nord de la forteresse. Des cris retentirent à nouveau, des guerriers se précipitèrent devant le cheval en agitant les bras.

La bête se cabra. Hezekiah se dressa sur ses étriers de bois. Isaac sentit qu'il glissait sur la croupe. Craignant d'entraîner le garçon dans sa chute, il lâcha sa taille et se retrouva le cul par terre. Effrayé, le demi-sang d'Hezekiah piocha des antérieurs. Isaac roula sur lui-même pour éviter d'être piétiné. Une botte l'immobilisa, lui écrasant l'épaule. Il tenta de se dégager, ses doigts agrippant la jambe qui le retenait. Il reçut un coup violent dans les reins, ferma les yeux sous la douleur tandis qu'un nouveau choc, à la tête cette fois, l'étourdit. Immobile, il rouvrit les paupières. La pointe d'une épée appuyait sur son front, si durement qu'elle lui entaillait la chair. Il perçut la chaleur de son propre sang s'écouler dans ses cheveux.

Le Khazar, sans hésiter, posa sa semelle sur son cou, l'étranglant.

Ne pouvant rien voir d'autre que la cotte de mailles du guerrier et le ciel bleu, il entendit la voix furieuse d'Hezekiah, hurlant encore des mots incompréhensibles. Une autre voix, grave celle-ci, lui répliqua avec colère.

Le cheval hennit tandis qu'on devait le brider court, ses sabots frappèrent les dalles, et cela résonna jusque dans le dos d'Isaac. Les cris d'Hezekiah se firent aigus et, pour la première fois, Isaac entendit ce nom :

– Attex ! Attex !

Une voix répondit, impérieuse mais aussi féminine qu'un voile de soie.

Il y eut un silence, un flottement indécis. La pression de l'épée sur son front s'allégea. Isaac en profita, sans mesurer les risques qu'il prenait : à pleines mains il saisit la botte du garde qui pesait encore sur sa gorge. Il la souleva de toutes ses forces et la tordit dans le même mouvement. Le Khazar, pris par surprise, sautilla avant de perdre l'équilibre. Le sang lui coulant le long de la joue, Isaac se redressa sur les genoux. Dans un réflexe, il plongea une main dans sa tunique pour en sortir l'étui de cuir, de l'autre il dégaina sa lame de Tolède, la pointant devant lui pour retenir les gardes qui allaient l'assaillir. Il cria :

– *Shalom ! Shalom !*

Alors seulement, il vit ce qui l'entourait. La place où il se trouvait avait à peine cinquante coudées de large. Contre les murs étaient construits des bâtiments extraordinaires, des maisons aux frontons en trapèzes sculptés de chandeliers à sept branches et soutenus par des colonnes de marbre blanc dont les pilastres étaient d'or.

Les guerriers khazars, l'épée à la main, le visage à demi recouvert par des cervelières rondes dont la pointe était ornée d'une plume blanc et bleu, dirigeaient sur lui des piques ou des épées. Et là, parmi eux, serrant contre elle Hezekiah, il y avait une femme.

Une femme comme il n'en avait jamais vu dans l'univers créé par le Tout-Puissant.

Ses yeux verts légèrement fendus et ses pommettes marquées lui donnaient une apparence orientale. Sa chevelure aux reflets de cuivre tombait jusqu'à ses hanches, entourant un visage rond à la peau si pâle qu'elle en paraissait transparente. Sa bouche au dessin net était rehaussée de rouge. Elle était vêtue d'une longue tunique verte, un collier d'or pesait sur sa poitrine.

Le regard qu'elle portait sur lui subjugua Isaac. Oublieux des armes pointées et du long stylet qu'il brandissait, il se redressa et tendit le rouleau vers elle, en lui disant en hébreu :

– Aidez-moi, je vous en prie ! Il faut que le roi Joseph lise cette lettre.

Hezekiah leva le visage vers la jeune femme.

Isaac tomba à genoux :

– Je vous en prie, l'Éternel Lui-même nous regarde !

C'est alors qu'un guerrier, petit, aux épaules de taureau, les moustaches si longues qu'elles passaient sous son menton, donna un ordre bref. Isaac eut tout juste le temps de jeter le rouleau de cuir aux pieds de la femme et d'Hezekiah avant que, du plat de sa lame, un Khazar le frappe à l'épaule. Isaac roula en arrière, sans lâcher son arme. Il bondit, plein de fureur devant tant de sottise, songeant à tout le chemin parcouru pour en arriver là. Il voulut se précipiter vers la jeune femme dont la bouche semblait sourire et les yeux briller comme des étoiles. Il hurla :

– Vous ne pouvez pas me laisser tuer ! C'est le rabbin Hazdaï qui m'envoie !

Dans le son même de ses mots il perçut le souffle de la masse d'armes lancée à toute volée. Il voulut se baisser, mais ce fut l'obscurité qui monta à lui.

16

Vol BA 786, Londres-Bakou

mai 2000

Sofer comme à son habitude avait choisi un siège près d'un hublot. L'homme s'installa sans hésiter à côté de lui dans le 727 de British Airways.

Sofer l'avait remarqué un peu plus tôt dans la salle d'embarquement. Ce n'était pas le genre d'individu à passer inaperçu. Grand, le cheveu rare, les joues glabres, il portait un costume en lin grège taillé à Savile Row, une cravate de soie crème à fines rayures indigo. Une chevalière d'or brillait à chacun de ses annulaires. Son nez épais ainsi qu'une étrange absence de sourcils lui donnaient l'apparence d'un fauve aux aguets. Ses yeux, d'un bleu froid, se levaient sans ciller des pages saumon du *Financial Times*, toisant les voyageurs autour de lui avec une pointe de morgue.

Par une intuition obscure, Sofer fut certain que l'homme allait lui adresser la parole à un moment ou à un autre. Il n'avait, quant à lui, aucune intention de faire la conversation à un inconnu et n'éprouvait nullement la nécessité de meubler le temps du voyage.

Durant le décollage, il profita de sa proximité avec le hublot pour garder ostensiblement les yeux sur le tarmac.

Il aimait cet instant très particulier des voyages en avion, lorsque l'appareil s'écartait des bâtiments, s'éloignait des repères ordinaires pour s'engager dans le processus d'envol. C'était un instant de liberté excitant. C'était être nulle part ou, du moins, pas encore « quelque part ». Avec un peu d'imagination on pouvait se croire dans une bulle de temps suspendu où tous les chemins semblaient encore possibles, où une faible erreur d'informatique, un mauvais aiguillage, un grain de folie pourrait vous expédier à Makhatchkala ou à Los Angeles, à Samarkand ou à Paramaribo plutôt qu'à Bakou...

Pour une fois cependant, il vit s'éloigner les bâtiments sans charme de Heathrow Airport avec un grand désir d'arriver à la bonne destination. Il n'avait aucune envie que le hasard lui joue encore le moindre tour et espérait qu'Agarounov l'attendrait bien dans la soirée. Signe d'impatience, et comme s'il voulait conjurer on ne sait quel mauvais sort, il avança sa montre pour la mettre à l'heure de la mer des Khazars.

Dès que l'avion eut atteint sa vitesse de croisière, il ouvrit l'ouvrage de D.M. Dunlop, *The History of the Jewish Khazars*. Cette étude des Khazars datait des années cinquante, mais elle demeurait unique en son genre. Dunlop paraissait bien être le seul historien à avoir sérieusement cherché à comprendre l'étrange conversion des Khazars au judaïsme.

Sofer était déjà profondément plongé dans sa lecture lorsqu'une hôtesse lui proposa le plateau-repas. À peine eut-il acquiescé que l'inconnu à son côté en profita pour le gratifier d'un sourire de connivence. L'hôtesse tendit le plateau – poulet-riz en sauce, salade de carottes, yaourt, improbable pâtisserie industrielle, délicate vaisselle en plastique. Les verres et les couverts étant toutefois de verre et de métal.

L'homme soutint aimablement le plateau tandis que Sofer rangeait son livre.

– Prenez votre temps, dit-il dans un anglais parfait.

Sofer le remercia, certain désormais de ne plus échapper au papotage de bon voisinage. Celui-ci commença lorsque l'homme, ayant été servi à son tour, commanda une « vraie » bouteille de bordeaux, un côtes-de-blaye un peu moins banal que le quart de vin australien offert par British Airways.

L'homme tint la bouteille à hauteur de ses yeux, désigna le verre de Sofer et déclara :

– Je vous en prie, cela me ferait plaisir de vous en offrir. Votre poulet très britannique ne s'en trouvera pas plus mal...

Sofer accepta. Il était difficile de résister à tant d'efforts de convivialité.

– Allez-vous à Bakou pour affaires ?

La question jaillit alors qu'ils esquissaient un salut mutuel. Elle était posée sur un ton de pure politesse, manière d'entrée en matière obligatoire, sans curiosité véritable. Pourtant, Sofer ne put s'empêcher de la ressentir comme le premier pas d'un interrogatoire. Il afficha un sourire ironique et répondit :

– Ni l'un ni l'autre...

L'Anglais retint son verre, un instant déstabilisé.

– Ni pour affaires ni pour le tourisme, expliqua Sofer.

L'homme rit. Un rire franc, malgré le regard distant.

– Alors, dit-il d'un ton pince-sans-rire, je ne vois qu'une autre raison : l'amour !

Ce fut au tour de Sofer d'être désarçonné. Quelques secondes, il scruta le visage de l'inconnu comme si ces mots avaient une signification particulière. L'effleura même la folle idée qu'il savait quelque chose au sujet de la femme rousse. L'absurdité de ses propres pensées lui apparut enfin et il éclata de rire à son tour.

– Qui sait ? s'exclama-t-il. Qui sait ce que découvre au bout de son chemin celui qui part en voyage ?

L'homme sourit poliment :

– Hélas, aujourd'hui les surprises sont rares...

Sofer opina et allait se saisir de cette platitude pour mettre fin à l'échange lorsque l'homme demanda, en désignant le livre dans la poche du siège :

– Pardonnez-moi de vous importuner encore un instant, mais n'était-ce pas un ouvrage sur les Khazars que vous lisiez ?

Cette fois, Sofer ne put masquer sa surprise :

– Oui... Vous êtes historien ? Vous connaissez l'histoire des Khazars ?

L'Anglais secoua la tête, vaguement amusé.

– Ni l'un ni l'autre. Je ne connais rien des Khazars, bien au contraire...

Il reposa son verre, tira d'une poche de son veston une carte de visite miraculeusement prête et la tendit.

– Le mieux serait que je me présente.

Le bristol ne comportait qu'un nom, Alastair Thomson. Et dessous : *Lloyd's International*. Aucune adresse, pas même un numéro de téléphone.

Sofer hésita une fraction de seconde avant de tendre la main :

– Marc Sofer, dit-il simplement.

La poigne de Thomson était ferme et courtoise. Il agita les feuilles saumon du *Financial Times*.

– Lisez ceci, fit-il en désignant un court article. Vous allez comprendre.

L'article évoquait l'attentat contre les installations de l'O.C.O.O. dans la baie de Bakou. Il était presque identique à celui du *Guardian*, à deux notables exceptions près. Il chiffrait le préjudice subi par le consortium à plusieurs millions de dollars. Surtout, il faisait mention du « Renouveau khazar » : ... *Parmi plusieurs revendications fantaisistes, les enquêteurs semblent considérer celle du Renouveau khazar avec un certain sérieux, bien que, jusqu'à ce jour et officiellement du moins, il soit impossible de dire avec précision qui se dissimule sous cette étrange appellation...*

– Vous n'avez pas l'air surpris, remarqua Thomson en piochant dans sa salade. Étiez-vous déjà au courant ?

Sans savoir ce qui l'y poussait, peut-être seulement l'agacement devant la curiosité de l'Anglais, Sofer mentit avant de se reprendre à demi :

– Non ! Enfin, si. Un ami de Bakou m'a parlé de cet attentat. D'après le *Guardian*, j'avais cru comprendre qu'il n'y avait aucune revendication sérieuse.

Thomson le dévisagea, comme s'il s'attendait à ce que Sofer poursuive. Finalement, il versa un peu de vin dans leurs verres. À dire vrai, Sofer était désormais aussi curieux de cet Alastair Thomson que l'Anglais semblait l'être de lui-même.

– En effet, rien n'est très sûr, admit Thomson.

– Cet attentat vous concerne-t-il professionnellement ? demanda Sofer en jetant un coup d'œil à la carte de visite qu'il avait posée sur le plateau-repas.

Alastair Thomson sourit avec une pointe de vanité et ajouta :

– La Lloyd's assure 38 % de l'exploitation de l'Offshore Caspian Oil Operating. Vous avez vu le chiffre des pertes. Une estimation de trois à quatre millions de dollars. C'est sans doute excessif. Cependant, même deux millions de dégâts, en dollars, cela fait une jolie somme !

– Et donc, seriez-vous un de ces fouineurs de roman policier, un de ces détectives d'assurances qui cherchent à qui profite l'argent du crime ?

– On peut le dire de cette manière, approuva Thomson avec le plus grand sérieux.

Ils vidèrent leurs verres en silence. L'hôtesse en profita pour s'inquiéter gentiment de leur confort. Sofer accepta le kleenex parfumé qu'elle lui tendait pour se nettoyer les doigts et, dès qu'elle fut passée au rang suivant, demanda :

– À votre avis, quel est le but de l'attentat ?

– Si vous me le disiez, monsieur Sofer, je vous ferais un pont d'or dans l'instant !

Il y avait autant de moquerie que de reproche dans le ton de Thomson. Sofer se sentit bizarrement pris en faute. De toute évidence, l'Anglais adorait faire planer des sous-entendus. Avec un peu d'agressivité, Sofer remarqua :

– Lorsque des gens revendiquent un attentat, en général ils en donnent la raison.

Thomson opina. Au lieu de répondre il demanda :

– Accepteriez-vous de me parler un peu des Khazars ? Des anciens, des vrais, je veux dire. Jusqu'à hier matin, j'ignorais leur existence. On m'a briefé en vitesse. Les grandes lignes. Puisque le hasard vous a placé à côté de moi...

Ainsi, c'était cela ! songea Sofer. Dans la salle d'embarquement, l'Anglais avait dû remarquer la couverture du livre qu'il était en train de lire, *The History of the Jewish Khazars*. Après quoi, il avait manœuvré pour prendre place à ses côtés et entamer une conversation. Il se retint de lui dire que le hasard, en l'occurrence, lui semblait quelque peu manipulé. Mais en vérité, l'ambiguïté de la situation l'amusait.

186

– À l'origine, les Khazars étaient un peuple nomade, commença-t-il comme s'il se lançait dans une véritable conférence. On les a longtemps comparés à des Turcs. Plus probablement, ils devaient venir des steppes de l'Orient...

Il brossa à grands traits un tableau de ce qu'il savait : le développement des Khazars, les guerres constantes avec les voisins, les alliances mille fois dénoncées et reconclues, la puissance croissante, l'originalité de la culture et l'étrange, la tolérante politique religieuse... L'Anglais, parfaitement attentif, prit quelques notes. Il n'interrompit Sofer qu'une fois :

– Si je résume, la grande affaire des Khazars, c'est leur conversion au judaïsme, n'est-ce pas ?

– C'est effectivement leur marque dans l'Histoire, approuva Sofer. À ma connaissance, il n'y a pas d'autre exemple historique d'un tel choix. Surtout de la part d'un État qui, s'il comptait des Juifs parmi sa population, n'était pas, dans son ensemble, composé de descendants de Moïse. À l'origine, rien n'était juif chez les Khazars : ni la mémoire, ni la culture, ni la langue ! Il est même probable que, lorsque le roi Bulan a fait ce choix, il ignorait tout du judaïsme ! Dans ces conditions, je trouve extraordinaire que les Khagans aient maintenu leur pouvoir et l'intégrité du royaume pendant trois siècles tout en préservant une parfaite tolérance envers les Musulmans et les Chrétiens...

– Mais pourquoi avoir choisi le judaïsme, alors ? insista Thomson.

Sofer sourit. Avant de répondre, il attendit que l'hôtesse retire leurs plateaux-repas auxquels, l'un comme l'autre, ils avaient peu touché.

– Je vais vous donner une réponse de romancier et non d'historien. Pour moi, un jour, le roi Bulan comprit qu'un peuple riche est un peuple qui cesse de fuir devant les saisons. Sous son règne, les Khazars commençaient à connaître la richesse et la force qui va avec. Leur royaume se trouvait à l'exact croisement des routes commerciales. Celles de l'Orient et de l'Occident, d'est en ouest. Celles de Byzance, au sud, avec le Nord, riche en main-d'œuvre et en esclaves...

« Un peuple riche construit des villes : il édifie des maisons de brique et remise ses tentes. Il bâtit un État, avec des lois et des institutions, car le commerce prospère dans la stabilité et la paix. Le commerce est également une obligation d'échange avec d'autres peuples riches et puissants, capables d'acheter et de vendre. Ainsi les Khazars devaient-ils devenir tout à la fois un peuple sédentaire, stable, puissant et capable de choisir ses alliances avec soin. Sinon, ils disparaissaient. Le Khagan Bulan comprit tout cela. Mais il comprit une vérité supplémentaire : les alliances qu'il devait nouer pour vivre en paix pouvaient se révéler aussi mortelles qu'une guerre. Trois forces pesaient sur les frontières de son royaume : les barbares, pour l'essentiel au nord ; les Arabes musulmans au sud-est, dont les Khazars étaient protégés par les montagnes du Caucase ; enfin l'immense, le tout-puissant Empire chrétien de Byzance.

« Bulan sait que le temps de l'errance, des chamans, des amulettes est révolu. La barbarie doit s'effacer... Mais devant quoi ? A priori l'une de ces religions monothéistes qui protègent les peuples les plus riches. Il y en a deux, toutes proches, à ses frontières. D'abord celle des Chrétiens de Byzance. Les maîtres du monde de l'époque. Ils règnent sur le commerce comme sur la guerre. Bulan, cependant, a vu les Grecs à l'œuvre. Il sait que, s'il embrasse sa religion, Byzance l'étouffera ! Il pourrait alors pencher vers la foi musulmane qui gagne peu à peu le monde arabe. Mais le résultat aurait été identique. D'autant que, si les Khazars ont souvent combattu les maîtres de Bagdad ou de Perse, sur leur propre territoire ils s'entendent fort bien avec les Musulmans, excellents commerçants...

Thomson hocha la tête avec un fin sourire.

– Je vois ! Votre roi décide de choisir la seule religion qui ne soit pas représentée sur ses frontières par un État puissant !

– Eh oui !

– Très astucieux. De la géopolitique de haute voltige, en quelque sorte.

– Mais intenable, hélas, à long terme. Sans doute le royaume khazar devint-il trop riche pour que l'affrontement avec Byzance fût longtemps évitable. Néanmoins, en choisissant la foi juive, Bulan obtint un répit de quelques centaines d'années. Ce n'est pas rien...

Sofer hésita à poursuivre. Selon lui, un pareil choix, tout politique qu'il fût, ne perdait en rien sa valeur spirituelle. Mais il doutait que cela intéresse Thomson. Mû par un réflexe, comme s'il voulait que l'Anglais palpe lui-même la réalité et la force des Khazars, il plongea la main dans sa poche. Il en retira la pièce de monnaie de Yakubov.

– Tenez, dit-il en la tendant à Thomson. Observez cela.

Thomson saisit la pièce.

– Ils fondaient eux-mêmes leur monnaie, expliqua Sofer avec enthousiasme alors que l'Anglais retournait précautionneusement le disque d'argent. Un savoir assez rare à l'époque, si bien qu'ils en fondaient aussi pour d'autres États, en particulier pour les barbares du Nord.

– D'où la tenez-vous ? demanda Thomson.

Sofer perçut chez son voisin une étrange crispation. Et ce fut soudain comme si deux pièces d'un puzzle étaient posées côte à côte. Il n'avait pas encore fait explicitement le lien entre l'étrange Yakubov et l'attentat de Bakou. En une fraction de seconde, il revit Yakubov avec son sourire en or, lui tendant la monnaie pour le convaincre de l'aider, lui affirmant qu'il était pourchassé, en danger... Puis ce même Yakubov au Plaza Athénée, ayant résolu tous ses problèmes comme par miracle, s'envolant pour l'Amérique en costume Cerruti ! Assurément, l'histoire du Juif des montagnes intéresserait Thomson.

Pourtant, que ce fût par prudence, défiance, ou pour satisfaire un curieux sentiment de solidarité envers les Juifs des montagnes dont il ignorait encore tout, il préféra se taire.

– Un Juif qui s'intéressait aux Khazars et faisait... disons, quelques fouilles m'en a fait cadeau, éluda-t-il.

Reprenant la pièce, il ajouta avec un sourire :

– Bien que ce soit peu juif comme démarche, cette pièce me sert de talisman dans mon entreprise.

Le regard de Thomson se fit subitement vague. Il posa la question que Sofer attendait depuis un moment :

– Au fait, je ne vous ai pas demandé : quelle est votre « entreprise » ?

– Romans en tout genre, écriture et humeur sur l'état du monde !

– Oh ! Un romancier ?

Guère surpris, estima Sofer, vexé. Plutôt condescendant. Il ne devait ouvrir un roman qu'au fond d'un lit d'hôpital quand il ne lui restait vraiment plus d'autre solution pour *perdre* son temps ! Mais l'Anglais réclamait à nouveau son attention :

– Savez-vous, monsieur Sofer, qu'aujourd'hui la situation politique du Caucase n'est pas si différente de celle des Khazars ?

– Que voulez-vous dire ?

– Remplacez le commerce des épices, de la soie et des esclaves par celui du pétrole, et vous parviendrez à la même situation. Remplacez Byzance par les Soviétiques jusqu'à il y a peu, ou par nous, les Occidentaux... La mer des Khazars, monsieur Sofer, c'est celle de l'or noir ! Oui, vous n'imaginez pas à quel point la situation est comparable !

Thomson s'interrompit, un sourire de satis-faction sur les lèvres. L'hôtesse leur proposa du café, il marqua une pause tandis qu'on leur servait un liquide sombre, vaguement parfumé, puis il demanda brutalement :

– Que savez-vous du pétrole ?

– Quasiment rien. Pas même ce que représente le volume d'un baril !

– 0,14 tonne. Pour vous donner un ordre de grandeur, dites-vous qu'une production quotidienne de 1 000 barils représente une production annuelle de 50 000 tonnes !

Il but avec délectation son ersatz de café et reprit :

– Jusqu'à ces dernières années, on évaluait les réserves des poches pétrolières du sous-sol de la Caspienne à 3,5 milliards de tonnes. Un chiffre estimable, sans plus. Par comparaison, la plus grande réserve mondiale connue, celle de Ghawar en Arabie Saoudite, constitue à elle seule une poche de 10 milliards de tonnes ! Or, monsieur Sofer, les prospections faites autour de la Caspienne depuis la chute du communisme ont révélé des réserves beaucoup plus importantes qu'on ne l'imaginait.

Il reposa sa tasse en plastique comme s'il s'était agi de la plus fine porcelaine et accrocha son regard dénué d'émotion à celui de Sofer :

– Un seul champ pétrolier du nord de la Caspienne contient 7 milliards de tonnes. Autant dire que cela triple les réserves de la région ! Aujourd'hui Bakou exporte quotidiennement une centaine de milliers de barils de brut. Dans dix ans, en 2010, ce sera 2 millions...

– Par jour ?

– Bien sûr, 2 millions de barils par jour ! Sinon, vous n'auriez plus d'essence dans votre voiture ! Or, voyez-vous, la difficulté, dans le commerce pétrolier, contrairement à ce que l'on croit souvent, ce n'est pas l'extraction du brut, mais son transport. La plupart du temps, il faut l'acheminer très loin des puits, de manière continue et quotidienne. C'est lourd, c'est polluant. Le transport par tanker est une servitude qui ne correspond plus aux contraintes de notre époque. La solution la plus économique, la plus propre et la plus sûre, c'est le pipeline. Un énorme conduit capable d'autopropulser des millions de tonnes de pétrole, jour et nuit, sur des milliers de kilomètres... Seulement voilà : ces milliers de kilomètres traversent des pays.

Sofer commençait à voir où l'Anglais voulait en venir. D'un geste de la main, Thomson esquissa en l'air la chaîne du Caucase :

– Géorgie, Tchétchénie, Daghestan, Azerbaïdjan... De la mer Noire à la Caspienne, ces pays sont devenus aussi vitaux pour l'Occident que le Moyen-Orient. Le pétrole de la Caspienne concerne toutes les puissances mondiales : l'Europe, les États-Unis, la Chine, les Russes... Toutes les compagnies pétrolières sont désormais présentes à Bakou. Les Anglo-Américains : BP, Exxon, State Oil, British Gas, Mobil, Shell, Chevron, et j'en passe... Les Français de Total-Fina et d'Elf. Et bien sûr les Russes de Gazprom !

Sofer approuva de la tête :

– On a beaucoup dit que la raison principale de la guerre au Daghestan et en Tchétchénie était le pétrole. Un pipeline franchit ces
deux pays, si je ne me trompe, construit du
temps de l'Empire soviétique.

– Exact. À l'issue de l'effondrement de
l'Empire communiste, tous les pays du Caucase ont tenté leur chance pour l'indépen-
dance. L'Azerbaïdjan et la Géorgie y sont
parvenus à demi, la pression internationale
étant assez forte pour retenir les Russes. Mais
pas question pour le Kremlin et ses « hommes
d'affaires » de laisser le Daghestan et la
Tchétchénie profiter eux aussi de la manne
pétrolifère qui traverse leurs terres. Tant
qu'une goutte de pétrole passera par Groznyï,
la Tchétchénie subira la botte russe... Et
l'Europe comme les États-Unis se désintéres-
seront de ce conflit car le pétrole qui leur vient
de la Caspienne contourne désormais ce che-
min-là. Depuis 1999, un pipeline relie directement Bakou à la mer Noire à travers la
Géorgie. De là, le pétrole peut arriver sans
encombre à Hambourg ou à Dunkerque...

L'Anglais eut un rictus de triomphe.

– Charmant, marmonna Sofer.

Thomson haussa les épaules.

– Les Russes se sont fait avoir dans leur
débâcle et à force de jouer les mafieux. Ils ont
perdu le contrôle du pétrole de la Caspienne.
Nous y sommes désormais, nous, les Occidentaux, les plus riches, les mieux organisés, et
donc les plus forts ! Pour un bon nombre
d'années ! On ne nous en délogera plus.

L'ancienne Byzance a perdu sa poule aux œufs d'or, place à la nouvelle Byzance ! Bien sûr, cela rend les Russes fous furieux. La Tchétchénie paie le prix de cette colère, mais qui cela intéresse-t-il ? Pas même vos *French Doctors*, monsieur Sofer !

Thomson rit doucement. Son cynisme stupéfiait Sofer. Il n'ignorait pas que Thomson se contentait de mettre des mots sur une politique et des impératifs économiques qui, d'ordinaire, préféraient l'ombre. Et d'une certaine manière, il n'y avait là rien de neuf. Sauf l'écœurement.

Il lui déplaisait de laisser croire à l'Anglais qu'il pût être l'auditeur complice et même admiratif de son discours sur ces « grandes manœuvres ». Ostensiblement il tendit la main vers son livre, voulant signifier clairement qu'il rompait là la conversation.

Mais Thomson se pencha vers lui. Il sentait l'eau de toilette de luxe et un vague relent de vin. Ses yeux brillaient, amusés. Un chat jouant avec une souris, songea Sofer.

– Je sais ce que vous pensez, monsieur Sofer. Et vous avez sans doute raison, mais voyez-vous, moi, je ne fais que mon métier, qui est de comprendre une situation et d'en dénouer les fils afin qu'elle puisse devenir différente... Pas seulement différente : meilleure. Et, que vous me croyiez ou non, meilleure pour tout le monde.

– Seriez-vous en train de vous justifier, monsieur Thomson ? s'amusa Sofer. Que vous importe mon jugement ? Quand on est le serviteur de Byzance, l'opinion des clercs ne compte guère !

La moquerie atteignit Thomson de plein fouet. Avec satisfaction, Sofer vit le regard de l'Anglais virer au noir de la colère. Mais l'inspecteur de la Lloyd's était un vrai Britannique. Il se mordit les lèvres puis, brusquement, il éclata de rire.

– Touché ! Bravo... Excusez-moi si j'ai paru être arrogant dans mes explications.

Sofer, magnanime, leva la main en signe d'apaisement.

– Pour en revenir à l'origine de notre conversation, reprit l'Anglais, cet attentat contre les installations de Bakou, d'une certaine manière, nous espérions y voir la main des Tchétchènes. Et il semble que non.

– En êtes-vous certain ?

– Dans ce genre d'événement, il est difficile d'être certain de quoi que ce soit.

– Je ne vois pas le rapport avec les Khazars. Ils ont disparu il y a presque mille ans ! Je crains que la géopolitique pétrolière ne soit une donnée un peu trop récente pour eux.

Thomson avait retrouvé toute son assurance. Il désigna les pages saumon du *Financial Times* et déclara avec une grimace narquoise :

– Qui sait ? Ceux qui se cachent derrière ce « Renouveau khazar » n'ont certainement pas choisi cette référence sans raison.

– Et alors ? demanda Sofer, sentant son cœur battre plus fort.

– Et alors rien..., soupira Thomson avec une fausse modestie. Il est encore trop tôt pour comprendre. Mais je ne peux écarter aucune hypothèse.

Il avait déjà plongé la main dans son veston, en sortant un nouveau bristol sur lequel il inscrivit quelques chiffres.

– Voilà un numéro de portable où me joindre durant votre séjour à Bakou. J'aurai toujours le plus grand plaisir à bavarder avec vous. Sait-on jamais, vous pourriez apprendre quelque chose, ou une idée pourrait vous venir...

– J'en doute, marmonna Sofer en saisissant la carte sans empressement.

Thomson dit alors lourdement, d'un ton qui tenait plus de la mise en garde que du conseil :

– Monsieur Sofer, personne n'a intérêt à ce que ces attentats dégénèrent...

– *Ces* ? Il n'y en a eu qu'un, que je sache...

– Il y en aura d'autres, vous pouvez me croire. Un unique attentat n'a jamais de sens. Ceux qui l'exécutent se doivent toujours d'en commettre d'autres. Ne serait-ce que pour montrer leur détermination. Il en va toujours ainsi. Et c'est bien pour cette raison que je suis dans cet avion.

Il affichait de nouveau son sourire de puissant. Un sourire qui se glaça lorsqu'il ajouta :

– Vous m'avez appris une chose sur les Khazars : ils étaient juifs. C'est la particularité de leur histoire, n'est-ce pas ? C'est aussi la raison pour laquelle vous choisissez d'écrire un roman sur eux. Les Khazars étaient juifs. J'en conclus que ceux qui se cachent derrière ce pseudo-mouvement du « Renouveau khazar » le sont aussi, monsieur Sofer. Je vous dis cela sans intention de vous choquer ou d'être blessant. Simplement pour que vous y réfléchissiez...

Une décharge d'adrénaline serra les reins de Sofer. Le signe des très vieilles peurs qui remontaient à la surface. Il opina et détourna le visage, ne voulant pas que l'Anglais puisse deviner son émotion.

En vérité, depuis un moment il craignait d'entendre cette remarque. Il se l'était faite lui-même dès qu'Agarounov avait évoqué pour la première fois le « Renouveau khazar ».

Jusque-là, Sofer avait évité d'en tirer la moindre conclusion.

Thomson avait raison. Le « Renouveau khazar » pouvait être un mouvement juif. Mais quels Juifs, et pourquoi ?

Et qu'en avait-il à faire, lui, Marc Sofer, qui se rendait sur les bords de la Caspienne pour mieux imaginer ses héros disparus des siècles plus tôt ?

À travers le hublot du Boeing apparurent, au-delà du reflet métallique de la mer Noire, les pointes enneigées du Caucase. La chaîne de montagnes était immense. En deux massifs pesants, les plus hauts sommets s'avançaient dans le ciel comme des monstres infranchissables, parvenant presque à la hauteur de vol de l'avion. Au nord, vaguement embrumées de nuages bas, s'étendaient les plaines vert et gris de ce qui avait été le royaume des Khazars !

Était-ce le trouble né de sa conversation avec Thomson ? Un frisson le parcourut. Là, là-dessous, Isaac Ben Éliezer de Cordoue et Attex avaient été face à face, bouleversés par la présence l'un de l'autre. Incapables de trouver les mots, d'avoir la force de nommer le sentiment qui déjà les rapprochait !

Cette rencontre avait eu lieu mille quarante-cinq ans plus tôt ! Mais, pour Sofer, c'était ici et maintenant.

17

Sarkel

juin 955

– Il ne va pas mourir...

La voix d'Hezekiah hésitait entre le questionnement et l'affirmation.

– Non, murmura Attex. Il ne va pas mourir.

– Ils lui ont abîmé la tête, s'inquiéta encore Hezekiah. Il a perdu beaucoup de sang.

Attex regarda les doigts du garçon caresser la joue de l'étranger, remonter jusqu'aux bandes de tissu qui serraient ses tempes. Les mèches blondes étaient noircies par le sang séché. Il en avait à ce point inondé sa tunique que les servantes la lui avaient ôtée. Une simple couverture recouvrait son torse à la peau fine et pâle.

– Il a les cheveux blonds comme les hommes du Nord, chuchota Hezekiah, mais il ne leur ressemble pas. Il est plus beau, tu ne trouves pas ?

Il se retourna pour quérir son assentiment. Attex approuva d'un petit signe de tête. À cet instant la bouche d'Isaac s'entrouvrit sur un bref gémissement.

Ils virent les yeux rouler sous les paupières closes de l'étranger. Ses lèvres tremblèrent à nouveau, de même que ses doigts. Mais il ne se réveilla pas. L'inquiétude assombrit le visage d'Hezekiah. Attex le saisit par les épaules.

– Le rabbin Hanania a lu la lettre qu'il apportait. Il dit que c'est une lettre très importante et que tu as très bien fait de permettre à cet étranger de venir jusqu'à nous. Ton père ne te grondera pas...

– Je sais que j'ai bien fait, répliqua fièrement Hezekiah. Dès que je l'ai vu, j'ai su qu'il disait la vérité. Mais Senek est trop bête pour comprendre une chose pareille, il lui a tapé dessus comme si c'était un Petchenègue !

– Senek n'a fait que son devoir. Autrement Borouh ou ton père l'auraient puni.

Hezekiah haussa les épaules.

Attiana, qui patientait sur le seuil de la pièce, s'avança à leur côté et marmonna de sa voix rauque :

– L'ambassadeur Blymmédès attend que tu le reçoives. Il est dans la grande salle. La cour est pleine de ses serviteurs et servantes qui guettent ta venue avec quantité de cadeaux.

– Qu'il patiente ! répliqua Attex. Je n'ai pas envie de recevoir ses cadeaux.

– Le Khagan sera furieux.

– Je me moque de ce que pense Joseph ! Je ne suis pas un meuble de sa salle du trône !

Attex affronta le regard d'Attiana. Malgré sa colère, elle sentit ses joues rougir. Elle était en faute et le savait. Elle baissa les yeux vers le visage de l'inconnu. Autant pour s'assurer qu'il était encore inconscient que pour ne rien perdre de sa beauté.

– Emmène Hezekiah, reprit-elle à voix basse. Il ne doit pas rester ici. Je vais veiller l'étranger, on dirait qu'il va se réveiller bientôt.

– Ce n'est pas à toi de le veiller, sermonna Attiana.

Attex poussa Hezekiah dans les bras de la vieille servante comme si elle n'avait pas entendu.

– Tu diras au Grec – et à Joseph, s'il t'interroge – que le rabbin m'a priée d'accomplir une tâche importante et que je ne pourrai pas le recevoir avant demain.

La grimace rendit le visage déformé d'Attiana plus laid que jamais. Elle secoua la tête en poussant un gros soupir. Maugréant, elle tourna les talons et entraîna le garçon.

Avant de quitter la pièce, Hezekiah jeta encore un regard sur l'étranger inconscient. Ses yeux sourirent en rencontrant ceux d'Attex.

Enfin seule dans la petite pièce, celle-ci s'approcha de la croisée. Attiana avait raison : le patio de son petit palais était encombré de serviteurs. Avec les Grecs, il en allait toujours ainsi. Rien ne se faisait sans la quantité et tous les signes de la plus grande richesse.

On racontait que l'ambassadeur de Byzance était arrivé de Tmurtorokan avec une colonne de plus de cinquante chameaux pour les transporter, lui, sa suite et l'immense attirail sans quoi il n'aurait su vivre une seule journée. La tente qu'il avait fait installer en aval de Sarkel était, paraît-il, aussi vaste que le palais du Khagan, doublée d'une charpente de cèdre, encombrée de mobilier et même munie d'un bassin d'ablution grand comme une piscine !

Toute cette pompe lui répugnait ! Les cadeaux, la présence des serviteurs, les conversations de Blymmédès avec son frère, les regards de l'ambassadeur sur elle, tout, tout ce qui venait des Grecs la dégoûtait !

Elle ne savait que trop la signification de cette opulence. Sur les marchés de Sarkel, d'Itil ou de Samandar aussi des hommes faisaient étalage de leur richesse pour acheter à vil prix les plus beaux troupeaux. En vérité, voilà ce que l'ambassadeur de Byzance était en train de faire, voilà ce que son frère, qu'elle aimait tant, qu'elle choyait et admirait depuis son enfance comme le plus grand héros que la terre eût porté, voulait faire : la vendre au meilleur prix. La fourrer dans le lit d'un soldat grec, pour la paix du royaume des Khazars !

À moins qu'il ne s'agisse d'un mensonge, d'une ruse de plus, et qu'elle ne soit vendue et profanée en pure perte...

Le Tout-Puissant voulait-Il cela ?

Certainement pas ! Le rabbin Hanania l'en avait assuré vingt fois. Mais Joseph n'écoutait plus le rabbin. Pas plus qu'il n'avait écouté les paroles de leur grand-père Benjamin sur son lit de mort !

Elle, elle l'avait juré : jamais elle ne serait soumise à un Grec ! Elle ne l'accepterait pas !

Aujourd'hui moins encore qu'hier !

Elle quitta la croisée pour revenir près de la couche de l'étranger.

Elle n'avait pas osé montrer trop d'émotion devant l'enfant, mais Hezekiah avait raison. Comme il était beau ! D'une beauté qu'elle ne pouvait comparer à aucune autre.

Pourtant ce n'était pas cela qu'elle avait vu d'abord en lui, alors qu'il se dressait, implorant et fougueux, au milieu des gardes, prêt à mourir pour accomplir son devoir. Aussi étrange que cela puisse se concevoir, alors qu'il était là, devant elle, brandissant son tube de cuir comme s'il s'agissait d'une précieuse Torah, elle avait pris conscience de sa présence comme si, pour la première fois de sa vie, à l'exception de son frère Joseph, elle voyait un homme !

Non. La vérité était pire encore.

Avant qu'elle sache quoi que ce soit de lui, d'où il arrivait et pourquoi, elle avait compris qu'il était venu pour elle.

Que l'Éternel lui pardonne cette pensée, mais en le voyant se défaire si habilement du garde, menacer sans aucune crainte tous les autres de sa petite lame, le sang coulant sur sa tempe, et remettre sa vie entre ses mains à elle, une inconnue, il lui avait semblé que cet homme magnifique était une sorte d'ange envoyé depuis l'autre bout du monde pour la sauver...

Était-ce de l'orgueil ? Était-ce un péché ?

Elle avait dû rassembler toutes ses forces pour ne pas trembler ou crier. Si bien qu'elle avait été incapable de lever la main ou de prononcer une parole pour retenir le bras de Senek. Elle avait vu avec horreur le chef des gardes s'approcher derrière l'étranger, lever sa masse d'armes et la lancer de toutes ses forces. Elle n'avait pas dit un mot, pas émis une plainte, une mise en garde. L'étranger s'était effondré là, sous ses yeux, à cause de sa stupéfaction.

Pourtant, pas un instant elle n'avait eu peur pour lui. Pas un instant elle n'avait pensé qu'il succomberait à sa blessure, tant elle était persuadée que le Tout-Puissant, béni soit Son nom, le protégeait...

En vérité, n'était-ce pas ainsi que les choses s'accomplissaient ?

N'importe quel guerrier khazar serait mort du coup qu'il avait reçu. Lui était là, inconscient mais respirant. Elle le savait, du fond du cœur, de toute la ferveur de son âme, elle le savait : il allait se réveiller et il lui parlerait !

Était-elle folle ?

Le tumulte de ses pensées l'effrayait et la remplissait de joie en même temps. Elle les taisait, sans oser les confier à personne, ni au rabbin, ni même à Attiana.

Hezekiah peut-être les avait devinées ; les enfants, parfois, possèdent l'étrange pouvoir de pressentir l'invisible.

Elle s'assit sur la couche de bois où le jeune homme reposait et prononça le nom qu'Hezekiah lui avait donné : Isaac.

Ainsi s'appelait l'étranger : Isaac.

Elle scruta chaque parcelle du visage un peu tourné sur le côté, les joues creusées par la fatigue d'un long voyage et salies par le sang et la poussière que les servantes n'avaient essuyés que hâtivement. Sous la poussière et les souillures des blessures, il y avait une chair et un souffle qui réclamaient sa chair et son souffle.

Elle songea à appeler pour qu'on apporte de l'eau et à le laver elle-même.

Si elle le faisait, toute la forteresse le saurait avant la nuit et bruisserait de rumeurs. Joseph l'apprendrait et sa fureur en serait décuplée. Mais devrait-elle toute sa vie se soumettre aux sermons de Joseph le Khagan ?

Le cou de l'étranger avait quelque chose de fragile et de terriblement attirant. Sa peau, tendue sur les os des épaules, était aussi fine que celle d'une fille. Le sang y battait, vite. Trop vite sans doute et rappelant, malgré tout, qu'il était blessé et fiévreux.

Elle osa effleurer son poignet. Et retira vivement sa main. Un violent tremblement agita Isaac, comme si, à son faible contact, un fluide irisant de vie le parcourait. Il gémit. Son menton se tendit, sa bouche s'entrouvrit. Un souffle de forge bomba sa poitrine.

Attex s'affola, crut le contraire de ce qu'elle avait pensé un peu plus tôt, qu'il allait trépasser, là, d'un coup ! Elle saisit la main d'Isaac, la serra, la serra, en chuchotant bas des mots khazars qu'il ne pouvait comprendre.

Il s'apaisa. Elle espéra qu'il allait enfin ouvrir les yeux.

Mais non.

Alors, après avoir jeté un bref regard sur la tenture qui recouvrait la porte, elle fit le geste qu'elle avait retenu jusque-là. Ses doigts imitèrent ceux d'Hezekiah un peu plus tôt : ils frôlèrent la joue meurtrie d'Isaac. Ils glissèrent sur son menton, parcoururent sa poitrine en une lente et douce caresse. Ce fut elle qui frissonna, le cœur battant si fort qu'elle en percevait le martèlement jusque dans sa gorge. Ses doigts doux remontèrent jusqu'à la bouche d'Isaac Ben Éliezer, en pressèrent les lèvres comme si elle y portait un baiser.

Il ouvrit les yeux. Des yeux brûlants de fièvre qui la scrutaient comme ceux d'un homme qui, parvenu au jardin d'Éden, scrutent l'immensité du bonheur qui l'entoure.

Debout, elle murmura en hébreu :

– Béni soit l'Éternel, vous êtes vivant.

Elle n'était pas certaine qu'il puisse l'entendre. Il respirait si vite que son souffle craquela la peau de ses lèvres. Son regard était si intense qu'elle crut attraper elle-même la fièvre qui le consumait.

Il fit une grimace épouvantable, mais elle comprit qu'il souriait. D'une voix meurtrie, il chuchota dans un hébreu soigneusement articulé :

– Je m'appelle Isaac Ben Éliezer, je viens de Cordoue. Je suis envoyé par le rabbin Hazdaï pour remettre une lettre au roi des Juifs, Joseph fils d'Aaron, Khagan du royaume des Khazars.

Tout cela d'un trait, à la manière d'un agonisant près d'expirer. Une salive blanche lui colla la commissure des lèvres. Il ajouta :

– Vous êtes belle comme l'ange qui visite les morts.

Alors elle rit. Un petit rire plein de mille joies venu du fond de sa poitrine.

– Vous n'êtes pas mort et je suis Attex, la sœur du Khagan Joseph, le roi des Khazars. Nous avons trouvé la lettre dans le rouleau de cuir.

Une expression d'immense soulagement apaisa les traits de son visage.

Pendant un court instant ils ne se dirent plus rien, n'entendirent plus rien, ne firent plus rien d'autre que se regarder.

Puis Isaac s'évanouit, un sourire aux lèvres.

Attex appela les servantes. Tout le reste du jour elle fit donner des soins à Isaac. Elle le fit laver en entier à l'eau chaude, ordonna qu'on l'habille de neuf. Attiana elle-même plaça des emplâtres d'herbe et des onguents sur sa blessure.

Dans le milieu de l'après-midi, Isaac reprit ses esprits. Il souffrait d'une migraine aiguë qui lui interdisait de garder longtemps les yeux ouverts. Afin de compenser le sang qu'il avait perdu en abondance on lui apporta du pain d'orge, de l'agneau rôti, des fruits, du lait, des concombres trempés dans du fromage frais... Il n'avait pas faim, mais les grognements et la terrible figure d'Attiana le convainquirent d'ingurgiter un peu de chaque aliment. À sa surprise, il ne s'en trouva pas plus mal, ses maux de tête allant même diminuant.

Jusqu'au crépuscule, ce fut autour de sa couche toute une sarabande empressée. Et lui, à travers ce tourbillon, cherchait sans cesse le regard d'Attex. En vain.

Elle semblait fuir ses yeux, surveillait tout, s'occupait de tout avec une autorité sans pareille et pourtant comme de loin. En maîtresse de maison, en princesse soucieuse du bien-être d'un étranger. Jamais elle ne reposait sur Isaac ses yeux d'émeraude, jamais elle ne caressait son regard ainsi qu'elle l'avait fait lorsqu'il s'était éveillé la première fois. Et comme elle ne lui adressa plus la parole, il crut avoir rêvé. Un rêve qui devint un cauchemar d'homme éveillé. Un rêve d'une terrible douceur qui lui échappait dans la réalité.

La violente douleur à ses tempes l'assaillit de nouveau. Un peu avant la nuit, il s'endormit, épuisé.

Il se réveilla brusquement. Il crut n'avoir dormi que brièvement. Pourtant, deux lampes à naphte éclairaient chichement la pièce et la nuit refermait la croisée.

Il chercha Attex dans les ombres. La silhouette qu'il découvrit au pied de sa couche le fit sursauter. L'homme était petit, très vieux. L'obscurité accusait ses rides et noyait son regard. Un turban enveloppait sa tête à la manière musulmane.

Malgré sa nausée, Isaac se redressa un peu sur les coudes et murmura :

– Êtes-vous le Khagan Joseph ?

Le vieillard gloussa. Ses doigts aux ongles jaunes tenaient le rouleau de cuir de Cordoue. Il avança d'un pas, laissant voir des pupilles rieuses :

– Non. Je suis le rabbin Hanania.

Son hébreu était aisé à comprendre, sa voix âgée mais vive, un peu sèche et ayant coutume de se faire entendre. Son accent, Isaac le reconnaissait. Il l'avait déjà entendu, à Cordoue, chez des hommes venus d'Orient. L'émotion agita son cœur, des larmes montèrent jusqu'à ses yeux. Il avait traversé des pays et des pays, des montagnes, des fleuves, des orages et des tourmentes, vaincu les loups et le gel, et enfin, à une extrémité du monde créé par le Tout-Puissant, il était à nouveau en compagnie d'un rabbin ! Un rabbin qui lui demandait :

– Es-tu en état de parler, mon garçon ?

– Oui...

Hanania agita le rouleau de cuir devant son sourire édenté.

– Cette lettre que tu apportes est une belle lettre. Mais elle pose beaucoup de questions. Tu comprendras que je veuille m'assurer du messager qui la transmet...

Isaac approuva d'un mouvement de paupières.

– Le rabbin Hazdaï m'a prévenu que vous m'interrogeriez longuement...

– Longuement, non. Savais-tu avant d'entrer dans la forteresse que nous sommes en deuil d'un Khagan ?

– Oui. Le Khagan Benjamin. Les cavaliers ont stoppé nos bateaux sur le fleuve...

– Tu as bravé l'interdiction faite aux étrangers d'approcher la forteresse, dit le rabbin d'un ton de reproche. Tu savais donc que tu risquais un mauvais coup. Et même la mort.

Isaac soupira.

– Des mauvais coups et la mort, je les ai risqués chaque jour depuis un an. Si l'Éternel ne voulait pas que je parvienne jusqu'ici, les occasions ne Lui ont pas manqué !

Le vieux rabbin hocha la tête. Encouragé, Isaac désigna le rouleau de cuir :

– J'ai promis au rabbin Hazdaï Ibn Shaprut de remettre personnellement la lettre au roi Joseph. Il fallait que je m'approche de lui...

Hanania posa la main sur la couverture :

– Encore une question. Connais-tu cela : *Lorsqu'un homme est à l'heure où il va quitter la vie, Adam, le premier homme, vient devant lui et lui demande pourquoi il quitte le monde et en quelle condition. L'homme lui répond : « Malheur à toi, car c'est à cause de toi que je dois mourir ! » Adam dit alors : « Mon fils, j'ai enfreint un seul commandement, et j'ai été châtié pour cela ; vois le nombre des commandements de notre Maître que tu as toi-même transgressés ! »*

Isaac en frissonna. C'étaient là véritables paroles de rabbin. Des paroles qu'il avait entendues lui-même dans la bouche du rabbin Hazdaï lors de la mort de son père !

S'il avait encore un doute, celui-ci s'évanouit. Il était bien dans le nouveau royaume d'Israël ! La tête en feu, il poursuivit dans un murmure :

– *Rabbi Hiyya dit : « Aujourd'hui encore Adam existe, il se présente deux fois par jour devant les patriarches et confesse ses fautes ; il leur montre l'endroit où il séjournait autrefois*

dans la splendeur céleste. » Rabbi Yessa dit :
« Adam se présente devant chaque homme au
moment où il va quitter cette vie afin de témoi-
gner que l'homme ne meurt pas à cause du
péché d'Adam mais à cause de ses propres
péchés, ainsi que les sages l'ont dit : " Il n'est de
mort sans péché ! " »

Hanania resta silencieux. Dans son visage
tout fripé, ses prunelles brillaient tant qu'elles
paraissaient refléter la flamme grésillante de la
lampe.

Enfin, un drôle de son franchit sa gorge.
Isaac ne sut si c'était un rire ou un sanglot. Il
vit les doigts du vieillard trembler fortement
lorsque celui-ci reposa le rouleau de cuir sur sa
poitrine.

– Oui, tu pourras le donner toi-même au
Khagan Joseph lorsque tu seras remis de
ta blessure, souffla-t-il d'une voix enrouée
d'émotion. Dors bien, mon garçon.

Sans plus attendre, il se détourna de la
couche d'Isaac et s'éloigna vers la porte.

– Rabbi ! Rabbi ! Savez-vous où est la princesse rousse qui m'a recueilli ?

Hanania se retourna et le considéra. Une
grimace ou une forme de sourire lui plissa le
visage.

– Elle m'a dit qu'elle était la sœur du Khagan !

– Dors, Isaac Ben Éliezer. Repose-toi et ne
songe pas à la Khatum Attex. Laisse le Tout-
Puissant pourvoir à tes pensées comme Il l'a
fait jusqu'à présent.

Le vieux rabbin sortit sans cesser de sourire.
Il n'allait pas raconter à cet étranger que la

forteresse depuis des heures ne bruissait que de ce scandale qui avait mis hors de lui le Khagan, si bien que les murs du palais résonnaient encore de ses cris. Depuis l'arrivée spectaculaire d'Isaac, non seulement la Khatum Attex avait refusé de recevoir l'ambassadeur de l'empereur Constantin, mais elle avait annoncé sans ménagement à son frère qu'elle refusait d'épouser le Grec auquel sa politique la promettait !

Béni soit l'Éternel !

18

Bakou, Azerbaïdjan

mai 2000

L'avion se posa sans encombre à Bakou.

C'était la fin de l'après-midi, les ombres étaient déjà longues. Une vapeur jaune stagnait sur la banlieue qui entourait l'aéroport, longeant la mer au nord de la ville. L'avion vira trop court pour que Sofer puisse embrasser d'un premier regard la Caspienne. L'aile du Boeing s'inclina sur une lande de poussière, çà et là parsemée de collines et de bosquets de pins, et l'atterrissage se fit avec une grande douceur.

Thomson se pencha vers Sofer :

– Appelez-moi. Même si vous n'avez rien de spécial à me dire. J'aurai peut-être des informations qui pourront vous être utiles... pour votre roman !

Sofer esquissa un remerciement poli. Ils n'avaient échangé que quelques phrases durant la dernière heure de vol. L'Anglais était suffisamment bien élevé pour ne pas insister dès lors que Sofer ne montrait aucune envie de renouer la conversation. Et surtout, il savait que ses mots avaient fait mouche. Que leur double sens troublait l'écrivain et que, d'une manière ou d'une autre, ses insinuations faisaient leur œuvre.

Il se leva aussitôt l'appareil immobilisé. Il tira une mallette de cuir du coffre à bagages et adressa un dernier signe à Sofer.

Celui-ci le laissa prendre la tête des voyageurs descendant sur le tarmac où les attendait un autocar. La chaleur le surprit. Bien qu'on ne soit qu'en mai, il devait faire près de trente degrés.

Sofer avait voyagé dans les pays de l'Est et en Union soviétique avant la chute du communisme. Il était devenu familier de cette odeur rance, mélange d'huile épaisse et de fuel, qui saisissait les voyageurs à la gorge dès qu'ils approchaient un aéroport. Ce qui lui avait fait écrire dans un livre que « le communisme a une odeur » !

Par réflexe, il s'attendait à quelque chose de ce genre à Bakou. Mais il ne sentit que la poussière humide et une puanteur de kérosène identique à celle de tous les aéroports d'Occident. Et aussi, surtout peut-être, un relent de peinture fraîche. L'aéroport de Bakou était tout neuf, à peine achevé mais déjà surmonté de deux publicités immenses, l'une pour Coca-Cola, l'autre pour Ford. Thomson avait raison : l'ancienne Byzance avait perdu la partie, la nouvelle imposait ses marques.

Alors même qu'il se faisait cette réflexion, du haut de la passerelle Sofer vit le détective de la Lloyd's s'engouffrer dans une Mercedes aux vitres opaques. Elle démarra sèchement, s'éloignant à toute vitesse dans la direction opposée à l'aérogare. Alastair Thomson n'était de toute évidence pas soumis aux formalités ordinaires des voyageurs.

Sofer, lui, dut s'y plier : trajet en bus jaune, file d'attente à la douane dans le hall quasiment vide, à l'architecture ultramoderne – sol en stuc, acier et aluminium brossé, panneaux électroniques... Une chose, cependant, n'avait pas changé depuis le communisme : les billets de dix dollars glissés discrètement d'une main à une autre pour faciliter le passage des bagages et éviter de fastidieuses et inutiles fouilles !

Sofer ne voyageait qu'avec un sac. Il déçut le douanier, qui espérait sa manne rituelle, mais il s'épargna attente et palabres. Comme prévu, Mikhaïl Yakovlevitch Agarounov, costume clair de coupe russe, chemise blanche et cravate grise, le guettait de l'autre côté des guérites de contrôle. Sofer le reconnut immédiatement. Il était tel qu'il l'avait imaginé, agitant ses mains courtes et potelées dans un geste amical tandis qu'un immense sourire éclairait son visage.

Sa courte taille et ses hanches aussi larges que ses épaules lui donnaient une silhouette rassurante et familière comme celles dessinées par les enfants. Un sourire apparemment permanent flottait sur ses traits. Son visage rond, comme coupé en deux par un nez puissant, correspondait à sa voix profonde et à son russe châtié, si précis qu'il en devenait parfois précieux.

Lorsque les effusions de l'accueil furent retombées, Agarounov jeta un regard de dépit sur le petit sac de Sofer.

– C'est tout ? Pas d'autres bagages ?

– C'est suffisant. Ne vous inquiétez pas, j'ai les documents !

– Oui, mais un si petit bagage signifie que vous n'allez pas rester bien longtemps chez nous !

– Que non ! s'amusa Sofer, touché par la sincérité de la remarque. Ça veut simplement dire qu'il ne faut jamais s'encombrer car nul ne sait pour combien de temps il part.

Agarounov rit, s'emparant du sac.

– Une voiture nous attend, monsieur Sofer. Je vais vous conduire à votre hôtel...

Sofer posa amicalement la main sur le bras d'Agarounov :

– Moi c'est Marc et vous Mikhaïl, d'accord ? On ne va pas s'embarrasser de...

Sofer se tut brutalement. Malgré la chaleur moite, il sentit son corps se couvrir d'une sueur glacée. Le visage levé vers lui, Agarounov demanda :

– Qu'y a-t-il ?... Ça ne va pas ?

Elle était là.

À l'autre bout de l'immense hall en courbe, à une trentaine de mètres de lui.

Pareille à une flamme dansante, dans une robe pourpre aussi flamboyante que ses cheveux, elle traversait le hall en direction des portes vitrées. Il aurait reconnu sa démarche entre mille, telle qu'il l'avait vue s'éloigner dans la salle de conférences un mois plus tôt.

Oui, c'était bien le même pas fluide. La même grâce énergique et sensuelle, comme si elle fendait, par son passage, l'épaisseur invisible de l'air.

Il ne voyait que son profil, de loin, mais il la reconnaissait.

Elle rejoignit un groupe d'hommes d'affaires asiatiques en costume sombre, qui quittaient le hall. Avant de les suivre, elle se retourna, regarda dans sa direction. C'était elle. Son visage à elle. Sans aucun doute. Le visage qu'il avait emprunté pour décrire Attex !

Bon sang, il divaguait ! Comment était-ce possible ?

Sans même réfléchir, il se mit à courir alors que la porte vitrée se refermait sur elle.

– Où allez-vous ? s'inquiéta Agarounov.

Sofer se précipita vers la baie vitrée la plus proche. Mais elle ne s'ouvrait que de l'extérieur. Il courut le long de la paroi transparente. Là-bas, son inconnue traversait le trottoir encombré de voyageurs, passait entre des files de taxis. Une porte s'ouvrit enfin, mais une famille s'engouffra dans le hall. Sofer s'empêtra dans les enfants excités et les chariots chargés de valises. Agarounov l'avait rejoint et questionnait, la voix tendue :

– Marc ! Monsieur Sofer, que se passe-t-il ? Marc...

Comme Sofer se précipitait sur le trottoir, Agarounov cria quelque chose au sujet de la voiture. Trois policiers en uniforme sombre, casquette plate et kalachnikov en bandoulière, se figèrent. Agarounov leur fit un sourire d'apaisement. Son sourire glissa jusqu'à une Mercedes blanche, et il hocha la tête.

La femme était déjà parvenue à l'autre bout de l'esplanade. Sofer la vit disparaître à l'arrière d'un 4 × 4 japonais qui démarra aussitôt. Il leva le bras, sur le point de crier, se retint. Le Nissan s'éloignait à toute vitesse et atteignait la bretelle suspendue qui reliait la sortie de l'aéroport à l'autoroute.

Il n'en fut pas certain, pas plus que du reste, pourtant il aurait juré qu'au dernier moment, de la vitre arrière de la voiture, la femme rousse lui avait souri.

– Je ne suis pas fou ! marmonna-t-il avec colère. Je ne suis pas fou. C'était elle !

Il perçut la présence inquiète d'Agarounov à son côté. Il se retourna. Derrière lui se tenait un jeune type trapu, la tête aussi rond qu'une boule de billard. Un diamant ornait ses lobes d'oreilles, des poils sombres sortaient en broussaille bouclée d'une chemise noir et blanc dont les motifs auraient pu être dessinés sous l'emprise du LSD.

– C'était elle, dit simplement Sofer à Agarounov.

– Elle ?

– La femme rousse dont je vous ai parlé au téléphone ! La belle femme qui... Elle me suit partout, grommela Sofer. Ou plutôt non, elle me précède partout ! Elle était en Angleterre avant moi.

Il haussa les épaules, conscient qu'il était impossible d'expliquer ce qu'il lui arrivait.

Agarounov fronça les sourcils avant de hocher doucement la tête. Sofer ajouta tout de même :

— Bon sang, je suis certain qu'elle était là pour... pour me voir arriver ! Elle n'avait pas de bagages, la voiture l'attendait.

L'expression d'Agarounov trahissait l'incrédulité et la gêne d'un homme qui découvre la maladie de son ami. Comment aurait-il pu comprendre ? Une brusque colère brûla la poitrine de Sofer.

— Qui est ce monsieur ? gronda-t-il en désignant le jeune inconnu.

Agarounov sursauta, rit un peu trop fort :

— Oh ! Je vous présente Lazir ! Un ami de mon fils ! Un excellent chauffeur ! Il connaît Bakou comme sa poche. Il est à votre service aussi longtemps que vous aurez besoin de lui !

Lazir tendit une main large comme un pain. Il sourit et Sofer ne put s'empêcher de lui renvoyer son sourire : les huit incisives de l'excellent chauffeur étaient d'or pur.

— Je ne suis pas chauffeur de profession, annonça-t-il d'une voix mélodieuse et dans un russe parfait. Je suis un sportif. La lutte gréco-romaine...

— Pas seulement sportif, insista Agarounov, enthousiaste. Lazir a été le plus grand champion de lutte d'Azerbaïdjan pendant six ans. Il a même été invité aux jeux Olympiques d'Atlanta !

— Parfois, ça peut aider, conclut sobrement Lazir.

Son regard glissa vers l'autoroute où avait depuis longtemps disparu le 4 × 4 emportant la femme rousse. Sofer, embarrassé, soupira :

– Bon, eh bien, allons-y !

Lazir conduisait à la manière azérie : à fond dès que cent mètres de chaussée étaient libres devant lui. À quoi il ajoutait, dans les carrefours et les échanges de priorité, la pugnacité persuasive d'un champion de lutte. Ainsi, il ne leur fallut pas plus d'une demi-heure pour parvenir au centre de Bakou.

Ils traversèrent comme une flèche une banlieue aux vastes espaces vides piqués çà et là de bâtiments modernes. Puis les rues succédèrent aux avenues, les maisons basses et anciennes aux immeubles. Par-ci par-là apparurent des charrettes et des petites camionnettes chargées de légumes ou de fruits, de cuvettes en plastique ou d'ustensiles de ménage.

Bakou ressemblait à une ville turque à laquelle s'étaient superposées quelques strates d'architecture soviétique, bourgeoise et opulente quand elle datait des années trente, impériale et délirante pendant la période stalinienne, très simplement délabrée pour les constructions d'après 1950.

Sofer s'y intéressa peu. Il ne pouvait s'empêcher de scruter avidement la route devant la Mercedes, espérant vaguement que la conduite kamikaze de Lazir leur permette de rejoindre le Nissan. En vain. Le chauffeur du 4 × 4 était probablement lui aussi champion d'une quel-

221

conque discipline sportive et muni d'une denture en or...

Aussi écouta-t-il d'une oreille distraite le programme qu'Agarounov lui promettait pour les jours à venir :

– Dès demain matin nous irons à Krasnaïa Sloboda, le Village rouge. Il est situé tout près du Daghestan, sur la rivière Kudial. C'est une bourgade entièrement juive. Des Juifs des montagnes. Du moins leurs descendants... Peut-être rencontrerez-vous des habitants qui connaissent votre Yakubov. Il ne reste que vingt-huit mille Juifs dans tout le Caucase. On finit par tous se connaître. Si ce n'est la personne elle-même, alors son frère, son cousin, ou encore un ami de celui-ci...

Il était aussi question de visiter des musées où pouvaient se trouver quelques vestiges khazars. Et de voir, bien sûr, les champs de pétrole !

– Et la grotte, demanda Sofer, la grotte abritant la synagogue. Vous pensez que quelqu'un pourra m'aider à la situer ?

Agarounov fit la moue, dubitatif. Sofer surprit le regard curieux de Lazir dans le rétroviseur.

– Il faudra poser la question, répondit prudemment Agarounov. Cette grotte dont vous parlait Yakubov paraît être en Géorgie. C'est un peu compliqué. Il vous faudra un visa...

Ils entraient dans le cœur de la ville. La circulation y était aussi dense que confuse. Ils n'avaient plus aucune chance de voir apparaître le 4 × 4 Nissan. Sofer en ressentit du dépit. Un sentiment inattendu, un peu ridicule, de perte.

Agarounov, retourné sur son siège, lui racontait mille anecdotes au sujet des Juifs des montagnes, sa constante passion. Mais Sofer ne parvenait pas à lui accorder la moindre attention. Il opinait avec un sourire figé.

La brève vision de l'inconnue l'obsédait. Il ne se souciait même plus de comprendre la raison de sa présence à l'aéroport et ce qu'elle signifiait. Seule comptait cette façon si particulière qu'elle avait eue de traverser le hall de l'aérogare. Il lui semblait qu'il pouvait lever la main, tendre le bras et la frôler. Si, par bonheur, Agarounov cessait de parler, alors il pourrait fermer les paupières et la voir, flamme vivante, glisser devant lui.

Il voulait incruster en lui le sourire que, peut-être, elle lui avait adressé. Irrationnelle, brûlante, naissait maintenant la certitude qu'il allait la revoir bientôt. La voir enfin « pour de bon ».

Une camionnette déboucha à toute vitesse de la gauche et coupa la route au ras du museau étoilé de la Mercedes. Lazir jura en même temps qu'il pila. Agarounov et Sofer furent projetés en avant, se rattrapant comme ils pouvaient aux poignées de porte.

Agarounov eut un petit rire d'habitué et se carra au fond de son siège. Tandis que Lazir relançait la voiture dans la circulation à la manière dont un joueur engage une bille dans un juke-box, Agarounov désigna un haut building, acier et vitres noires, dans la perspective de l'avenue.

– Votre hôtel ! annonça-t-il. Le Radisson Plaza.

– Le meilleur de la ville, ajouta Lazir avec un clin d'œil. Grand luxe ! Comme chez vous ou en Amérique.

Sa fierté sincère toucha Sofer. Le centre de la ville possédait la prospérité d'une ville européenne. Les promeneuses étaient nombreuses, jeunes et moins jeunes, toutes vêtues avec recherche. Dans la foule, les touristes occidentaux, américains ou européens, étaient facilement reconnaissables à la médiocrité de leurs vêtements : jean, polo, tee-shirt, parfois des shorts sur des jambes à la fois trop blanches et trop rouges. Aucun Thomson élégant.

– Rien de neuf au sujet de l'attentat et du « Renouveau khazar » ? demanda brusquement Sofer.

Il eut le bizarre sentiment qu'Agarounov était gêné ou pris au dépourvu par sa question. C'est Lazir qui répondit par un rire :

– Il paraît que chaque compagnie pétrolière fait venir ses flics. Si ça continue, il y en aura plus dans la ville que de marchands ambulants ! Ou alors, c'est qu'ils se seront tous déguisés en marchands ambulants.

Sofer sourit. Il se demanda s'il devait leur parler de Thomson. Mais il se tut. Sans raison, sinon qu'il n'avait pas envie de répondre aux inévitables questions que déclencherait l'évocation de l'Anglais.

Il n'avait qu'un désir : se retrouver seul. Laisser son imagination s'emparer du souvenir de cette inconnue croisée en Belgique puis à Bakou, celle qu'il appelait Attex.

224

Dès qu'ils furent parvenus à l'hôtel, il prétexta la fatigue et le désir de prendre quelques notes pour refuser l'invitation à dîner d'Agarounov. Ils convinrent de se revoir tôt le lendemain matin pour leur périple à la frontière du Daghestan.

Sofer ne resta que quelques minutes dans sa chambre, à peine le temps de prendre une douche. Il se retrouva dans la rue avec en main un plan de la ville fourni par le Plaza. La jeune femme de la réception lui avait indiqué le chemin qu'il devait emprunter pour atteindre le bord de mer. C'était tout simple, presque en ligne droite. S'il se perdait, il devait demander Nettchilyar Avenue...

La nuit tombait doucement et la chaleur s'apaisait. Il traversa un parc ombragé, rafraîchi par une demi-douzaine de grandes fontaines. Là, comme dans une ville méditerranéenne, toute la jeunesse semblait s'être donné rendez-vous. Une fois encore Sofer fut surpris par l'élégance un peu provinciale mais toujours attentive des jeunes filles et des femmes. Bien qu'on soit en pays musulman, les jupes étaient courtes, les robes volontiers décolletées et moulantes. Les amoureux allaient enlacés, déambulant entre rires et baisers devant les étals de colifichets, de gadgets, de sucreries ou de vêtements terriblement occidentaux.

Il remonta une longue voie piétonne, Rasulzade, pleine de monde, et déboucha sur la perspective Nettchilyar. De l'autre côté de l'avenue, le front de mer était occupé par des cafés de plein air ombragés, des manèges pour les enfants et une manière de grand kiosque en béton qui, à l'ère soviétique, avait dû accueillir les plus belles fêtes officielles. Aujourd'hui, ce n'était plus qu'un restaurant.

La mer des Khazars était déjà plongée dans l'obscurité. En direction du sud-est Sofer aperçut quelques lumières qui indiquaient les derricks off-shore. La Caspienne était lisse, paisible, offerte aux promeneurs comme un lac d'Italie. Pourtant, dès la première inspiration, il perçut l'odeur. Très particulière, indéfinissable, lourde comme un fruit trop longtemps contenu dans les tréfonds de la terre. L'odeur du pétrole.

Il s'installa à une terrasse et commanda un vin blanc de Géorgie, si léger qu'il paraissait sans alcool.

Par réflexe, il ne put s'empêcher de dévisager les passantes, sautant d'un visage à l'autre. Il savait bien qu'il était fou de vouloir trouver l'inconnue parmi ces promeneuses. Mais c'était plus fort que lui.

Après avoir bu un premier verre, il se détendit enfin. Il lui suffisait de penser qu'elle était quelque part, là, dans l'immensité de la ville. Il eut soudain conscience qu'il avait sans doute fait tout ce chemin pour cela. Il devait être patient. N'était-ce pas lui qui avait dit, précisément à Bruxelles, alors que l'inconnue le houspillait, que l'homme ne devait pas courir après son destin ? Oui, il lui fallait faire œuvre de patience.

Il devait imiter Isaac Ben Éliezer : accomplir un long voyage avant la récompense. Faire confiance à la route et au temps. Faire confiance à la volonté de la vie, du Tout-Puissant peut-être...

La nuit enveloppait à présent les alentours. Des enfants tournaient sur des chevaux de bois, pédalaient de toutes leurs forces sur des tracteurs en plastique ou conduisaient fièrement des voitures électriques aux feux clignotants. Sofer se souvint de la fillette d'Oxford, jouant dans les flaques de pluie, de cet instant où Attex enfant était venue à lui.

Mais Attex, désormais, était pleinement femme. Elle refusait de se plier aux injonctions de son frère. Il imaginait sans peine la stupéfaction du Khagan.

La stupéfaction, puis la colère et la douleur.

Pour la première fois, Attex et lui étaient séparés. Pour la première fois quelque chose se glissait entre eux avec le froid et le tranchant d'une lame.

Cependant, malgré sa fureur, Joseph savait qu'il en était le responsable. Mais pouvait-il ne pas serrer la main que lui tendaient les Grecs ? Même s'il ne devait conclure cette alliance qu'avec la plus grande retenue, la plus grande suspicion. Quoi que prétende Borouh, quoi que raconte Hanania, il était assez grand guerrier pour reconnaître cette vérité : son royaume ne tiendrait pas longtemps face aux hordes russes soutenues par l'empereur de Byzance.

Si seulement Attex voulait le comprendre ! Rendre leur séparation moins déchirante. Mais non ! Voilà qu'en plus elle s'était entichée d'un étranger sous le prétexte qu'il était juif et venait de l'autre bout du monde !

Un matin, il décida de lui parler calmement, avec tout l'amour qu'il éprouvait pour elle.

L'aube blanchissait à peine le ciel. La forteresse était encore si silencieuse qu'on entendait les coqs chanter au-delà des murs, dans la ville de tentes.

Ordonnant aux servantes de se taire et de ne pas bouger, Joseph pénétra dans la chambre d'Attex. Elle dormait, le visage enfoui dans ses cheveux et les coussins. Il s'assit près d'elle, releva l'opulente chevelure et, un instant, demeura subjugué devant la beauté de sa sœur. Jamais il n'avait vu une femme aussi belle. Il avait épousé la plus belle princesse des Alains, mais lorsqu'elles se tenaient côte à côte, son épouse n'était qu'une ombre dans la splendeur de la Kathum.

Attex ouvrit les yeux en marmonnant dans un bâillement. Elle sourit en découvrant Joseph et, d'instinct, se blottit contre lui, baisant ses mains.

Joseph la repoussa avec tendresse et murmura :

– Prépare-toi, Kathum ! L'ambassadeur Blymmédès vient partager mon repas aujourd'hui. C'est un repas de paix et d'adieu. Tu partiras avec lui demain, pour Tmurtorokan...

Joseph vit ses yeux s'agrandir d'effroi, comme si un serpent venait de la mordre. Elle poussa un cri, se rejeta de l'autre côté de sa couche. Debout d'un bond, elle cracha :

– Jamais ! Tu m'entends ? Jamais !

La poitrine de Joseph se serra à lui broyer le cœur. Le froid de la fureur l'envahit.

– Tu le feras, Kathum, parce que je le veux !

Une sorte de rire qui aurait pu être un cri vibra dans la gorge d'Attex.

– Le grand Khagan Joseph veut absolument que sa sœur aille ouvrir ses cuisses à un Grec qu'il ne connaît pas ! Honte à toi, Joseph ! Honte à toi !

Elle riait et pleurait tout à la fois, mitraillant ses phrases.

Ils s'observaient en silence, trop distants pour se toucher, trop proches pour que les mots ne soient pas pires que des flèches.

– Tu es la Kathum et tu dois m'obéir ! s'obstina Joseph. Ma décision est sage ! Comment peux-tu croire que je te donnerais aux Grecs si cela ne signifiait pas la vie pour tous les Khazars juifs de mon royaume !

– Oh ! La sage décision, la sage décision ! ricana Attex, la voix étranglée.

– La paix est plus sage qu'une guerre que l'on ne peut gagner !

Attex balaya l'objection d'un mouvement du bras.

– Je me souviens de ta bar-mitsva. C'était ici, à Sarkel. La veille nous étions tous les deux là-haut sur les remparts. Tu étais en colère contre notre grand-père Benjamin.

Elle ouvrit brutalement un grand coffre de bois qui contenait ses tuniques d'apparat.

– Je me souviens de tes mots, je ne les ai jamais oubliés : « Grand-père dit que je dois être sage comme le plus sage des Juifs. Il dit que peut-être ce sera à moi de sauver tous les Juifs qui viendront chez nous, chassés de tous les autres royaumes... »

– Benjamin est mort, et je ne suis pas le Khagan qui sauvera tous les Juifs de l'univers ! la coupa durement Joseph.

Tout en sortant en vrac ses tuniques et en les jetant sur sa couche, Attex lança, narquoise :

– Assurément, puisque tu n'es même pas capable de sauver ta sœur des Chrétiens !

– Le Tout-Puissant, béni soit Son nom, ne m'a pas créé pour cela !

– Qu'en sais-tu, Khagan Joseph ? Reçois l'émissaire des Juifs de Cordoue ! Le Tout-Puissant a voulu qu'il arrive jusqu'ici, le rabbin Hanania lui-même le dit...

Attex se tut car un drôle de sourire, un mauvais sourire, naissait sur les lèvres de Joseph. Il demanda :

– Le rabbin sait-il ce qui te pousse dans les bras de cet étranger ?

Les pommettes d'Attex s'empourprèrent, aussi enflammées soudain que sa chevelure.

– On m'a rapporté comment tu l'avais soigné. Comment tu étais restée avec lui, seule... Comment Attiana avait dû elle-même te pousser loin de lui tant tu faisais honte à ton rang en couvrant cet homme de tes caresses !

– Tu es jaloux !

Joseph répliqua, plein de fiel :

– Un Grec t'attend pour devenir ton époux, puisque cela te presse !

Attex demeura silencieuse sous le coup.

Comme si elle allait s'effondrer, elle pressa contre sa poitrine une somptueuse tunique brodée d'or.

– Jamais je n'irai à Constantinople avec Blymmédès.

– Tu iras. Ou Borouh t'enfermera dans un cachot et te livrera aux Grecs avec les chaînes des esclaves.

19

Sarkel

juin 955

Sous une large voûte ornée de céramiques bleues, dix hommes couverts d'un châle murmuraient la prière du matin. Devant eux la silhouette voûtée du rabbin Hanania accompagnait la supplique d'un balancement rythmé.

Je T'appelle car Tu réponds, ô Dieu ! Prête-moi Ton oreille, entends ma parole ! Moi qui ne sais si je peux contempler Ta face et dès mon réveil me rassasier de Ta vision ! Moi qui ai confiance en Toi, ô Éternel...

Les mots de la prière résonnaient encore dans l'air lumineux de la synagogue quand le rabbin, les bras raides, tourna les poignées d'argent afin de réunir les deux parties du rouleau du Livre.

La longue bande de papier collée sur un fin tissu de soie s'enroula dans un froissement doux, comme si les mots chuchotaient avant de s'effacer. Hanania déposa le rouleau dans un coffret d'acier finement ciselé. Quand il en referma le couvercle, le silence fut parfait. Si parfait que le rabbin, pris de doute, se retourna vivement. Les compagnons de prière du Khagan s'étaient retirés, mais Joseph, lui, était toujours là. Comme à son habitude, il prenait le temps d'enlever les lanières de cuir des phylactères de son bras gauche, puis d'ôter le châle de prière de ses épaules et de le plier avec soin.

Lorsqu'il releva le front, Hanania vit la fureur qui brûlait son regard. Sa bouche n'était plus qu'un pli dur.

Sans un mot, le rabbin serra contre lui le coffret contenant les rouleaux du Livre et alla le déposer dans une armoire haute dont les portes étincelaient d'or. Après quoi il s'arrêta un instant devant une tapisserie représentant une menora. Tout au long de la hampe du chandelier, tissés avec autant de finesse que s'il se fût agi d'une peinture de parchemin, étaient représentés les épisodes du jugement de Salomon et du sacrifice d'Isaac. Dans un geste machinal, le rabbin l'effleura de ses doigts transparents.

Alors seulement il vint s'asseoir près de Joseph.

– Je t'écoute, Khagan. Fais-moi tes reproches.

Joseph allait laisser exploser sa rage, mais il parvint à se contenir. Le rabbin eut le temps d'en sentir l'onde dévastatrice irradier la paix de la synagogue.

– Attex n'est plus dans la forteresse, rabbin ! Borouh a fait fouiller jusqu'aux resserres de pommes... Ce monstre d'Attiana a disparu aussi ! Elles m'ont désobéi, rabbin. Et tout à l'heure, le Grec sera là ! Lui qui déjà ne se prosterne plus qu'à peine devant moi...

Le rabbin Hanania vit la main de Joseph s'ouvrir et se fermer convulsivement sur le manche de son poignard.

– Et tu crois que je sais où elle se trouve, n'est-ce pas, Khagan ? Tu penses même que je l'ai aidée à disparaître ?

Leurs regards se rencontrèrent. Le rabbin sourit, de ce sourire qui plissait son visage en un nœud de rides et troublait le Khagan.

Joseph s'écarta. On eût dit qu'il craignait d'être trop près du vieillard. Avait-il peur de sa propre violence ?

Hanania connaissait bien Joseph, aussi est-ce d'une voix paisible qu'il enchaîna :

– Tu penses que je conspire contre toi, n'est-ce pas ? Que je soustrais la Kathum à ton autorité ? Tu penses que je te contrains à l'humiliation face à l'ambassadeur de Constantin ? Tu penses que je veux ta perte ? Oui, oui, je sais ce que tu penses, je comprends ce qui encombre ton esprit et fait de ta tête un pot bouillant !

Joseph prit le temps de marcher jusqu'au mur, les poings serrés, avant de se retourner.

– En effet !

Ce ne fut qu'un grognement de fauve acculé.

Le rabbin Hanania se contenta d'un battement de paupières. Puis, les yeux fermés, il commença à se balancer doucement.

– La Bible dit : *Celui qui est lent à la colère vaut mieux qu'un héros.*

– Je le sais ! fit Joseph, les mains nerveuses comme s'il projetait ses mots avec ses doigts. Mais toi, en revanche, tu devrais savoir que nous avons besoin de nous allier aux Grecs. Qu'aujourd'hui nous ne sommes pas capables d'affronter Byzance. Pas plus qu'un crapaud n'est capable d'attraper les sabots d'un cheval...

— Tu n'as qu'une Alliance sur laquelle t'appuyer, Khagan Joseph. Celle que tes pères et grands-pères ont passée avec l'Éternel, béni soit Son nom. Souviens-toi de la réponse de nos frères juifs au César de Rome : « Nous avons résolu depuis longtemps de n'être les sujets ni des Romains ni de personne d'autre, excepté de Dieu et de Lui seul, car Lui seul est le maître véritable et juste de l'homme... »

— Ah ! gronda Joseph, excédé.

— Tes ancêtres attendent que tu sois fidèle à leur foi. Non pas que tu pousses ta sœur dans les bras d'un étranger.

Joseph se planta devant le vieux rabbin, le corps aussi menaçant qu'un poignard :

— Ma foi n'est pas ici en cause, mais mon autorité ! Tu l'as donc fait sortir de la forteresse ?

Le rabbin Hanania acquiesça.

— Alors tu sais où elle se trouve ?

Hanania secoua sa tête chenue avec l'expression d'un garnement farceur :

— Point du tout ! Point du tout...

— Pourquoi fais-tu cela ? demanda Joseph en saisissant les épaules maigres du rabbin. J'ai toujours cru en ton amitié.

Hanania se pencha. Ses mains agrippèrent les poignets de Joseph. Il tira dessus pour se mettre debout.

– Je t'aime, Khagan. Je t'admire et je suis ton meilleur ami. Je te dis que tu fais fausse route avec les Grecs. Nous savons qui ils sont. Ils mentent avant même de respirer. Et toi, en voulant devenir leur vassal, tu fuis. *Prête-moi Ton oreille, entends ma parole ! Moi qui ne sais si je peux contempler Ta face et dès mon réveil me rassasier de Ta vision ! Moi qui ai confiance en Toi, ô Éternel...* Voilà les paroles que tu viens de prononcer dans la prière, il n'y a qu'un instant. Pourtant, tu fuis le pouvoir du Tout-Puissant, tu fuis la confiance et la force qu'Il a placées en toi. Oublie ce Blymmédès, Joseph. Lis la lettre que le Juif de Séfarade t'apporte. Mesure la joie et l'espérance que le royaume des Khazars a fait lever chez nos frères de la création ! Fais-en ta puissance...

Joseph se dégagea sèchement. Mais le rabbin ne céda pas et le retint par la ceinture cloutée d'or qui refermait son manteau de lin.

– Joseph, je t'en prie, reçois l'envoyé des Juifs de Séfarade. Ce garçon a voyagé pendant une année, a failli mourir cent fois pour déposer ce bien inestimable entre tes mains. Il est jeune, beau, plein de pureté, naïf... Jamais il n'aurait pu réussir ce périple sans que la volonté de Notre-Seigneur lui en donne la force...

Un rayon de soleil s'infiltra par l'une des fenêtres étroites qui ornaient le côté ouest de la synagogue et joua un instant dans l'œil noir du roi. Joseph le chassa d'un revers de la main.

– C'est là ce que tu as dit à Attex ? Tu as fait passer ce gamin pour je ne sais quel messager du ciel ? Mais il est plus facile d'éblouir une vierge qu'un Khagan, rabbin ! Attex est une enfant qui rêve d'amour. S'il n'était pas grec, tu pourrais lui faire prendre un âne pour un ange.

Le regard du vieillard irradiait de malice.

– Ne serait-il pas plaisant que ces deux-là s'aiment ? Au sein de la Loi, bien sûr... Ils sont si beaux à voir ensemble !

– Je la retrouverai et je l'enfermerai !

Le rabbin Hanania poussa de petits gloussements joyeux. Puis d'un coup son expression redevint sérieuse. Entre les plis fatigués de ses paupières, ses prunelles avaient la vivacité du lézard.

– Elle ne fait rien contre la Loi, Khagan Joseph. *Qu'est-ce que le Seigneur ton Dieu te demande, sinon de pratiquer la justice, d'aimer l'amour et de marcher humblement à côté de Lui*, dit Michée dans le Livre VI au verset 8. Nulle part la Loi ne prescrit l'ascétisme, Joseph, mais seulement la juste mesure. Elle dit qu'il faut accorder à chacune des facultés de l'âme et du corps sa juste part. Sans excès. Car l'excès pour une faculté entraîne un manque pour une autre... Khagan Joseph, ces temps-ci tu accordes beaucoup de place au doute, à la crainte et à la jalousie. Cela corrompt ton jugement. Tu ne pratiques plus la justice, car, te croyant juste toi-même, tu ne soumets plus ton doute à la balance de l'Éternel. Tu ne pratiques plus l'amour, car tu souffres de devoir te séparer de celle que tu aimes le plus au monde... après l'Éternel ! Et tu ne marches plus avec humilité, car tu t'obstines dans ta faiblesse et tu ne songes qu'à être fort...

Joseph était pourpre de fureur. Mais le rabbin, agitant les mains devant lui, refusa d'entendre ses protestations :

– Je ne te juge ni te condamne, Joseph ! Je sais la charge qui pèse sur tes épaules et la crainte que tu as de l'avenir. Je sais ton désir d'être sage. Cependant, la Kathum a raison quand elle refuse le sacrifice de sa foi et de son corps. Dans son jeune cœur innocent, elle sait que l'amour est le signe de la présence du Tout-Puissant parmi nous. Qu'y peux-tu s'Il se manifeste par un envoyé des tribus d'Israël qui vivent à l'autre extrémité de la création ?

Joseph n'eut pas le loisir de répondre. La corne de la forteresse lança une plainte forte et longue. La porte de la synagogue s'ouvrit. Un esclave se ploya sur le seuil pour annoncer que l'ambassadeur Blymmédès entrait dans la ville. L'esclave recula et s'effaça devant Borouh. Le Beck était en grande tenue d'apparat, la poitrine sanglée dans une cuirasse de cuir, sa longue épée de combat à la main. Le blanc de ses yeux était rouge, comme si le sang voulait y ruisseler. Joseph savait que c'était le signe d'une grande colère. Et il comprit qu'une nouvelle des plus déplaisantes l'attendait.

20

Bakou, Quba, Azerbaïdjan

mai 2000

Il était à peine plus de huit heures du matin lorsque la Mercedes blanche conduite par Lazir quitta Bakou.

Lazir était vêtu entièrement de noir. Outre ses dents, ses bijoux, chaînes et gourmettes en or, n'en jetaient que plus d'éclats. Ses chaussures italiennes vernissées brillaient comme s'il se rendait à un bal. Mikhaïl Yakovlevitch Agarounov, lui, portait un costume clair, aussi discret que celui de la veille. Sofer, qui n'avait d'autres vêtements que ceux qu'il avait emportés en Angleterre, les trouva subitement trop inconfortables et bien mal adaptés au climat de Bakou.

Il songea un instant à demander à ses compagnons de lui accorder le temps de faire l'emplette d'une chemise et d'un pantalon léger. À peine la voiture eut-elle démarré qu'il abandonna ce projet !

Aucun ange de la prudence, divin porte-parole de la sécurité routière, n'avait, durant la nuit, frôlé Lazir de son aile. Bien que la circulation parût à Sofer plus chaotique et compacte qu'une veille de Noël à Paris, il ne leur fallut que quelques coups d'accélérateur pour atteindre les faubourgs nord de la ville.

À son habitude, Agarounov s'était installé à l'avant. Retourné à demi, il expliqua à Sofer l'étrange particularité de Krasnaïa Sloboda, le Village rouge, où il se rendait :

– Krasnaïa Sloboda, c'est le nom russe, bien sûr. Pour les Azéris, le nom de la ville est Quba. Vous pouvez prononcer comme l'autre : *Cuba*. Ainsi que je vous l'ai dit hier soir, c'est tout près du Daghestan. Nous en avons pour deux ou trois heures de route, selon la circulation. La ville est coupée en deux par la rivière Kudial. L'une des rives est musulmane, l'autre est juive. Totalement juive. La séparation est si nette que l'on a l'impression qu'il y a en vérité deux villes. Vous verrez vous-même. Je suis certain que cela vous rappellera quelques souvenirs !

Sofer opina avec un sourire aimable. La gentillesse d'Agarounov faisait plaisir à voir. À coup sûr, il était d'une science infinie, pour tout ce qui touchait « ses » Juifs des montagnes. En outre, il faisait preuve d'une patience inépuisable pour contenter son visiteur.

Malheureusement Sofer l'écoutait d'une oreille distraite et s'en voulut de ne pas être plus expansif. Il avait passé une nuit désagréable, troublée de rêves aussi inquiétants qu'évanescents. Il n'avait cessé de se réveiller pour les causes les plus stupides. Trop chaud, trop froid. Ensuite un vilain bruit de climatisation l'avait maintenu en éveil... Son esprit semblait saisir le moindre prétexte pour l'empêcher de prendre un repos véritable. Pas une seule fois, cependant, il n'avait eu le courage de faire la seule chose utile : se lever pour travailler à son roman.

Engourdi par le manque de sommeil, les yeux mi-clos, il contemplait la banlieue de Bakou qui défilait à toute vitesse derrière les vitres de la voiture. Ils roulaient depuis une vingtaine de kilomètres sur une large chaussée. Elle était bordée de bosquets de pins assez denses pour abriter des guinguettes. Lorsque les arbres étaient trop espacés ou chétifs, des bâches de plastique bleu ou des toiles de tente cousues entre elles recouvraient les fauteuils de camping, les tables et les braseros. Quelques-unes de ces gargotes avaient l'apparence proprette et luxueuse de vrais restaurants.

Lazir eut un petit rire. Du menton il désigna les bosquets de pins :

– Très agréable l'après-midi. Ou le soir ! Beaucoup d'hommes viennent ici. Avec des femmes... Celles qu'on paie, ou celles qu'on ne paie pas.

Il rit avec autant d'innocence qu'un enfant coquin. Sofer et Agarounov se contentèrent d'un sourire. Sofer croisa le regard du champion de lutte dans le rétroviseur. Ce qu'il vit le troubla.

L'expression de Lazir n'était pas celle d'un homme qui vient de lancer une plaisanterie éculée de macho. Dure, vigilante, elle révélait un homme perspicace, aux aguets. Un mot se forma instinctivement dans l'esprit de Sofer : mafia !

Lazir n'en avait pas seulement l'apparence et les goûts vestimentaires. Ses remarques, ses petites phrases aiguisées et ironiques étaient celles d'un joueur qui veut que l'on se rende compte qu'il dissimule.

Mais à nouveau, Agarounov quêtait son attention :

– Vous savez, sur les cartes d'Azerbaïdjan, la mer Caspienne s'appelle encore la mer des Khazars. Lorsque le vent vient du large, il apporte sur le continent cette bizarre odeur d'iode et de pétrole qui n'appartient qu'à cette région. On l'appelle le vent des Khazars. Il existe une légende assez belle à ce sujet...

Agarounov leva un doigt à la manière d'un conteur réclamant l'intérêt de son auditoire. Il se tourna encore plus sur son siège. Sofer, un instant, songea à lui dire que c'était peu prudent à la vitesse où ils roulaient. D'autant que la chaussée devenait chaotique, crevée de nids-de-poule, encombrée de camions aux trajectoires incertaines. Mais à peine avait-il formulé cette pensée que son ridicule lui apparut. De toute évidence, en Azerbaïdjan, l'expression « rouler à tombeau ouvert » reprenait tous ses droits.

Agarounov désigna la mer sur leur droite : une mince bande bleutée au-delà d'une plaine calcinée et poussiéreuse.

– La légende veut que, lorsque le vent des Khazars souffle en tempête, il efface tout. Tout ! Les traces des animaux et des humains dans le désert ou les montagnes, les travaux des hommes, les champs, les cultures, les habitations, il réduit tout en poussière... En somme, le vent des Khazars efface les traces de ce qui a été, comme les Khazars eux-mêmes ont été effacés. Il ne laisse derrière lui que l'odeur de la mer et la nostalgie du passé.

– C'est une belle légende, murmura Sofer, sincèrement touché. Belle, mais terrible !

– Rassurez-vous, fit Agarounov en riant. De ma vie, et il y a maintenant cinquante ans que je vis ici, le vent des Khazars n'a pas une seule fois soufflé en tempête...

Sofer allait répondre par une plaisanterie lorsque ses yeux s'agrandirent :

– Bon sang ! Quelle monstruosité !

Devant eux, aussi immense qu'une ville, un gigantesque amas de ferraille rouillée recouvrait la totalité de la plaine côtière. Des conduits plus larges que la route et des pipelines s'y entrelaçaient dans un parcours cauchemardesque. Des convois de trains aux citernes éventrées entouraient des cuves aussi hautes que des châteaux forts. Certaines avaient éclaté. Leurs parois d'aluminium béaient, brandissant des langues de métal et prenant l'aspect de marguerites vénéneuses. Tout un labyrinthe de hangars aussi vastes que des barres de HLM rejoignait la mer et, çà et là, fichées dans ce chaos comme des clous de géants, des cheminées de dégazage attendaient de s'écrouler.

– Ça, annonça Lazir avec une certaine solennité, c'est le complexe pétrochimique de Sumgayi... Enfin, c'était !

De lui-même il ralentit. Ils passèrent sous un pipeline trois fois plus gros que la Mercedes mais que le travail de la rouille rendait transparent.

– Les Russes y stockaient le pétrole qu'ils pompaient chez nous. Ils le raffinaient en partie et l'expédiaient vers l'Union soviétique, à travers le Daghestan et la Tchétchénie.

Lazir désigna un point vague devant eux, en direction du nord. Sofer sentait dans sa voix un mépris évident lorsqu'il parlait des « Russes » et un plaisir réel à montrer cette débâcle spectaculaire. Comme si, à elle seule, elle témoignait de l'ancienne fragilité du pouvoir soviétique en Azerbaïdjan et de la jouissance vécue par les Azéris à son écroulement.

– Le complexe est abandonné depuis 1992, reprit le champion de lutte. Vous vous rendez compte ? Ils ont pillé le pays pendant quatrevingts ans et il a suffi de huit ans pour qu'il ne reste plus rien de ce monstre ! Sans même que le vent des Khazars souffle une seule fois !

Il adressa un clin d'œil à Agarounov, embarrassé. La voiture achevait de traverser le désastre de rouille et de béton de Sumgayi. Elle s'élançait maintenant dans une plaine côtière, ocre et rocailleuse, très semblable à un désert.

– Vous verrez, c'est beaucoup plus beau à Quba, prévint Lazir avec fierté. C'est très vert, il y a des champs, des vignes et des vergers ! Rien à voir avec ici. Quand les gens de Bakou veulent de vraies vacances, ils vont là-haut, chez nous ! C'est la plus belle région du pays et peut-être même de toute la côte de la Caspienne...

Agarounov rit, un peu moqueur :

– Nous autres, les Juifs de Quba, nous nous considérons comme les plus anciens Juifs du Caucase. Nos ancêtres seraient arrivés là directement de Jérusalem et bien avant la migration des Juifs de Turquie et de Byzance !

Sofer opina :

– C'est l'hypothèse selon laquelle les Juifs des montagnes appartiendraient à l'une des douze tribus de l'exil ?

Agarounov approuva :

– Oui... Les études que je mène sur notre langue, le tath, semblent le confirmer. Il se pourrait que les Juifs des montagnes aient été à l'origine du judaïsme khazar puis qu'ils en soient devenus les ultimes descendants. Après la destruction du Temple, ils viennent s'installer dans les montagnes. Quelques siècles s'écoulent. Lorsque les nomades khazars conquièrent la plaine de la Volga, ils commercent naturellement avec les Juifs. Pendant trois siècles, le royaume khazar va représenter un havre pour ces derniers. Lorsque ailleurs les persécutions deviennent trop fréquentes, ils savent où aller. Et ils affluent de Constantinople comme des pays musulmans... Mais à la chute du royaume, il se pourrait que les communautés des Juifs des montagnes se soient à nouveau repliées dans les vallées du Caucase.

– On sait que la plupart des Juifs khazars se sont dispersés en Europe centrale, où ils se mêlent à la communauté ashkénaze, objecta Sofer.

– Oui, il est presque aussi certain qu'une poignée de l'élite khazar s'est maintenue quelque temps dans les montagnes du Caucase. Là, nul ne pouvait les déloger. Il devait être facile de s'y retrancher pendant des siècles et des siècles... Le Caucase était un refuge quasiment inexpugnable, à cette époque. C'était le pays de leur origine : ils revenaient donc à leur origine. Rien de plus naturel... En ce cas, nous, les Juifs de Quba, nous serions les plus directs descendants des Khazars !

– D'où la synagogue introuvable de notre ami Yakubov ! s'exclama Sofer.

– Ma foi, fit Agarounov en jetant un coup d'œil en direction de Lazir, pourquoi pas ?

Lazir laissa filer un rire aigre :

– Il n'y a que des gens comme vous, Mikhaïl, vous et M. Sofer, que ça intéresse de savoir qui sont les descendants des Khazars ! D'une manière ou d'une autre, tous les Juifs de la région le sont plus ou moins. C'est ça qui compte.

Sans plus pouvoir se retenir, Sofer posa alors la question qui lui brûlait les lèvres depuis longtemps.

– Vous pensez que ceux qui ont commis l'attentat contre l'O.C.O.O, l'autre jour, ceux qui se font appeler le « Renouveau Khazar », sont des Juifs d'ici ?

Il y eut un temps de silence. Peut-être d'embarras.

Lazir, concentré qu'il était sur la conduite de sa Mercedes, parut ne pas avoir entendu.

D'affilée, il doubla une vieille Tatra et deux Lada dont pas une n'avait moins de douze ans d'âge. Finalement le rire du champion de lutte éclata. Ses dents brillèrent :

– C'est sûrement la question que se posent tous les flics du pétrole, pas vrai ?

– Probablement, répondit Sofer, songeant à Thomson. À condition que ces flics, comme vous dites, aient la moindre idée de ce qu'ont été les Khazars !

Lazir secoua la tête.

– Les gens du pétrole ne sont pas bêtes, monsieur Sofer. Lorsqu'il y a beaucoup d'argent, ceux qui s'en remplissent les poches sont toujours intelligents.

La justesse de la remarque plut à Sofer.

– Vous pensez donc que les auteurs de l'attentat de l'autre jour, ces gens du « Renouveau khazar », pourraient être des Juifs d'ici ? insista-t-il.

– Je ne pense rien du tout ! Je n'en sais pas plus que ce qu'on entend à la radio.

– On ne nous a toujours pas dit ce qu'il réclamait, fit Agarounov sans trop de conviction.

– Et puis, vous savez, poursuivit Lazir, n'importe qui peut s'appeler « Renouveau Khazar » ! Même un groupe de musique ! Ou des Tchétchènes...

– Ou des mafieux, tenta Sofer.

Lazir rigola pour de bon, frappant sur son volant avec entrain, ce qui eut pour effet de détendre Agarounov.

– Oui ! Une bande de mafieux de Moscou venus donner une leçon aux mafieux du Caucase... Bonne idée, hein ! On sait bien que tout est possible dans le coin ! À l'étranger, c'est ce que vous racontez : Caucase égale mafia ! Staline le disait, et il en connaissait un bout. Eltsine et Poutine le disent : tous les Caucasiens sont des bandits ! Eux aussi, ils en connaissent un bout, pas vrai ?

Il s'amusait et se moquait. Sofer rit, beau joueur. Mais il se dit en même temps que Lazir savait. Lui, il savait qui étaient ceux du « Renouveau khazar ». Mais il ne te révélera rien, songea Sofer avec une pointe d'agacement. Du moins, pas maintenant. Pas en présence d'Agarounov.

Et peut-être jamais. Avec un peu de provocation, il fit remarquer :

– Tôt ou tard, on saura. Les compagnies pétrolières l'apprendront.

– Peut-être. Les gens du pétrole sont puissants. Mais, si ça se trouve, ils le garderont pour eux-mêmes. Ils savent ce que vaut le silence quand ça les arrange...

Encore un point pour lui, pensa Sofer.

– Qu'ils soient juifs pourrait porter préjudice à l'ensemble de la communauté, insistat-il avec un peu d'agacement. Par exemple à ceux qui vivent à Quba...

Lazir lui jeta un coup d'œil sévère dans le rétroviseur. Agarounov se détourna à demi, comme si la tournure de la discussion devenait trop personnelle.

– Vous savez, monsieur Sofer, fit froidement Lazir, les Juifs d'ici en ont déjà tant vu que ce genre de soupçon ne leur fait pas peur. Demandez à Mikhaïl...

– C'est vrai, approuva Agarounov, soulagé de pouvoir revenir sur le terrain stable du passé. Avant l'arrivée des Soviétiques dans la région, vers 1920, les Juifs étaient nombreux. Depuis la Caspienne et jusqu'en Géorgie, il y avait des synagogues dans presque toutes les vallées du Caucase. Mais pendant la guerre, lorsque les nazis ont menacé d'atteindre le pétrole de Bakou, Shaoumian, l'homme fort du Caucase, a déplacé des milliers de Juifs... dans des kolkhozes en Crimée. Un moyen comme un autre de se débarrasser de nous. Ce qui devait arriver est arrivé : les Allemands ont occupé la Crimée et les Juifs se sont fait exterminer. Après la guerre, Staline a « déplacé » des villages entiers de Géorgiens, Tchétchènes, Daghestanais et Azéris. Les Juifs qui vivaient encore parmi eux sont allés pourrir en Sibérie, comme tous les Caucasiens. C'est pourquoi nous ne sommes plus qu'une poignée.

Cela, Sofer ne le savait que trop. Il approuva d'un bref hochement de tête, se tut.

Le soleil, maintenant haut, tirait des tons de cuivre des falaises qui s'étageaient vers l'ouest. L'air devenait éblouissant. Dans un geste d'ensemble qui les fit sourire et apaisa la tension créée par les questions de Sofer, tous trois chaussèrent leurs lunettes noires.

La route, dont le revêtement s'améliorait, se rapprochait de la mer des Khazars. Celle-ci était aussi lisse qu'un miroir, d'un bleu si pâle qu'il en devenait blanc. On n'y voyait pas un bateau, pas une voile ou une barque de pêcheur. Pas même un derrick. C'était étrangement une mer en attente, songea Sofer. Comme déshabitée. Ou trop habitée par son fond sous-marin !

Lazir n'avait pas menti. Quelques kilomètres plus loin, la poussière le céda enfin au vert des cultures. Des champs de pastèques, des vergers de pommes longeaient la route rectiligne soudain ombragée par d'immenses noyers. Des gosses apparurent sur le bas-côté, faisant de grands gestes en riant...

– Ils vendent des paniers de noix, expliqua Agarounov.

Un quart d'heure plus tard, comme en un signe de détente, Lazir ralentit et s'arrêta devant une poignée de gamins dépenaillés. Ceux-ci vendaient d'énormes tresses colorées, allant du rouge sombre au crème. Ce n'est que lorsque les enfants se pressèrent contre les vitres de la voiture que Sofer s'aperçut qu'il s'agissait de cerises.

Agarounov acheta une grosse grappe. Ils reprirent la route, partageant la douceur des fruits en silence. Pour la première fois depuis son arrivée en Azerbaïdjan Sofer eut conscience d'être en Orient. Le noir des prunelles des enfants, leurs pommettes hautes, leur peau mate, leurs pieds nus et leurs bouches rieuses étaient les mêmes que ceux des gosses de Samandar, d'Ispahan ou de Bagdad.

Et derrière les vergers, il devinait la mer. La mer très ancienne, presque vide, comme dans les temps révolus où seuls quelques convois de navires la traversaient, chargés de toutes les richesses de l'Asie.

21

Sarkel

juin 955

À Sarkel-la-Blanche, la salle royale était petite. Elle occupait l'espace d'une construction à la grecque adossée à la muraille nord de la forteresse. La splendeur des marbres et des colonnes compensait l'exiguïté et éblouissait le visiteur. Un siège en bois de cèdre incrusté d'ivoire, de perles et de pierres vertes était posé sur une estrade surplombant la salle. D'épais tapis en recouvraient les sept marches. Seuls le Beck et trois gardes royaux avaient le droit de s'y tenir lorsque le Khagan était sur son trône.

Au-dessus, comme à Tmurtorokan, était suspendu un dais en cuir tissé de fils d'or, très semblable à une tente. À côté de l'estrade, un immense chandelier à sept branches en or, une réplique de celui du Temple de Jérusalem emporté par Titus à Rome, rappelait la filiation du Khagan des Khazars. Les serviteurs, esclaves et eunuques, y maintenaient des bougies allumées en permanence dès que le Khagan résidait dans la forteresse. À cause de la petitesse de la salle, lors des audiences les grandes portes demeuraient ouvertes sur une cour agrémentée de fontaines et dallée de marbre noir, rose et blanc. C'était là que se tenait la suite, toujours nombreuse, des visiteurs importants.

En ce jour, le Beck avait disposé deux haies de cinquante guerriers qui formaient comme un chemin aux murs infranchissables depuis le soleil du patio jusqu'au trône du Khagan. Tous portaient le casque rond à pointe d'argent et la tunique brodée d'une menora : la tenue de la garde royale. Tous retenaient contre leur poitrine un bouclier d'acier tandis que leurs épées étaient nues, la pointe reposant entre leurs pieds.

L'ambassadeur Blymmédès arriva précédé de servantes dont la seule fonction était de nettoyer le sol avec le bas de leurs robes qu'elles avaient, à cet effet, très longues. Quatre esclaves d'Abyssinie tenaient au-dessus de lui un baldaquin portatif qui lui permettait d'éviter la brûlure du soleil. Il avait revêtu la courte toge des Grecs qui laissait voir ses genoux ronds et ses cuisses rouges. Il s'était enduit le visage, et jusqu'à son crâne chauve, avec un mélange de poudre de craie et de crème d'amande douce. L'étrange pâleur de ce maquillage estompait la rudesse de ses traits sans adoucir la dureté de ses yeux bleus.

Il parut surpris de la disposition des gardes. Borouh, qui l'observait attentivement, le vit ralentir le pas. Comme ses eunuques continuaient d'aller de l'avant, toujours portant le baldaquin, Blymmédès s'obligea à sourire et avança en relevant le menton. Derrière lui venaient le moine en robe noire et une poignée d'officiers subalternes.

Parvenucs au seuil de la salle royale, les servantes se disposèrent devant les gardes, sans leur tirer un sourire ou un murmure de plaisanteries, comme il en allait d'ordinaire. Ce silence frappa Blymmédès. Par-dessus le frottement des pas sur le marbre, il pouvait entendre le gargouillis paisible des fontaines.

Les esclaves noirs s'immobilisèrent. Seul l'ambassadeur Blymmédès pénétra dans la salle tandis que le moine s'agenouillait sous le baldaquin, replié dans le marmonnement d'une prière.

Sans doute ébloui par la lumière, l'ambassadeur ne vit pas immédiatement que le siège du Khagan était vide. Soudain ses yeux s'écarquillèrent et il étouffa un juron. Il se tourna à gauche puis à droite, chercha un visage, un serviteur. Il ne découvrit personne, sinon les faces impénétrables des guerriers en faction. Sa main droite s'agita nerveusement et ses bagues étincelèrent dans un rai de lumière. Il pivota, soulevant sa toge. Il allait quitter la salle royale, mais il suspendit son mouvement.

Une haute et puissante silhouette écarta les guerriers et sortit de la pénombre. Borouh s'arrêta devant les gardes. Blymmédès allait reculer en hurlant à la rescousse. Le maquillage exagérait si bien son expression qu'il en parut grotesque.

En vérité, avec sa cuirasse à demi recouverte d'un long manteau de peau cousu de plaques de métal, son épée de combat, son casque aux ailes d'acier dépliées sur la nuque, ses moustaches effilées et sa détermination colérique, le Beck avait la parfaite apparence d'un démon belliqueux.

– Seigneur ambassadeur, annonça-t-il dans son grec un peu rauque, le Khagan Joseph vous souhaite la bienvenue. Il ne va pas tarder.

Blymmédès maîtrisa un rictus de soulagement pour mieux paraître offusqué de l'accueil qui lui était fait.

– Eh bien, se moqua-t-il, le Khagan des Khazars a-t-il oublié que nous devions manger ensemble? Je ne vois que son siège vide, pas une table ni un plat... Et encore moins la Kathum! Messire le Beck, pouvez-vous m'expliquer ces nouvelles manières?

Borouh se contenta de répondre:

– Le Khagan sera heureux de vous expliquer lui-même la raison de son retard.

Le retard dura assez pour que le maquillage de Blymmédès se ternisse. Il revint en pestant sous l'ombre de son baldaquin trouver la compagnie du moine. Une servante déploya un siège pliable où il s'affala avec un soupir de fureur. Les deux Grecs dardèrent autour d'eux des regards étincelants où se lisaient tout autant la crainte que la haine.

Le soleil allongea les ombres. Sur un signe discret de Borouh, les deux haies de la garde s'étaient ressoudées à l'entrée du patio. Les Grecs, au cœur de la forteresse de Sarkel-la-Blanche, ressemblaient aux poissons serrés par les mailles d'un filet.

Soudain, Joseph fut là, debout dans la pénombre de la salle, au pied de son trône. Il tenait son fils Hezekiah par la main.

Ce furent les murmures de ses serviteurs qui sortirent l'ambassadeur de sa torpeur. Blymmédès, le visage ruisselant de sueur, les joues, sous le maquillage, pareilles aux ravines de la steppe, bondit de son pliant.

La toge serrée dans son poing, il se précipita dans la salle d'audience, poussant des cris dans un grec de bas étage qu'aucun Khazar ne comprit. Sans même un salut, il se retrouva devant Joseph, toujours debout, et qui brisa son élan d'un geste paisible de la main :

— Ambassadeur Blymmédès, je suis heureux de vous voir.

— Je proteste, Khagan, pour cette attente humiliante à laquelle vous avez contraint l'ambassadeur du basileus, seigneur du monde entier et empereur de Byzance, Constantin le septième !

Joseph prit le temps d'un sourire glacial.

— Messire, je salue à travers vous Constantin et lui souhaite longue vie.

— Cette attente est...

— ... égale au temps et à la ferveur du salut que vous ne me faites plus, seigneur Blymmédès ! Voyez-vous, j'ai remarqué lors de nos dernières entrevues que vous ne vous pliez plus au salut que chacun doit au Khagan des Khazars. Je l'ai compensé à ma manière, considérant que ce peu de temps que vous avez passé dans mon patio était, du fond du cœur, un signe de respect que vous m'offriez...

Joseph désigna Hezekiah et ajouta :

– Je voulais que cela serve de leçon à mon fils. Un jour il deviendra le Khagan. Il doit apprendre quel est son rang et comment le faire respecter.

Sans aucun effet de maquillage, le visage de Blymmédès était livide.

– Khagan Joseph, murmura-t-il, ceci devait être un repas de l'amitié avant mon départ... afin de celer notre alliance. En présence de la Kathum qui doit m'accompagner !

– Oui, approuva simplement Joseph.

Il lâcha la main d'Hezekiah et se détourna pour monter les marches de son trône. Tandis qu'il s'y asseyait, l'enfant alla très fièrement se placer au côté de Borouh. À la vue de la prestance aisée de son fils, un éclat de tendresse adoucit le visage de Joseph encore creusé par sa dispute avec le rabbin Hanania.

Sa voix fut cependant tranchante lorsqu'il déclara :

– La Kathum Attex, comme vous le savez, messire Blymmédès, souhaite prendre du temps avant de vous rejoindre à Tmurtorokan.

– On dit qu'elle a disparu, persifla Blymmédès d'un air mauvais.

– La sœur du Khagan des Khazars ne disparaît jamais, messire l'ambassadeur !

– Allons, Khagan ! Parlons franchement. Depuis que je suis ici, je n'ai supporté qu'humiliations de la part de votre sœur. Elle a dédaigné mes présents comme ceux de son futur époux. Elle a refusé mes visites et jusqu'à l'aide de mes serviteurs ! Aujourd'hui on me dit qu'elle a disparu de la forteresse. Je constate son absence...

– C'est moi qui lui ai demandé de s'éloigner de Sarkel.

– Vous ?

Joseph désigna Borouh :

– Messire le Beck sait lui aussi écouter les paroles que portent le vent et les rumeurs.

– Qu'est-ce que cette nouvelle énigme ! soupira Blymmédès comme s'il avait affaire à des enfants.

Borouh s'approcha. Hezekiah l'observait avec une grande intensité. Lorsque le Beck traversa le rai de lumière découpé par la porte, les plaques de métal de son manteau et de son casque étincelèrent. L'enfant crut voir un homme de fer et de pierre et non de chair s'avancer vers le Grec.

La voix de Borouh résonna jusqu'aux voûtes de la salle :

– Les Russes d'Olga assemblent deux cents bateaux à fond plat dans le haut du fleuve Atel. Quatre mille de leurs cavaliers les protègent avant d'y prendre place.

– Je ne comprends pas !

– C'est ainsi qu'ils font lorsqu'ils veulent se lancer dans une attaque de notre capitale. Ils assemblent une grande quantité de bateaux, une nuée de cavaliers, et attendent une crue qui les portera d'un trait jusqu'à la mer, et donc à Itil.

– Oh ! Je vois... Mais, messire, ne vous effrayez pas du bourdonnement d'une mouche ! Il ne s'agit là que d'un des caprices de la reine Olga, comme vous le savez. Tant que notre alliance n'est pas... consommée, si je puis dire.

– Cette fois, ambassadeur, il y a quelque chose de différent. Les Russes installent sur leurs bateaux des arbalètes comme on en voit sur vos dromons. Des arbalètes qui lancent le feu grégeois !

Les yeux de l'ambassadeur s'agrandirent d'un coup.

– Le feu grégeois ? Mais...

– Mais seule Byzance sait produire le feu de guerre... Vous avez raison, seigneur Blymmédès, fit doucement Joseph. Les Russes ne sont que des barbares. Ils n'utilisent même pas le naphte pour leurs torches. Comment sauraient-ils confectionner ou se servir du feu grégeois si des Grecs ne leur tenaient la main ?

Malgré la fournaise du milieu du jour qui calcinait les serviteurs dans le patio, le silence saisit la salle royale comme un gel de janvier. Même le murmure de prière du moine cessa. Hezekiah, sans s'en rendre compte, contempla son père avec une admiration effrayée. Lorsque le Khagan Joseph reprit la parole, chacune de ses phrases lui sembla un coup de hache :

– Olga est à Constantinople. Vous ici. Les Russes avec le feu de guerre à cinq cents lieues d'Itil. Nous bavardons épousailles comme des servantes au bord d'un puits. Messire Blymmédès, votre maître Constantin nous prend pour des lièvres dans un terrier !

– Khagan ! s'écria Blymmédès. Khagan Joseph ! Cela ne se peut pas ! Ce sont des paroles en l'air, des racontars... Vous savez bien qu'aucun des peuples que nous... que nous...

– Que vous dominez.

– Euh... ni aux Russes, ni aux Bulgares, ni aux Magyars, jamais Byzance n'a confié notre feu de guerre! Non, je vous en prie, réfléchissez, Khagan! Cela ne peut être qu'une fausse nouvelle.

– Nous l'apprendrons bientôt, gronda Borouh. Dans quatre heures nous partons pour le fleuve Atel et notre capitale.

– Et si nous nous trompons, seigneur Blymmédès, ajouta Joseph en souriant, alors la Kathum Attex ira vous rejoindre comme prévu à Tmurtorokan. Vous savez que nous, les fidèles de la loi de Moïse, nous ne jurons pas. Mais vous avez ma promesse...

Blymmédès eut un mouvement indécis et soudain plia le genou dans un maladroit salut qui fit miroiter son crâne chauve.

Le sourire de Joseph s'élargit, lui rendant un instant sa jeunesse. Il montra le moine dont les marmonnements, au seuil de la salle d'audience, se poursuivaient :

– J'oubliais... En gage de bonne volonté et pour montrer notre ouverture d'esprit, le moine qui vous accompagne viendra avec nous jusqu'à Itil. Peut-être voudra-t-il y construire une de vos églises. Si nous repoussons les Russes...

22

Quba, Azerbaïdjan

mai 2000

La découverte de Quba, la ville juive, fut un choc pour Sofer.

La Mercedes s'arrêta dans une rue ombragée. Agarounov quitta prestement la voiture pour s'engouffrer dans un grand bâtiment inachevé étonnamment luxueux.

Sofer à son tour descendit. Il lui fallut quelques secondes pour se rendre compte que la tristesse brutale qui l'étreignait n'était qu'un effet de la nostalgie.

Tout, ici, lui paraissait étrange et proche à la fois. Bordant la rue principale, les maisons possédaient des terrasses recouvertes d'auvents de bois ou de zinc finement ouvragés. Les rez-de-chaussée étaient construits en pierre et les étages en bois. Des escaliers ajourés reliaient les balcons. Les dentelles de zinc décorant les toitures, toutes différentes, témoignaient d'un savoir-faire qui se perdait dans la nuit des temps. Certains motifs représentaient un chandelier à sept branches, d'autres l'étoile de David. Chaque maison était entourée d'une clôture en planches derrière laquelle, parmi des poules gloussantes, des garçonnets, la tête couverte d'une kippa, jouaient au ballon.

Ils s'immobilisèrent en observant Sofer. Il les salua d'un petit geste. Ils répondirent avec des sourires qui lui nouèrent la gorge, comme s'il était soudain replongé dans son propre passé. Comme si, d'un coup, il franchissait le miroir du temps : il voyait les enfants devant lui et pourtant, dans son esprit et son cœur, il était encore l'un d'eux !

Il retrouvait ce qu'il croyait disparu à tout jamais : le parfum, les formes, les visages de sa propre enfance, ici, dans le Caucase, chez les descendants des Khazars ! Comment ce bégaiement du temps se pouvait-il ?

En tout point, Quba lui rappelait les *schtetels*, ces villages juifs de la Pologne d'avant-guerre. Ces rues et ces maisons semblaient aussi irréelles que les images d'un monde disparu. Cependant, c'étaient de vraies maisons juives, de vrais enfants juifs, de vrais balcons juifs d'aujourd'hui. Mais à travers eux s'était préservé un mode de vie dans lequel il était né et avait appris à « être juif ». Et ce qu'il en coûtait.

— Je savais que vous seriez surpris.

À son côté Agarounov, qu'il n'avait pas entendu revenir, l'observait avec affection.

— C'est plus que de la surprise, marmonna Sofer, qui s'en voulait de laisser si aisément transparaître son émotion. Je me sens de retour à la maison !

— On s'est souvent demandé dans quel sens avait voyagé cette tradition de construction et d'organisation des villages, opina Agarounov, toujours prêt à passer de l'émotion à la réflexion. Est-ce l'influence tardive des Juifs d'Europe qui nous a apporté le travail du zinc, par exemple ? Néanmoins, vous vous rendrez vite compte qu'il s'agit là d'une des traditions les plus lointaines du Caucase, chez les Musulmans comme chez les Chrétiens de Géorgie. À l'inverse...

Agarounov désigna un balcon aux balustrades ciselées avec soin :

– À l'inverse, l'Orient a toujours apprécié ces décorations. On les trouve partout dans la région, depuis les anciennes villes de Perse jusqu'à la mer Noire, de la Turquie à la Crimée. En ce cas, pourquoi ne pas penser que ce sont les Khazars qui en ont transporté la tradition jusqu'en Europe centrale ?

Un petit coup de klaxon les interrompit brutalement. Le sourire d'or de Lazir apparut à la portière de la Mercedes :

– Pourquoi faut-il que vous vous posiez toujours des questions qui ne servent à rien ou auxquelles vous n'obtiendrez jamais les réponses ? se moqua-t-il. Moi qui ne suis pas savant, je n'ai que de vraies interrogations. La première : maintenant que l'on est ici, qu'est-ce qu'on fait ? La deuxième : où mange-t-on ? Il est midi et j'ai faim !

Sofer et Agarounov rirent de bon cœur.

– Je voudrais que Marc rencontre mon ami Zovolun, le maire de Quba, dit Agarounov, qui ajouta pour Sofer : On vient de m'apprendre qu'il est au cimetière. Il s'y déroule une cérémonie des « trente jours » après l'enterrement d'un de ses vieux compagnons. Cela pourrait être intéressant d'y participer. Ainsi, vous rencontrerez quelques-uns des Juifs des montagnes !

– Mmm, je vois, soupira Lazir sans enthousiasme. Repas cérémoniel... Je vous préviens, monsieur Sofer, pas de *shaschlick*, pas de *khajapuri*, pas de crêpes fourrées au menu !

Quba ne possédait pas un cimetière, mais trois. Agarounov expliqua que tous les Juifs des montagnes originaires de Quba, même ceux ayant émigré en Israël ou en Amérique, se faisaient enterrer « au pays ». Des cimetières immenses disposés en bordure d'un plateau surplombaient la vallée et le bourg. Chacun était soigneusement entretenu et d'une opulence, d'un luxe mortuaire et démonstratif inattendus pour les plus récents caveaux. Tous trois étaient également dotés d'une partie ancienne, un champ pas même tondu, planté de simples stèles de pierre traditionnelles, souvenirs de temps passés.

Le cimetière où le conduisit Lazir était le plus éloigné du village. À l'entrée ils durent traverser un groupe compact de femmes couvertes de châles noirs. Discrètement, Agarounov indiqua une trentaine d'hommes, rassemblés en demi-cercle autour d'une tombe fraîche, la kippa sur la tête ou, pour certains, un simple mouchoir blanc plié. Les visages, pour la plupart, étaient ceux, rudes et marqués par le soleil et le froid, de paysans, de montagnards tels qu'on en voit partout.

Tandis qu'ils s'approchaient, Sofer reconnut le son plaintif des psaumes récités en hébreu. Ils attendirent, un peu en retrait, mêlant leur murmure au Kaddish, la prière des morts. Puis le groupe se dénoua et Sofer eut soudain devant lui un petit homme, rond et nerveux, les cheveux courts plaqués sur les tempes par la sueur.

– Zovolun Buruth Danilev, se présenta-t-il. Très honoré de votre visite, monsieur Sofer. Mikhaïl m'a dit ce qui vous amenait chez nous. Vous savez, les Khazars, ici, on connaît à peine...

Le maire tendit une main un peu moite. Son débit était rapide, son regard sec et droit. Sans trop savoir pourquoi, Sofer lui répondit par un sourire comme on en adresse à un commerçant qui vous assure que l'article que vous demandez est d'une rareté qui le rend presque trop précieux pour la vente.

Les formules de politesse se succédèrent alors qu'ils se dirigeaient vers une médiocre bâtisse de parpaing à l'intérieur de laquelle le repas commun attendait.

Tandis que les femmes patientaient dehors au soleil, secouées de temps à autre par les plaintes lancinantes de la plus vieille des pleureuses, les hommes prirent place autour des tables.

Selon la tradition, les mets, froids, devaient être consommés en fonction de leur origine dans la nature, ainsi que voyage la lumière venue des cieux et qui s'enfonce dans l'ombre de la terre. Pour commencer, Sofer reçut une pomme – aliment de l'air. Puis des tranches de concombre – produit du sol –, du fromage, du poisson et enfin une pomme de terre. La vodka, elle, était autorisée à chacune des étapes, ce qui tira une grimace de réconfort à Lazir.

Pendant le repas, les discussions volaient bon train. Étonnantes pour le lieu et la situation, elles passaient chaotiquement du prix de la vie à la qualité des téléphones portables, des espérances économiques de la région aux fruits des récoltes... Toutefois, avec régularité, l'assemblée se taisait, l'un ou l'autre des participants récitait un psaume ou l'une des dix-huit bénédictions : *Sois loué, Éternel, notre Dieu et Dieu de nos pères. Dieu d'Abraham, Dieu d'Isaac et Dieu de Jacob...*

Sofer hésita quelque temps avant de sortir de la poche intérieure de son veston les photocopies des documents de Cambridge et d'Oxford. Les feuilles circulèrent de main en main. Peu des présents étaient capables de déchiffrer l'hébreu ancien calligraphié par le rabbin Hazdaï et le Khagan Joseph, mais l'émotion qui éclairait les visages fut une récompense.

Agarounov retrouva son entrain, que la pesanteur de la cérémonie avait émoussé. Tout naturellement, il reprit une réflexion interrompue un peu plus tôt :

– N'est-ce pas extraordinaire que l'on ne parvienne pas à savoir d'où vient notre propre langue, le tath! s'exclama-t-il. Du perse, du turc, du khazar, un mélange de tout ? Prenez le mot *Kiev*. En tath il signifie « au bord de l'eau »...

– En khazar aussi, s'amusa Sofer, entrant dans le jeu, *Kiev* signifie « au bord de l'eau », mais en deux mots : *Ki-Ev* !

– Exactement! jubila Agarounov. Mais alors, le nom de la ville est-il d'origine khazar ou russe ?

– Ou les deux à la fois, par un effet de l'influence des Khazars dans la région. N'oubliez pas que Kiev fut fondée par les Khazars et non par les Russes, qui la conquirent un siècle plus tard.

La discussion devint générale. Sofer, dans un mouvement d'enthousiasme, sortit la pièce de monnaie de Yakubov qui ne le quittait plus.

Comme les photocopies des textes anciens un instant plus tôt, la pièce roula de doigts en doigts, tirant des exclamations. Le visage du maire cependant s'assombrit. Après avoir jeté des coups d'œil intrigués à Sofer, il finit par demander :

– D'où tenez-vous cette pièce ?

– Un homme... un homme un peu étrange me l'a donnée. Peut-être certains d'entre vous le connaîtraient-ils ? Il s'appelle Ephraïm Yakubov. Il disait l'avoir découverte dans une grotte de Géorgie. Une grotte assez vaste pour contenir une synagogue...

Sofer allait raconter en détail comment Yakubov l'avait contacté avant de disparaître. Or à peine eut-il prononcé son nom qu'un lourd silence tomba sourdement dans la salle si bruyante un peu plus tôt. Il y eut un moment de malaise, puis Sofer entendit la voix rêche du maire s'élancer dans la récitation d'un psaume.

Il pensa, l'espace d'un instant, que son imagination lui faisait inventer du mystère là où il n'y avait rien que de très normal... Après tout, n'était-ce pas déjà assez étrange d'avoir ce genre de débat durant un repas cérémoniel à la mémoire d'un mort ?

Il quêta l'approbation rassurante d'Agarounov. Mais Mikhaïl Yakovlevitch continuait à mâcher sa pomme de terre, les yeux baissés.

Le psaume cessa. Un homme maigre aux yeux noirs enfoncés, les joues creuses, comme liées par une énorme moustache, tendant le bras par-dessus les petites bouteilles de vodka déjà vides, rendit à Sofer la pièce de monnaie :

– J'crois savoir qui c'est, votre Yakubov, dit-il dans un russe à peine compréhensible, la voix alourdie par l'alcool. Mon frère l'a connu. Ils étaient bûcherons ensemble en Géorgie. Ils se sont disputés. Votre Yakubov, il trafiquait avec les Tchétchènes.

– Quel trafic ? questionna Sofer.

L'homme sourit en s'essuyant la moustache d'un revers de main :

– Qu'est-ce que vous voulez qu'ils trafiquent, les Tchétchènes ? Des armes...

– La montagne est pleine de rumeurs. Les suivre, c'est se perdre ! Des Yakubov, il doit y en avoir plein le Caucase...

Sofer sursauta en entendant la voix de Lazir au-dessus de son épaule. Le champion de lutte souriait. L'or de ses dents brillait moins qu'au soleil, mais son regard pesait sur celui de l'homme à la moustache. Celui-ci baissa le nez. Sofer sentit à nouveau le malaise se propager chez ses voisins en même temps que Lazir posait une main amicale sur son épaule.

– Le maire aimerait vous montrer le cimetière, dit-il gentiment.

– Maintenant ?

– Pourquoi pas ? Nous devons libérer la pièce pour que les femmes puissent manger à leur tour.

La chaleur du soleil surprit Sofer. Zovolun Buruth Danilev, après qu'ils eurent traversé en silence une grande partie du cimetière, était en nage. Sofer était déconcerté par ce qu'il voyait. Bien que les images soient ordinairement proscrites des cimetières juifs, un très grand nombre de stèles comportaient le portrait des défunts. Gravés à même le marbre noir à partir de photographies, ils faisaient preuve d'un réalisme troublant. Tout près de lui se dressait ainsi le visage d'une jeune femme, très belle, d'une douceur douloureuse. Un peu plus loin souriaient une mère et son jeune fils revêtu d'un uniforme.

– À Quba, on aime bien revoir le visage de nos morts, expliqua Zovolun en s'épongeant la nuque. Mais c'est encore plus étonnant si vous regardez dans ce sens.

Le maire poussa Sofer du coude afin qu'il se retourne. La stupéfaction le figea sur place : au dos des stèles hautes de deux à trois mètres, ce n'étaient plus des visages qui lui faisaient face, mais des hommes et des femmes en pied, jeunes pour la plupart, dans leur tenue quotidienne, simple robe, jean et tee-shirt, fumant une cigarette ou souriant, hélant un ami ou lisant. Le réalisme était si total que tous paraissaient littéralement surgir de terre, s'élevant dans l'obscurité de leur marbre telle une plantation de morts sur le point de ressusciter et déjà surnaturellement présents.

Zovolun prit l'étonnement de Sofer pour de l'admiration.

– C'est beau, n'est-ce pas ?

– Plus étrange que beau, corrigea Sofer.

– Nous, on aime.

– Tout ça coûte fort cher ! fit Sofer en détournant la conversation. Ces tombes, ces maisons dans Quba, vous êtes à la tête d'un village riche, monsieur le maire. Je peux vous demander comment vous faites ?

– L'Amérique. Nos fils vont y faire des affaires. Les États-Unis, le Canada... Il semble que les Juifs des montagnes soient doués pour les affaires. Mais ils restent longtemps éloignés de leurs familles, de leurs vieux parents, parfois même de leurs femmes. Ils sont pleins de nostalgie. Ils espèrent rentrer un jour, mais dans un beau et grand village. Alors ils envoient de l'argent, beaucoup, pour que leurs familles vivent le mieux possible et qu'à leur retour ils puissent mener une vie comme en Amérique... Vous voyez, c'est tout simple.

Oui, c'était tout simple, songea Sofer en se retenant de demander au maire quelles sortes d'affaires si fructueuses entreprenaient les

Juifs des montagnes aux États-Unis. Il n'eut d'ailleurs pas le temps d'une réplique. Le maire, un ton plus bas, ajouta :

– Puisqu'on parle d'argent, cette pièce que vous avez, cette pièce khazar, il vaut mieux que vous ne la montriez à personne d'autre.

– Ah... Pourquoi ?

– Ce Yakubov dont vous avez parlé tout à l'heure, je ne le connais pas, mais, bon, il ne faut pas être sorcier pour deviner qu'il a pillé un lieu sacré.

– La grotte... La synagogue ! Oui...

– Si vous montrez cette pièce à trop de monde, d'autres vont aller la piller.

– Mais on ne sait pas où elle se trouve ! s'exclama Sofer. Quelque part en Géorgie... Vous parlez d'une indication !

– Vous, vous ne le savez pas. Moi non plus, je ne le sais pas. Mais d'autres peuvent savoir. Vous imaginez comment ça se passe dans un petit pays... Et nous, les Juifs des montagnes, c'est comme si nous vivions dans un pays encore plus petit à l'intérieur de l'Azerbaïdjan.

Il eut un geste dessinant entre son pouce et son index un espace minuscule, et ajouta :

– Il suffit d'appuyer pour nous faire disparaître. Certains ne se font pas faute d'essayer !

– Qui ? Pourquoi ? Monsieur le maire, Zovolun, pourquoi ne m'expliquez-vous pas franchement ce qui vous tracasse chez ce Yakubov ? Cela aurait-il par hasard un rapport avec l'attentat de Bakou ? Ce... Cette revendication du « Renouveau khazar » ?

Le petit homme s'épongea soigneusement le visage. Sofer crut un instant qu'il allait ouvrir son cœur. Mais il fit une grimace et secoua la tête :

– Je ne vois pas ce que vous voulez dire. Quel rapport cela pourrait-il bien avoir avec l'attentat ? Comme dit Lazir, la montagne est pleine de rumeurs. Les suivre, c'est se perdre ! Venez, je vais vous montrer le vieux cimetière. C'est tout ce qu'il reste de notre communauté de l'époque de Staline !

Lazir et Agarounov déposèrent Sofer à son hôtel alors que la nuit était tombée depuis longtemps. Il entra dans le grand hall de marbre en rêvant d'une douche et de dix heures de sommeil. Alors qu'il demandait sa clef, en fait une carte magnétique, la réceptionniste l'informa avec un sourire gracieux qu'une personne l'attendait au bar.

Sa fatigue s'effaça d'un coup. Il fut certain que c'était elle. Pourquoi ? Par quel miracle ?

Sans s'en rendre compte, il ralentit excessivement le pas. Il voulait savourer cet instant. Il tenta de formuler la première phrase, la première question. Il eut le sentiment d'avoir déjà croisé son regard d'émeraude. Cette fois, il allait enfin comprendre. Entendre sa voix. Respirer son parfum.

Bon sang, il était comme un adolescent à son premier rendez-vous !

Une double porte de verre glissa devant lui. Il sentit sous ses semelles la moquette succéder au marbre. D'un coup d'œil circulaire, il chercha sa chevelure rousse.

Mais il ne la vit pas.

Elle n'était ni dans l'un des profonds fauteuils qui entouraient les tables basses ni sur l'un des tabourets du bar.

En revanche, Alastair Thomson, lui, était là. Debout, son crâne chauve reflétant l'éclairage tamisé, il le hélait d'un geste silencieux.

De rage et de déception, Sofer eut le violent désir de lui tourner le dos, de monter dans sa chambre sans le saluer. La grossièreté du procédé et un peu de curiosité le retinrent.

Il avança, raide, ressentant à nouveau toute sa fatigue. Son visage morose tira une exclamation ironique à l'Anglais :

– Heureux de voir à quel point ma visite vous fait plaisir !

Il semblait en pleine forme. Il avait troqué son costume de Savile Row contre une saharienne kaki fraîchement repassée. Un nœud papillon, bleu nuit à pois rouges, refermait le col de sa chemise claire et ses chevalières brillaient sous les lumières tamisées du bar, rappelant à Sofer les bijoux de Lazir.

L'écrivain se laissa tomber dans un fauteuil en grommelant que sa journée avait été longue et que les routes d'Azerbaïdjan n'étaient pas de tout repos.

Thomson s'assit à son tour. Dans le mouvement, sa saharienne s'entrouvrit. Sofer entrevit la crosse ultraplate d'un pistolet retenu dans un holster de toile.

Presque au même instant, Thomson s'inclina pour pousser devant lui une grosse boîte rouge, décorée d'un esturgeon soulignant les lettres du mot CAVIAR. L'arme fut encore plus visible.

– C'est du bon, de l'excellent même, du béluga ! Je me suis dit que peut-être vous n'y penseriez pas. Bakou n'est pas seulement la ville du pétrole, elle est aussi celle du caviar.

La surprise de Sofer, tant devant l'arme que Thomson exhibait que devant le cadeau, passa pour un mouvement de protestation. Thomson insista d'un geste, faisant scintiller sa chevalière droite au-dessus de la boîte de caviar :

– Acceptez, je vous en prie ! Je vous ai assez ennuyé dans l'avion avec mes questions, et j'aimerais me faire modestement pardonner. Et puis, au marché, il ne vaut que sept dollars les cent grammes !

Le visage de l'Anglais s'éclaira :

– Vous voyez, si mon intention était de vous acheter, je n'y mets guère le prix !

Sofer se détendit enfin. Comme la veille, il était intrigué par ce mystérieux Anglais et agacé de se sentir toujours en retard d'une réplique. Il ne croyait cependant pas une seconde que Thomson perdît son temps dans ce bar pour une visite de courtoisie. Il arrêta la jeune serveuse, commanda une vodka polonaise et demanda :

– Comment avez-vous su que j'étais descendu dans cet hôtel ?

– Si je ne pouvais faire une chose aussi simple, s'amusa Thomson, comment parviendrais-je à découvrir qui se cache derrière le « Renouveau Khazar » ?

Sofer rit poliment.

– Je vous remercie pour le caviar, j'apprécie le geste. Mais je doute que vous ne soyez venu que pour m'offrir ce charmant cadeau. Je suppose que vous avez encore quelques questions à me poser. Au sujet des Khazars, toujours ?

Thomson prit son temps avant de répondre. La serveuse déposa le verre de vodka devant Sofer. Lorsqu'il releva les yeux, il eut l'impression que le regard de son interlocuteur était aussi glacé que son verre d'alcool.

– Il ne s'agit pas vraiment d'une question... Je voudrais partager avec vous une hypothèse... Et ses conséquences.

Sofer avala une gorgée revigorante de Zubrowska.

– Je vous écoute.

– Je vous ai expliqué hier à quel point la région de la Caspienne est devenue un enjeu...

– À cause de l'importance des réserves de pétrole récemment découvertes. Oui, je me souviens.

Thomson opina.

– La condition fondamentale d'une bonne exploitation pétrolière, non seulement son pompage mais son exportation, c'est la sécurité de la zone. Les Américains ont, si j'ose dire, « inventé » la guerre du Golfe pour cela : assainir la région du Golfe, la rendre sûre en immobilisant le pouvoir de nuisance de l'Irak qui à tout instant pouvait – et voulait – se servir du pétrole comme d'un moyen de chantage... Il vous suffit de voir les dégâts économiques, et donc politiques, que produit chez nous, en Europe, une hausse du baril de dix ou quinze dollars pour vous en convaincre.

– Oh..., s'amusa Sofer, j'en suis convaincu !

– L'Europe, l'Occident entier et tous ceux qui en partagent les règles économiques ont besoin d'un pétrole abondant et peu cher, martela Thomson. La qualité de notre vie ainsi que la pérennité de nos valeurs et de notre civilisation en dépendent. Nous avons besoin de sécurité dans l'exploitation de ce pétrole. Une sécurité présente et future...

– C'est donc là le talon d'Achille de l'Occident, intervint Sofer. Le pétrole est une arme en quelque sorte à la portée de toutes les mains, même les plus fragiles. En gros, ce que vous me dites, c'est que n'importe quel dictateur, ou groupe d'hommes un peu déterminés, s'il a une exploitation pétrolière sous la main peut « embarrasser » l'Occident... Un Occident, soit dit en passant, que vous me paraissez confondre un peu vite avec la poignée de compagnies pétrolières dont vous êtes l'employé ! Définir notre civilisation comme celle de « l'or noir » mériterait un débat...

Thomson parut surpris de la pique, mais l'encaissa avec une moue narquoise.

– Le pétrole n'est une arme que pour des fous prêts à subir ce que subissent aujourd'hui les Irakiens. Saddam Hussein est un fou, et il impose sa folie à tout un peuple !

– À moins que ce ne soit l'inverse : l'Occident aurait imposé cette folie au peuple irakien...

– Ne jouons pas aux naïfs, voulez-vous ? Nous perdrions notre temps. Quand un géant a mal au pied, monsieur Sofer, il se soigne avec

des remèdes de géant. Les microbes n'y sur-
vivent pas !

– Belle métaphore ! applaudit Sofer, que
cette joute commençait à sincèrement divertir.

Mais elle n'amusait guère Thomson, qui
répliqua sèchement :

– Quand je m'interroge sur l'identité de
ceux qui se dissimulent derrière cette appellation sans substance, le « Renouveau khazar »,
je me demande en réalité qui a intérêt à mettre
la pagaille dans l'exploration pétrolière de la
Caspienne.

Sofer, souriant, opina. Thomson se pencha,
sa main baguée prit appui sur la boîte de
caviar, et il déclara un ton plus bas, soudain
dramatique et menaçant :

– Vous ne le voyez pas, vous ne l'entendez
pas. Vous n'en devinez même pas les cadavres,
monsieur Sofer. Pourtant, autour de vous, ici
à Bakou, ici dans cet hôtel, une guerre
fait rage ! Une guerre commerciale. La plus
coriace, la plus violente qui soit. Dans les
guerres commerciales, plus les coups sont sour-
nois, plus ils valent leur pesant d'or. J'ai
eu aujourd'hui quelques informations qui me
font songer que les bénéficiaires d'une petite
panique savamment orchestrée ici pourraient
être... les Américains !

Sofer ouvrit de grands yeux stupéfaits.
Thomson se redressa, fier de lui.

– Je vous ai expliqué que l'enjeu de l'exploitation de la Caspienne était colossal. Les
Russes sont hors du coup, et pour un bon
moment. Mais pas les Européens. Au

contraire. Or l'attentat revendiqué par le « Renouveau khazar » a détruit des installations de l'O.C.O.O., un consortium européen pour les quatre cinquièmes de ses fonds.

– Vous voulez dire que des compagnies pétrolières américaines auraient organisé un attentat ! s'exclama Sofer, incrédule.

– Afin d'entraîner artificiellement la région dans l'insécurité, oui. De manière à effrayer les compagnies européennes.

– Mais...

– Si les compagnies européennes cèdent à la panique, elles réduiront leurs prétentions et se désengageront de l'exploitation des fonds de la Caspienne... Le vide sera alors aussitôt rempli par des compagnies américaines. Comme par miracle, l'insécurité cessera ! Plus d'attentats, plus de menaces... Le calme reviendra et le tour sera joué : les Américains auront la mainmise sur toutes les réserves de la région. Si l'on ajoute celles du Moyen-Orient, ce sera un peu comme s'ils avaient la main posée sur le robinet d'air frais du monde entier...

– Vous croyez cela possible ?

– C'est une hypothèse. Nous pourrons la vérifier bientôt.

– Comment ?

– Je vous l'ai dit hier. Je suis certain qu'il y aura bientôt un nouvel attentat. Il en va toujours ainsi. Si mon hypothèse est la bonne, ce seront encore des installations de l'O.C.O.O. qui seront touchées. Pas celles des Américains.

Sofer laissa quelques secondes son regard errer sur les visages qui les entouraient. Il commençait à comprendre où l'Anglais voulait en venir. Il acheva son verre. Avec un frisson amplifié par l'alcool et la fatigue, il formula tout haut la conclusion de ses pensées :

– En ce cas, ce que vous voulez me laisser entendre, c'est que le « Renouveau khazar » ne serait qu'un...

– ... un masque, un groupuscule de paille. Une manipulation ! s'excita Thomson. Un groupuscule juif, monsieur Sofer, qui se réfère à une vieille histoire du passé juif dans le Caucase mais que tout le monde a oubliée. Un groupe de Juifs à qui on a promis on ne sait quoi et qu'on a entraînés dans une aventure qui les perdra...

Sofer songea au comportement étrange de Lazir, à Quba, à sa conversation avec Zovolun dans le cimetière, à ces « affaires » fructueuses, comme disait le maire, qui permettaient à l'argent venu des États-Unis d'entretenir la petite ville. Bien au-dessus de ses moyens.

Il demanda :

– En avez-vous la preuve ?

Thomson secoua la tête, mais il jubilait.

– Aucune. Ce n'est qu'une hypothèse, je vous le répète. Mais la meilleure. Sinon, pourquoi aller chercher ce nom à dormir debout : le « Renouveau khazar » ?

Sofer n'était pas loin de partager son avis, néanmoins il haussa les épaules et dit :

– Ça pourrait être autre chose.

– Ça pourrait.

Sofer saisit son verre, mais se rendit compte qu'il était vide. Il grogna :

– Qu'attendez-vous de moi ?

– Que vous fassiez passer un message à vos amis...

– Mes amis ?

– Je sais où vous étiez aujourd'hui... Oh, rien de sorcier : vous êtes un écrivain juif qui effectue des recherches sur les Khazars. Donc, vous prenez contact avec ceux qui pourraient être leurs lointains descendants, ceux que l'on appelle les Juifs des montagnes... Et qui mènent une drôle de vie, n'est-ce pas ?

Sofer ne répondit pas. Il se sentait gelé de la tête aux pieds.

– Dites-leur de laisser tomber, fit Thomson. Qu'ils refusent de se laisser entraîner dans un second attentat. Pour nous ce sera un signe, et on s'en souviendra. Et si une explication, parfaitement anonyme, nous parvenait, ce serait encore mieux. Avec des détails impliquant les Américains.

– Pourquoi me demandez-vous cela ? Je n'ai rien à faire dans cette histoire !

Thomson se leva en riant.

– Précisément. Je vous le demande parce que vous n'êtes qu'un touriste dans cette histoire. Si j'étais comme vous romancier, je vous dirais que vous n'en êtes même pas un personnage. Et c'est parfait.

Sofer se mit debout à son tour. Thomson posa une main sur son bras :

– Avez-vous trouvé l'emplacement de la grotte ? Celle qui contenait la pièce de monnaie que vous m'avez montrée.

– Non... je... Comment savez-vous qu'elle vient d'une grotte ? Je ne vous l'ai pas dit !

– Mais si ! Une grotte qui contiendrait une synagogue !

Thomson se frappa le front des doigts :

– J'ai une très bonne mémoire...

Une fraction de seconde, Sofer eut de nouveau l'impression d'être une souris entre les pattes d'un chat. Puis l'Anglais lui souhaita une bonne nuit.

– Reposez-vous. Et demain, s'il vous plaît, passez un coup de fil à vos amis. Ça suffira. Dites-vous bien que c'est le meilleur service que vous puissiez leur rendre. Et que nous n'avons rien contre eux !

Il était déjà dans le hall lorsque Sofer se rendit compte que la boîte de caviar était toujours sur la table. Nom d'un chien, pourquoi l'avait-il acceptée ?

23

Sarkel

juin 955

– Ce soir il y aura une grande fête, dit Hezekiah. Ils vont danser et chanter presque toute la nuit... C'est toujours comme ça quand un convoi de bateaux arrive du nord.

Le fils du Khagan était assis au côté d'Isaac sur les créneaux du chemin de ronde, au sud de la forteresse. Au-dessous d'eux, la ville de tentes était à nouveau pleine de vie. Le deuil du Khagan Benjamin était achevé. Les bateaux qu'Isaac avait quittés quatre jours plus tôt venaient d'accoster dans une petite crique ménagée sur la rive, une manière de plage où les gros navires à fond plat pouvaient s'échouer sans peine.

Du haut des murailles, on apercevait distinctement les esclaves quitter les embarcations sous les regards des villageois. Malgré ses efforts, Isaac se trouvait cependant bien trop loin pour pouvoir reconnaître Saül et Simon parmi la foule des badauds, des bateliers et des marchands.

Il songea qu'ils allaient le chercher, peut-être tenter leur chance aux guichets de la forteresse. Sans doute allaient-ils le croire mort.

– Tu es triste, remarqua Hezekiah. Tu voudrais aller danser avec eux ?

Isaac secoua la tête sans même sourire.

– Mes deux compagnons de voyage doivent être arrivés avec ces bateaux. Je suis triste parce que je ne peux pas aller à leur rencontre ! Ils vont se demander si je suis mort ou vif.

Hezekiah hocha la tête avec sérieux. Il comprenait. Avec l'aide du vieux rabbin, il était parvenu à convaincre son père d'accorder au messager des Juifs de Séfarade une promenade sur les murailles. Isaac Ben Éliezer pouvait à nouveau marcher sans éprouver de vertiges. Il devait respirer un peu d'air frais pour reconstituer le sang qu'il avait perdu.

Néanmoins, le Khagan n'avait accordé cette faveur que du bout des lèvres. Une poignée de gardes se tenait à faible distance, l'arc à la main et le regard aigu. Aussi incroyable que cela paraisse, Isaac, sans en saisir la raison, était désormais un véritable prisonnier ! La veille, le chef des gardes, ce Senek qui l'avait si bien assommé à son arrivée, lui avait annoncé qu'il ne devrait pas quitter sa chambre, et encore moins la forteresse, avant d'être reçu en audience par le Khagan.

Sur le coup, Isaac s'en était presque réjoui. Cela signifiait que sa rencontre avec le roi Joseph était imminente. Le rabbin était venu le voir pour lui annoncer qu'au contraire cette rencontre pourrait être longtemps retardée. Pourquoi ? Le vieil homme avait éludé la question. Le Khagan, avait-il dit, avait parfois de ces caprices. Il devait être patient.

Hezekiah semblait ne pas en savoir plus :

– C'est vrai que mon père est très fâché contre toi. Presque autant qu'il l'est contre les Grecs. Il ne m'a pas expliqué pourquoi. Peut-être est-ce seulement parce qu'il est fâché contre tout le monde à cause de la disparition d'Attex.

Car c'était là l'autre grave nouvelle. Plus que grave : terrible, douloureuse !

Isaac ne pouvait l'avouer à Hezekiah, mais la fuite de la Kathum et la cause de cette fuite l'avaient anéanti de tristesse.

Après lui avoir demandé d'être patient, le rabbin Hanania lui avait confié que la princesse Attex avait disparu et qu'il était probable qu'on ne la reverrait pas de sitôt.

– Pourquoi a-t-elle fui ? avait demandé Isaac, stupéfait.

– Hélas ! Hélas...

Ce que lui avait révélé le rabbin vous mettait l'épouvante au cœur. Le vieillard avait raconté à Isaac la haine des Grecs envers la religion de Moïse. Il lui avait décrit les menaces de Byzance qui pesaient sur le royaume des Khazars depuis des lustres. Enfin, la voix basse, il lui avait raconté l'ultime manœuvre de l'empereur Constantin : cette ambassade qui voulait contraindre la sœur du Khagan à un mariage chrétien.

– Rien de moins, mon garçon ! Ce Blymmé-dès n'est venu que pour cela : capturer notre Attex avec ses manières doucereuses, ses paroles émollientes et ses cadeaux. Il n'espérait rien moins que la conduire à Constantinople afin de lui faire renier le Livre !

– Alors elle... Elle a refusé ?

Les prunelles du vieil homme s'étaient enflammées :

– Elle a fait mieux que refuser ! Elle s'est soustraite, enfuie... Pffout ! Disparue, hors d'atteinte... L'ambassadeur est furieux. Le Khagan aussi, dois-je dire !

Le gloussement d'Hanania n'avait en rien apaisé la stupéfaction douloureuse d'Isaac.

Longtemps après le départ du rabbin il était resté prostré sur le bord de sa couche, ne sachant ce qui le terrassait le plus radicalement.

Comment était-ce possible ? Comment le Khagan Joseph pouvait-il accepter pareille humiliation de sa propre sœur, y participer, même ? N'entendait-il pas le grondement de colère du Tout-Puissant ? Comment pouvait-il renier la Loi, la foi de ses pères, le testament de son grand-père ? Comment pouvait-il balayer ainsi, d'un accord putride, l'espoir que les Juifs de toute la création mettaient en lui ?

Quelle déception !

Alors qu'enfin il parvenait jusqu'au royaume juif des Khazars, tout s'effondrait. Son espérance, si forte, n'était plus que sable dispersé par le vent, poussière de honte. Car comment croire encore que ce Khagan inaccessible pût devenir le David des Juifs de l'univers ? Leur roi, leur Messie tant attendu...

Oh que non !

Tout juste un aveugle trébuchant en tête du troupeau, voilà ce qu'il était !

Assurément, le rabbin Hazdaï en mourrait d'apprendre une telle nouvelle !

Lui aussi, d'ailleurs, Isaac Ben Éliezer, allait en mourir ! Sur-le-champ !

Il avait envie qu'on le frappe à nouveau sur la tête. Pour de bon. Pour en finir. Car cette fois il n'y aurait personne pour le soigner. Nulle beauté angélique ne veillerait à son chevet, ne glisserait ses doigts sur ses lèvres pour y maintenir le flux et le reflux de son souffle. Dans ces conditions, la mort serait plus douce que la disparition de la Kathum Attex ! Que l'Éternel lui pardonne !

Oh ! Certes, il était soulagé, grandement soulagé, qu'elle se soit enfuie, refusant la souillure de l'alliance grecque. Il n'en admirait que plus son courage.

Il en était ébloui.

Et désespéré.

S'en rendant à peine compte, quelques jours durant, il n'avait vécu que pour respirer le même air qu'elle. Pour entrevoir les joyaux de ses yeux, sentir son parfum, attendre le contact rare de ses doigts, le murmure de sa voix, le bruissement de sa tunique.

En vérité, béni soit le Tout-Puissant qui l'avait voulu ainsi, il n'avait repris des forces et lutté contre la mort que pour demeurer en vie près d'elle ! Elle l'avait ressuscité par sa seule présence, par le nimbe que la lumière du matin posait sur sa nuque, l'ourlet de ses lèvres.

Savoir que la Kathum Attex s'était enfuie pour la cause la plus juste et même la plus sublime n'y changeait rien.

Elle lui manquait. Comme l'air manque au feu, comme la pluie manque au désert. Son absence lui ôtait la vie des membres. Elle lui déchirait le cœur, ne laissant dans sa poitrine qu'un fruit mort.

Où était-elle ?

Quels dangers bravait-elle ? Qu'allait-elle devenir ?

Que l'Éternel lui pardonne s'Il le pouvait, puisque désormais il affrontait les ténèbres : Isaac aurait donné mille ans pour être auprès d'elle. Il se serait fait chien ou gnome pour la protéger dans les épreuves, la défendre des méchants. Tant de dangers, de menaces devaient rôder autour d'elle comme des fauves autour de la biche esseulée !

Hezekiah avait raison. Plus qu'il ne l'imaginait ! Isaac était triste.

D'une tristesse infinie, inconsolable. Il souffrait plus qu'il n'avait souffert de la blessure qui avait manqué de le tuer. Son tourment était pareil à celui que lui aurait infligé une braise consumant ses entrailles, mais s'y ajoutait un supplice supplémentaire : le silence. Il ne pouvait se confier ni au rabbin Hanania ni à Hezekiah.

D'ailleurs, il ne se confiait pas non plus à lui-même le mot fabuleux qui nommait son tourment, son désir et son désespoir : l'amour !

Le garçon poussa une exclamation et posa la main sur le poignet d'Isaac :

– Regarde là-bas !

Très au sud de Sarkel, un tourbillon de poussière était emporté par la brise. On y devinait une longue caravane en train de se former. Les toisons brunes des chameaux, les toiles colorées des bâts et des dais, quelques éclats métalliques, reflets d'une arme ou d'une armure, traçaient une manière de serpent ondulant à l'assaut des collines bordant le fleuve.

– Les Grecs ! Les Grecs s'en vont ! jubila Hezekiah. Ah, comme c'est dommage qu'Attex ne puisse voir ça. Elle serait drôlement contente !

Isaac n'eut pas le temps de réagir à cette déclaration exubérante qui retournait le fer dans ses plaies : un guerrier, parvenu sans bruit derrière eux, les apostropha. Hezekiah quitta le créneau où il s'appuyait et traduisit :

– Le rabbin veut te voir.

Isaac jeta un coup d'œil en contrebas du mur d'enceinte. Il serra les poings car ses vertiges en ces situations le reprenaient vite. Devant la synagogue, chétive silhouette enturbannée, le rabbin Hanania agitait les bras en un mouvement impérieux.

– On dirait que ça presse, remarqua Hezekiah avec un grand sourire. Lui aussi, il doit être content que les Grecs soient partis !

Pourtant, lorsqu'ils parvinrent devant la synagogue, le rabbin ne semblait guère se réjouir. Gravement, il demanda à Hezekiah de le laisser seul avec Isaac.

– Ce que nous avons à faire ne concerne pas tes jeunes oreilles, Hezekiah, affirma-t-il en lançant un regard noir à Isaac. Le Khagan veut que je m'assure mieux que je ne l'ai fait du messager de Cordoue. Il craint plus que jamais les pièges de l'empereur de Byzance et se demande si ta venue, Isaac Ben Éliezer, ne serait pas une ruse supplémentaire tant il est vrai que les Grecs sont capables de tout.

– Mais ils s'en vont ! protesta Hezekiah.

– Raison de plus. Le criminel fuit en laissant le poison derrière lui, marmonna le rabbin.

– Le poison ! protesta Isaac, offusqué. Comment pouvez-vous m'accuser de... ?

Le rabbin leva une main impérieuse :

– Tu t'expliqueras dans un instant. Et toi, fils du Khagan, file chez les servantes.

Hezekiah soupira. Il osa un petit signe d'au revoir attristé tandis que le vieillard poussait Isaac à l'intérieur de la synagogue.

– Rabbi ! s'exclama Isaac qui n'en pouvait plus de rage et de honte. Je suis peiné par votre méfiance. Croyez-vous... ?

Le rabbin Hanania l'attrapa par la manche sans le laisser poursuivre :

– Je ne crois qu'en l'Alliance avec l'Éternel, béni soit Son nom. Maintenant cesse tes jérémiades et fais ce que je te demande sans discuter !

Il entraîna Isaac au pied de l'arche sainte. Sous la rambarde de bois chantourné de la *bima,* l'estrade entourant l'arche, il souleva un sac de toile et en retira une superbe tunique de femme.

– Enfile ça, ordonna-t-il.

– *Ça* ?

– Sans discuter ! Tu as peu de temps et moi peu de goût pour ces choses-là !

288

Isaac, stupéfait, ôta rapidement sa propre tunique pour passer le délicat vêtement. Le rabbin lui glissa rudement un tissu brodé de piécettes d'or dans les mains :

— Entoure-toi la tête de ce voile, cela cachera ta blessure, elle est trop voyante. Ta barbe aussi, d'ailleurs ! Et quand tu seras dehors, n'oublie pas d'enlever ta kippa. Les femmes juives n'en portent pas !

— Dehors ? Vous voulez dire hors de la forteresse ?

— Dehors, c'est dehors ! Crois-tu que c'est pour lire la Torah avec moi que je t'attife de la sorte ? Allons, allons... Vite !

Malgré la brutalité des paroles, l'expression du vieillard se faisait à chaque seconde plus pétillante de malice. Isaac s'enveloppa dans le voile, ne laissant plus voir que ses yeux. Le rabbin Hanania, ouvrant grande sa bouche édentée, émit de petits cris aigus.

— Très jolie fille ! Très jolie ! Tu ressembles à une femme de chez les Alains. Méfie-toi des soldats, Isaac, eux aussi pourraient t'apprécier...

Il repoussa Isaac vers l'armoire où était déposé le coffre contenant le rouleau du Livre. Il tira prestement sur une planche de bois qui se dégagea très simplement. Isaac, n'en croyant pas ses yeux, vit le rabbin si chétif faire coulisser sur le côté tout le vaste meuble. Le bois grinça quelque peu, résonnant dans la synagogue. Une ouverture à peine plus petite que la taille d'un homme apparut.

— Je n'ai pas de chandelle à te donner, murmura Hanania. Tant pis, tu avanceras dans le noir. De toute façon, le tunnel va tout droit, tu ne risques que de te cogner...

– Le tunnel ?

– Ma foi, je ne vois pas ce que cela pourrait être d'autre ! File... De l'autre côté, quelqu'un t'attend. Sois prudent avant de te montrer.

Isaac retrouva assez de présence d'esprit pour protester :

– Rabbi, je ne comprends pas ! Vous ne voulez plus que je rencontre le Khagan Joseph ?

– Le Seigneur nous préserve des raisonneurs ! soupira le vieil homme. Fiche le camp d'ici, Isaac Ben Éliezer. Va jusqu'au bout du tunnel et ensuite fais ce qu'on te demande. Du moins si le cœur t'en dit ! Dépêche-toi donc, il me faut encore refermer ce conduit !

Que ce fût le noir ou toutes les questions qu'il se posait, le tunnel parut bien long à Isaac. Les doigts écorchés à force de tâtonner devant lui, il buta soudain contre une porte de bois. Au toucher, elle semblait si épaisse qu'il craignit de ne pouvoir la faire basculer sur ses gonds. Pourtant, une seule poussée de l'épaule suffit à faire passer un jour qui l'éblouit.

Avec prudence, il agrandit l'ouverture. Il se trouvait dans un amas de roches et de lauriers-tins bien épais. Il dut prendre garde à ne pas y déchirer sa fragile tunique en les traversant. Par les interstices du feuillage, il devina le fleuve à quelque distance au-dessous de lui. Il était en amont de la ville de tentes, bien loin sous la forteresse. Avec maintes précautions, il écarta les derniers buissons lorsqu'un grognement lui coupa la respiration.

Il poussa un petit cri, trébucha contre une grosse pierre et manqua s'affaler.

Le visage qu'il avait devant lui sortait de vêtements de femme mais appartenait à un monstre. Seuls les yeux et le front possédaient encore quelque chose d'humain. Tout le reste n'était que bosselages déments, mâchoires déformées, lèvres de biais et nez si tordu qu'il ne possédait qu'une seule narine.

– Venez, éructa le masque d'une voix rauque dans un hébreu à peine compréhensible.

Isaac recula d'instinct.

– Qui êtes-vous ?

– Je vous ai soigné, là..., répondit le monstre en pointant un doigt anormalement gracieux vers la tempe d'Isaac.

Il se souvint de cette servante à qui la Kathum Attex donnait sans cesse des ordres. Malgré le peu d'attention qu'il lui avait portée afin de ne pas se laisser distraire de la beauté de la princesse, il avait remarqué qu'on ne lui voyait jamais le visage tant il était soigneusement dissimulé sous les voiles.

– Attex, murmura-t-il. Vous êtes la servante d'Attex !

– La Kathum attend, approuva Attiana. Vite !

– Elle m'attend ? répéta Isaac, incrédule.

– Elle attend, confirma Attiana.

Ainsi... ainsi la Kathum Attex n'était pas en fuite ?

Et donc le rabbin Hanania...

Elle l'attendait ! Lui.

Mais alors... elle aussi ?

Béni soit le Tout-Puissant !

Isaac chancela et serait tombé à genoux si Attiana ne l'avait fermement rattrapé.

Une barque était en place, une mince embarcation taillée dans un seul tronc d'arbre. Le batelier la conduisant habilement entre les remous, ils longèrent les rives du Varshan. Alors qu'ils dépassaient une sorte de hutte surmontée d'une menora de fer forgé, Isaac crut, l'espace d'un éclair, apercevoir Simon. Par réflexe il se leva de son banc. Attiana veillait. Elle le fit rasseoir d'une main aussi solide que celle d'un moissonneur.

Le village s'éloigna. Une rangée de bateaux de marchands apparut dans la courbe du fleuve qui s'élargissait et s'apaisait. D'imposants cordages enroulés autour de troncs de peupliers retenaient les navires à la rive. Le batelier mania sa rame de gouvernail de telle manière que la barque frôla la coque des bateaux. Suspendue au plat-bord de l'un d'eux, Isaac découvrit une échelle de corde. Attiana était déjà debout. Le batelier eut tout juste le temps d'immobiliser la barque avec son ancre qu'elle agrippait les barreaux.

Elle n'eut pas besoin de lui dire de la suivre.

Isaac découvrit une petite maison de bois comme encastrée dans le pont du bateau. Elle n'avait pas de fenêtres mais une porte joliment peinte en bleu. La servante le poussa devant elle sans ménagement. Ce fut lui qui en tourna la poignée de bois.

À l'intérieur, il n'y avait que des tapis, des coussins, des petites tables basses avec des cruches et des fruits, une lampe sourde et deux beaux poignards à lame recourbée.

Et elle.

Elle debout, le visage découvert, souriant.

La Kathum Attex.

Elle, avec sa chevelure de feu, son regard qui vous traversait d'un battement de cils. La soie de sa tunique verte si fine qu'elle semblait être une seconde peau. Elle fit un petit geste de la main. La porte se referma derrière Isaac. Il se retourna : la servante avait disparu.

– Attiana a son logement à l'arrière du bateau, expliqua Attex d'une voix vibrante d'émotion. Je suis heureuse que tu aies pu t'échapper !

Isaac ne put jamais se souvenir avec précision de toute cette nuit.

Il se sentit ridicule dans la tenue qu'il portait. Attex déclara avec un sourire espiègle qu'elle avait choisi elle-même cette tunique, mais elle ne lui proposa pas de revêtir un vêtement masculin. Elle le fit seulement asseoir sur des coussins, si près d'elle qu'il respirait son parfum à chaque goulée.

Isaac s'inquiéta d'elle, mais elle répondit qu'elle n'avait rien à craindre, que ni son frère ni les espions du Beck Borouh ne la trouveraient. Elle demanda à Isaac s'il savait pourquoi elle s'était enfuie. Il répondit que oui, que le rabbin le lui avait expliqué.

La voix plus basse qu'un chuchotement, les cils baissés comme si elle redoutait son jugement, elle hocha la tête, un instant silencieuse, avant de déclarer :

– J'ai su tout de suite que jamais je ne me marierais avec ce Grec. Et quand je t'ai vu dans la cour, avec la lettre des Juifs de Séfarade, ce fut comme si un ange m'était envoyé par l'Éternel ! Envoyé par l'Éternel pour éviter que Joseph ne me donne aux Grecs. Je n'ai pas cru que tu étais un homme de chair et de sang, si bien que je n'ai pas songé à les empêcher de te frapper.

À ces mots, Isaac sentit la tête lui tourner. Toute son angoisse et sa fatigue fondirent d'un coup. Il répliqua sottement :

– Ce n'est pas grave. Ça ne me fait plus mal maintenant.

– Tant mieux, murmura Attex en le faisant fondre un peu plus d'un sourire.

– Non !... Je veux dire, moi aussi. Quand je me suis réveillé, je vous ai vue et je n'en ai pas cru mes yeux.

Attex tendit la main et la posa sur la sienne.

– Je suis là, et je ne suis pas un ange. Mon frère et le rabbin pensent que je suis une peste.

Elle lui raconta sa dispute avec le Khagan, sa fuite grâce à Hanania et son espoir d'atteindre les grandes montagnes du Sud.

– Là-bas, mon oncle vit dans une grotte si grande qu'elle abrite une synagogue et des maisons. Rien ne pourra plus m'y arriver.

Elle hésita un peu et ajouta, en lâchant sa main :

– Tu peux m'y accompagner.

Isaac fut sur le point d'acquiescer, quand il entendit soudain le hoquet de colère du rabbin Hazdaï Ibn Shaprut. Il secoua la tête :

– Je ne peux pas. J'ai promis de remettre la lettre du rabbin de Cordoue au Khagan. Et je le ferai. J'ai promis que j'attendrais sa réponse. Même si je devais l'attendre dix ans, je l'attendrai.

Attex eut alors une étrange réaction. Elle s'inclina, basculant sa chevelure rousse, qui lui frôla le visage, et saisit à nouveau ses mains pour, cette fois, les baiser doucement.

Isaac, un instant, cessa de respirer. Son cœur faisait tant de vacarme qu'il n'entendait plus les roulements du fleuve contre la coque du bateau.

– Je le savais, je le savais que tu étais celui-là... Celui auquel jamais ne manqueront courage et droiture ! Je le savais. Oui, il faut que tu convainques mon frère de lire la lettre de ton rabbin et de lui répondre. Alors l'Éternel, béni soit Son nom, nous sauvera tous !

– Amen ! Oui, je crois que les choses peuvent se passer ainsi.

L'idée était si belle qu'ils ne purent retenir leur rire, les yeux brillants de joie, de désir et d'effroi.

Isaac redevint sérieux le premier et murmura :

– Elles peuvent se passer ainsi, mais ce n'est pas sûr.

Attex le contempla avec une infinie tendresse. Elle l'approuva d'un petit hochement
de tête.

– Qu'il la lise ou non, tu me rejoindras dans
la grotte des Grandes Montagnes. Je t'y attendrai. Dix ans s'il le faut.

Ces mots contenaient tant de promesses
qu'Isaac trembla sans pouvoir répondre.

Après un silence, Attex se leva et alla chercher une boîte de bois peint en disant :

– Tu dois mourir de faim !

Elle déposa la boîte devant lui et l'ouvrit.
Isaac réprima un froncement de nez. Il avait
soudain l'impression de respirer l'odeur des
algues ou du fond de la mer. Cette odeur provenait d'un amas de petits grains noirs qui
remplissait un bol de verre.

– Cela va te sembler bizarre car tu n'en as
jamais mangé. Mais je suis certaine que tu vas
aimer.

Elle rit en le voyant réprimer une grimace.

– Il n'est rien de meilleur au monde. Ce
sont les œufs d'un poisson qui vit dans la mer
des Khazars. On appelle cela du *khâviar*.

Elle plongea une large cuiller de bois dans le
bol. Elle riait à présent comme une enfant :

– Goûte ! Tu vas aimer, je le sais !

Et il aima. Les grains paraissaient s'évanouir
sur sa langue. La saveur en était étrange,
pleine des ombres de la mer, salée et douce
comme des larmes, moelleuse comme un souvenir qui s'efface. Attex riait de le voir manger
à pleines cuillers. Son bonheur rendait Isaac
encore plus gourmand, comme si ce mets
curieux contenait un peu de son mystère à elle.

Quand il eut presque achevé le bol, elle lui annonça, sérieuse :

– Ce que tu viens de manger est le plat d'amour que les femmes du royaume khazar offrent à celui qu'elles ont choisi pour époux. Moi, je t'ai choisi.

Isaac resta un instant sans comprendre, la cuiller suspendue devant sa bouche.

– Et toi, demanda Attex d'une toute petite voix, veux-tu me choisir ?

Isaac reposa la cuiller de khâviar avec autant de difficulté que si son bras était devenu de pierre.

– Oui.

Il ne fut pas certain que sa bouche ait prononcé le mot. Mais Attex s'inclina. Elle caressa sa tempe blessée. Sous ses doigts, il ferma les paupières. Alors, du bout de la langue, elle attrapa les œufs de poisson égarés à la commissure des lèvres d'Isaac. Leurs bouches se nouèrent pour la première fois.

Attex posa les doigts sur la nuque d'Isaac et prolongea le baiser si doucement, si tendrement, qu'il crut qu'elle l'enveloppait de tout son corps.

Alors les mains d'Isaac se dégourdirent enfin. Il abandonna la cuiller au tapis et effleura la hanche d'Attex, le creux de ses reins, le frémissement de tout son corps. La soie verte de la robe était encore plus fine qu'il ne l'imaginait. À travers elle, la souplesse ferme du corps de la princesse irradiait dans ses paumes.

Attex baissa les paupières avec un feulement de petit animal et posa son front contre sa joue. Isaac la sentit qui pesait de tout son poids contre lui. Il respira à travers sa chevelure parfumée. Elle le serra contre elle de toutes ses forces, comme s'il risquait de disparaître. Elle avait une voracité et une maladresse d'enfant. Isaac bascula en arrière, se cognant à un tabouret, glissant entre les coussins. Attex gloussa de rire. Leurs deux corps se plaquèrent l'un contre l'autre, des cuisses aux épaules. Ses seins s'écrasèrent doucement contre le buste d'Isaac, les pointes durcies comme si elles allaient le pénétrer.

Un instant, il crut qu'il allait se déchirer sous cette étreinte pour l'accueillir tout au-dedans de lui. Bien qu'il fût allongé, le vertige le prit. Il vacillait sous la force du désir qui lui durcissait le ventre. Ses mains continuaient à caresser les bras, les épaules, puis encore la taille, les fesses, sans vraiment oser approcher les seins, comme effrayé par une flamme trop grande.

D'un coup de dents, Attex déchira le col de la ridicule tunique qui couvrait encore Isaac. Elle posa ses lèvres fraîches sur la base de son cou. Il gémit et sentit son membre devenir si dur qu'il en était douloureux. Attex aussi le sentit, soudain hésitante. Il la repoussa doucement.

Elle se redressa, se mit à genoux. Il ne restait plus que leurs mains à être nouées. Les joues en feu, elle l'observa avec crainte.

Comme un homme qui avance dans l'obscurité, Isaac finit par balbutier :

– Jamais je ne me lasserai de te regarder. Tu es si belle.

Attex fronça les sourcils :

– Tous les hommes me le disent. Même les Grecs. Ça n'a pas d'importance que je sois belle.

Isaac battit des paupières. L'esprit lui revenait. Il comprenait ce qu'elle voulait dire. Il se souvint de l'enseignement de l'Ecclésiaste : *Ne louez pas un homme pour sa beauté, ne le méprisez pas pour sa laideur !* Cela valait sans doute aussi pour une femme.

– Non, murmura-t-il en secouant doucement la tête. Tu n'es pas belle de cette façon-là. Quand je te regarde, il me semble que le Tout-Puissant m'offre le miel de l'Éden. Tu es comme Sa main et Son regard, tu es Sa voix et Sa douceur. Il y a en toi la lumière des étoiles et celle des rivières. Avec toi, je sais pourquoi il est bienheureux que je sois un homme !

Elle sourit comme une enfant comblée, lâcha ses mains, recula. En quelques gestes précis elle fut nue.

Il n'y avait dans ses yeux d'émeraude ni doute ni honte.

– Je suis pure et tu es pur, chuchota-t-elle. C'est un vrai mariage. Le rabbin, je le sais, nous pardonnera. Le Tout-Puissant aussi. Seul Joseph ne nous pardonnera jamais. Tant pis...

Isaac sut que la phrase qu'il avait prononcée un instant auparavant devenait une réalité. La beauté d'Attex effaça en lui la buée de ses souvenirs féminins comme un chiffon efface une vapeur sur le cuivre d'un miroir.

Nue, elle s'assit sur ses cuisses, son sexe frôlant le sien. Prestement elle le débarrassa de sa tunique. L'embarras qu'il avait de son érection disparut. Elle prit sa main droite, la posa sous son sein. Puis elle tira sur sa nuque pour qu'il se redresse et en baise la pointe sombre.

Ensuite, baiser après baiser, enveloppés par le roulement du fleuve, ils inventèrent leur corps commun, la douceur ineffable du voyage d'amour où se dissolvent le temps et la promesse de la mort.

Plus tard, enlacés sur les tapis, mangeant des fruits, des gâteaux, de la volaille rôtie, ils parlèrent longtemps. Attex voulut tout savoir de son voyage et du pays d'où il venait.

Il raconta comment, autour de Cordoue, les orangers recouvraient les collines d'une floraison plus blanche que la neige et si parfumée qu'au soir, lorsque le soleil plongeait dans l'envers du monde, chacun respirait à petites goulées pour ne pas suffoquer de douceur.

Il raconta les routes bordées de cyprès. Il décrivit les maisons blanches et les patios aux portes bleues. Déclenchant son rire, il imita le murmure frais des fontaines de majoliques, les grenouilles coassant dans le crépuscule, les criquets crissant dans les talus aux portes de Cordoue. Insatiable, il évoqua les livres et les immenses bibliothèques où l'on passait des heures à apprendre et comprendre.

Il raconta les hommes savants qu'il admirait, son père l'astronome ainsi que son ami, un maître, le rabbin Hazdaï Ibn Shaprut, conseiller du calife Abd al-Rahman III, celui qui l'avait envoyé vers elle.

Il raconta enfin son voyage et sa triste rencontre avec Simon et Saül, comment ils avaient traversé le pays magyar dans la neige au risque d'être dévorés par des loups avant qu'il ne songe à leur jouer du luth.

– Je regrette de ne pas avoir mon luth avec moi cette nuit, chuchota-t-il en lui baisant les seins. J'aimerais en jouer pour toi. Hélas, il est resté avec Simon et Saül. Je le retrouverai avant de te rejoindre dans la grotte des Grandes Montagnes.

La tête reposant sur sa poitrine, Attex se tut un long moment, nourrissant sa rêverie des mots qu'il venait de prononcer. Sa main légère glissait sur le corps de son amant, sur ses cuisses et l'os de ses hanches, jouait dans les vaguelettes de ses côtes, le plat de son ventre, et contre son sexe à nouveau vif. Elle voulait que chacune de ses caresses s'inscrive dans la paume de ses mains et dans sa mémoire. Isaac ne se rendit pas compte qu'elle pleurait.

– Mon frère le Khagan va être tellement en colère contre toi qu'il ne songera plus qu'à te tuer.

Isaac prit le temps de réfléchir avant de répondre posément :

– Non. Le rabbin Hanania ne le laissera pas porter la main sur moi. Et moi je le convaincrai qu'il doit répondre au grand rabbin de Cordoue. L'Éternel, béni soit Son nom, ne permettra pas qu'il en aille autrement. Il me donnera une audience ! Demain, j'irai me prosterner devant lui quand il sortira de la prière et il faudra bien qu'il m'écoute.

Attex se redressa sur un coude et secoua sa chevelure de feu, les yeux pleins de tristesse :

– Tu ne pourras pas. Il doit partir... Ils vont tous partir : le rabbin, le Beck, la garde royale...

– Partir ? Quitter la forteresse ?

Attex approuva d'une caresse sur sa cicatrice.

– Oui. Pour Itil, notre capitale au bord de la mer. Des messagers sont arrivés hier, annonçant que les Russes voulaient à nouveau la conquérir ! Demain au plus tard, peut-être cette nuit, ils se mettront en route... Joseph ne t'accordera pas d'audience avant longtemps !

Isaac ferma les yeux pour mieux réfléchir.

– Je dois d'abord retrouver mes compagnons, Saül et Simon. Ensuite, je poursuivrai le Khagan dans tous ses palais s'il le faut...

Attex savait qu'il ne parlait pas ainsi par forfanterie. Son cœur s'en déchirait car elle ne pouvait qu'admirer et craindre cette obstination.

Elle sourit à travers ses larmes :

– Peut-être y parviendras-tu. Quand tu auras ta précieuse lettre, si tu le veux, je t'accompagnerai dans le pays séfarade. J'y serai à mon tour l'ambassadrice de mon frère et ton épouse véritable...

Elle rit comme si c'était là une folle promesse.

L'émotion brouilla les yeux de Isaac, il leva les mains pour caresser les seins de son amante. La nuit autour d'eux n'avait désormais ni début ni fin.

Le goût de leur chair redevint le pur délice de l'amour et ils oublièrent tout du poids des lendemains.

À l'aube, ils dormaient enfin lorsque Attiana vint frapper à la porte, annonçant que les bateliers se préparaient. L'adieu fut brutal et rapide. Attex avait soigneusement préparé des vêtements à la mode khazar : une longue tunique bleu et jaune, une ceinture de cuir doublée de tissu et de belles bottes de cavalier, si souples et si légères qu'elles enveloppaient pieds et mollets comme une seconde peau.

Ils firent de leur mieux pour retenir les pleurs et conserver des sourires de promesses.

Isaac quitta le bateau, rejoignant la berge sur une planche lancée depuis le plat-bord. Dans sa main, il serrait une grosse médaille d'argent comme celle qui pendait autour du cou d'Hezekiah. Un chandelier à sept branches y était moulé sur une face et sur l'autre des signes apparaissaient qu'il ne parvint pas à déchiffrer.

– Seuls les membres de la famille du Khagan possèdent cette médaille, avait expliqué Attex. Si tu veux retourner dans la forteresse, il te suffira de la montrer aux gardes. Il serait plus sage que tu viennes avec moi ou que tu quittes le royaume. Mais je sais que tu ne feras ni l'un ni l'autre. Que le Tout-Puissant te garde, mon amour.

Isaac aida lui-même à dénouer les amarres attachées aux troncs de peupliers.

L'aube était à peine fraîche, mais la lumière belle comme au premier jour du monde. Le bateau s'écarta de la berge en dansant sur l'eau. Puis il s'éloigna, lentement, battu par les remous jaunes du fleuve.

Isaac vit les bras d'Attex se lever et la brise agiter sa chevelure. Sa robe verte et ses cheveux roux devinrent une fleur s'estompant dans l'espace qui fuyait, comme si rien, cette nuit, n'était réalité.

Pourtant, il percevait encore sur sa peau le parfum de la princesse. Dans le silence qui descendait jusqu'au fond de ses entrailles, il l'entendait prononcer son nom.

24

Bakou, Azerbaïdjan

mai 2000

Sofer fut réveillé en sursaut par la stridula-
tion aigrelette du téléphone. Un coup d'œil
aux aiguilles phosphorescentes de sa montre
lui indiqua quatre heures dix. Il songea un instant à jeter l'appareil sur l'épaisse moquette
pour l'y oublier et se rendormir. Quels imbé-
ciles l'appelaient à pareille heure ?

Il décrocha le combiné et, en guise de salut,
poussa un grognement qui ne cachait rien de
sa mauvaise humeur.

– C'est Lazir, fit la voix du champion de
lutte.

– Nom de... Vous avez vu l'heure ?

– Bientôt quatre heures et quart, monsieur
Sofer, répondit placidement Lazir. Je suis en
bas.

– En bas ? Ici, à l'hôtel ?

– Oui. Juste devant l'hôtel, dans la voiture.
La Mercedes blanche.

– Qu'est-ce que vous fichez là ?

– Monsieur Sofer, il faudrait que vous des-
cendiez et que vous veniez avec moi.

– Venir où ?

– Vous verrez. Je suis certain que ça vous intéressera.

Sofer se passa une main sur le visage, sentit sa barbe naissante contre sa paume. Il se réveillait pour de bon. Dans la pénombre de la chambre il devinait ses vêtements sur un fauteuil et la boîte de caviar offerte par Thomson sur la table. Il l'avait mangé d'une traite avant de s'endormir, comme par rage contre l'Anglais. Ce souvenir lui rappela le trop grand nombre de verres de vodka ingurgités avec le caviar et acheva de briser les dernières langueurs du sommeil où il tentait de se maintenir.

– C'est important ? demanda-t-il.

– C'est important.

La voix de Lazir ne laissait planer aucun doute.

– Bien. J'arrive, dit Sofer avec un soupir. Je me rase et j'arrive.

– Gardez votre barbe, monsieur Sofer ! Nous n'avons pas le temps. Prenez seulement un vêtement chaud : les nuits dans le Caucase sont toujours plus fraîches qu'on ne l'imagine.

Ce n'était pas vrai. Lorsque Sofer traversa la rue pour atteindre la Mercedes où rougeoyait la cigarette du champion de lutte, l'air chaud et humide se plaqua contre son visage.

– J'espère que c'est vraiment important, lança-t-il avec aigreur en s'asseyant près de Lazir. Parce que pour ce qui est du chaud et du froid, vous ne dites que des âneries.

Lazir sourit aussi gentiment que ses incisives en or le permettaient.

– Ne vous en faites pas, fit-il en démarrant. Vous ne serez pas déçu. Et vous aurez besoin de votre petite laine...

La voiture parvint à cent kilomètres à l'heure en quelques secondes, les projetant dans les rues vides de Bakou, inondées de lumières jaunes.

– Où me conduisez-vous ? demanda Sofer qui croyait le deviner.

– Pour l'instant sur le port.

– Et ensuite ?

– Je ne peux pas vous le dire !

Sofer grommela, tentant d'avoir une grimace moqueuse.

– Que de mystère, mon ami ! Et pour quelle raison me conduisez-vous sur le port ?

Lazir secoua la tête, grillant un feu rouge avec autant de complexes qu'une hirondelle.

– Je ne peux rien vous dire. Vous verrez !

– Oh, je vous en prie ! J'ai passé l'âge des enfantillages. Ce n'est pas l'heure non plus. Et je n'ai jamais aimé les bouquins du Club des Cinq !

– Le Club des Cinq ?

– Des âneries ! soupira Sofer. Bon, vous êtes quoi, Lazir ? Le « Renouveau khazar » ? Ou seulement un mafieux de Bakou ?

Lazir partit d'un grand rire. Il rétrograda pour tourner à droite dans Nettchilyar Avenue. Ils roulaient à cent vingt, la Mercedes, un peu lourde, plongea du nez et l'arrière survira exagérément. Lazir aimait ça. Les pneus crissèrent sur la chaussée bombée, il contre-braqua sans brutalité et accéléra à fond en direction des murs du caravansérail. Les balcons de bois et les remparts de la vieille ville défilèrent à toute vitesse sous le regard de Sofer tandis que Lazir lui répondait posément :

– Depuis que vous êtes arrivé, monsieur Sofer, vous voulez absolument que je sois un mafieux ! Pourquoi ? Vous avez besoin d'un rôle de mafieux dans le bouquin que vous écrivez ?

– Que va-t-on faire au port à quatre heures du matin ? insista Sofer, vexé.

Lazir jeta un regard sur la montre du tableau de bord et corrigea :

– Quatre heures trente-cinq... Il faut être à l'heure ! Je ne peux rien vous dire, désolé. Ne vous en faites pas, relaxez-vous. Vous aurez bientôt toutes les réponses à vos questions. Toutes... Ouvrez grands les yeux. Je ne vous dérange pas pour rien, je vous assure.

L'avenue sembla s'élargir soudain devant eux. Sofer comprit qu'ils longeaient la mer encore dissimulée par la nuit. Sur sa gauche, des ombres piquetées de centaines de points lumineux apparurent. Les derricks ! Les fameux puits de pétrole...

Au même instant, ralentissant à peine, Lazir tourna à nouveau sur la droite. La voiture se glissa comme une tornade dans un dédale de rues étroites. Ils commencèrent à monter. Le quartier était plus pauvre, moins bien éclairé, mais plus vivant aussi. Des hommes apparurent, à pied ou à vélo, poussant des charrettes ou chargeant des camionnettes. Pour eux la journée commençait.

Le quartier s'achevait par une bande de terrains vagues où gisaient de vieilles voitures, des réfrigérateurs ou des canalisations hors d'usage. Lazir s'engagea sur une route mal goudronnée, défoncée par les camions, et qui rejoignait un entrelacs d'immeubles en construction.

Ils s'élevaient de plus en plus. Sofer commença à entrevoir les lumières de Bakou sur sa droite. Bientôt, ils ne roulèrent plus que sur une piste. Soulevant un nuage de poussière pâle dans les premières lueurs de l'aube, la Mercedes décrivit une grande courbe, comme s'ils revenaient vers la mer.

Ce qui était le cas.

– Voilà, déclara Lazir d'un petit ton satisfait en coupant le moteur.

Sofer quitta la voiture, subjugué par le spectacle. Ils se tenaient juste au bord du plateau surplombant la baie pétrolière de Bakou. Au-dessous d'eux, à perte de vue, ce n'étaient que pylônes de fer, derricks, enchevêtrement de pipelines, une incroyable forêt métallique surgissant sous les projecteurs. Çà et là on pouvait entrevoir les lourds croissants de fonte des bascules de pompage, lentement et inlassablement animés.

Au pied du plateau, sur la rive, à deux cents mètres à vol d'oiseau, des grues immenses, des barges, des sortes d'ateliers flottants étaient illuminés par des batteries de projecteurs halogènes. Autour, le sol paraissait marécageux.

Des flaques noirâtres reflétaient tout à la fois la nuit et les lumières artificielles.

– Deux minutes d'attente, annonça Lazir.

Sofer commença à se douter de ce qui allait advenir. Mais il évita de penser à ce que cela signifiait. Il se demanda seulement : où ?

Loin à l'est, rasant la mer des Khazars, le jour monta. Une bande lumineuse s'élargissait là-bas sur l'horizon comme une coulée de lait.

Et puis, à ses pieds, l'explosion embrasa la rive.

Avant même d'entendre la déflagration et d'en percevoir le souffle contre sa poitrine, Sofer vit les flaques s'enflammer. Une boule de feu tourbillonna et se concentra au pied d'une grue de levage haute comme un immeuble de dix étages. Le claquement de l'explosion brisa l'air. La flamme jaune clair se dilata, souleva la grue, la disloqua, réduisant les poutrelles de vingt tonnes en fétus tournoyants, les projetant dans le rouge de l'embrasement qui gagnait l'obscurité de la nuit, y jetant des boules incandescentes pareilles à des gueules de fauves.

Sofer recula par réflexe. Lazir siffla d'admiration.

Quelques secondes le feu sembla prendre le ciel. Ils entendirent les poutrelles retomber les unes sur les autres avec des tintements discordants de xylophone. Mais déjà la flamme se rétractait dans un chuintement grave. Elle sombra sur elle-même, s'égaillant en une dizaine de brasiers qui parurent minuscules. Il y eut un grincement déchirant. Une barge qui s'était soulevée s'affaissa sur le côté comme une tortue géante.

– Eh bien, cette fois, ils ont mis le paquet ! s'exclama Lazir.

Sofer déglutit. Il se rendit compte qu'il avait cessé de respirer le temps de l'explosion. La main de Lazir effleura son bras :

– Venez, faut pas traîner ici, maintenant !

Tandis que Lazir relançait la Mercedes dans la poussière, Sofer vit le ciel au-dessus du complexe pétrolier rougeoyer comme la voûte d'un âtre.

Sa conversation de la veille avec Thomson lui revint. Avec autant d'abattement que d'exaspération, il constatait que l'Anglais avait jusque-là raison en tout point. Il était trop tard pour empêcher le second attentat perpétré par le « Renouveau khazar ». Il venait d'avoir lieu.

À la pensée que l'enquêteur de la Lloyd's pût avoir raison en tout, Sofer sentit la colère et le dégoût monter en lui.

– Ce sont les installations de l'O.C.O.O. qui viennent de sauter ? demanda-t-il, glacial.

Lazir le regarda, surpris. Un malin sourire découvrit les lueurs de ses dents :

– Pas du tout ! Cette fois, c'est le consortium américain d'Exxon et Chevron qui a fait boum ! Chacun son tour...

Lazir se mit à rire. Le soulagement de Sofer était tel qu'il faillit bien en faire autant.

– Et ne vous inquiétez pas, ajouta Lazir. Il n'y a aucun risque de pollution et pas de victimes. C'était seulement une installation de construction de derricks. Ils ne travaillent pas de nuit...

Sofer sourit. Thomson n'avait pas raison en tout ! Assurément une bonne nouvelle.

– Je suppose que je vais enfin savoir qui sont ces mystérieux « Renouveau khazar », fit-il, à nouveau plein d'entrain.

Lazir ne répondit pas. Il bifurqua sur la gauche à l'entrée des chantiers d'immeubles, tournant le dos à la rue par laquelle ils étaient arrivés. Ils progressèrent en cahotant entre des réservoirs d'eau, des cuves de béton et des rouleaux de treillis métalliques. Un peu plus loin, la Mercedes pénétra dans une cour encombrée de pelleteuses avant de s'immobiliser derrière un 4 × 4 Nissan Patrol noir. Sofer crut le reconnaître alors que Lazir donnait un léger coup de klaxon. Un jeune garçon en descendit et leur sourit.

– Venez, fit Lazir en ouvrant sa porte sans couper le moteur. On change de carrosse.

– Pour aller où ? questionna Sofer sans bouger.

Lazir ne répondit pas. Il quitta la voiture pour laisser sa place au jeune garçon. Comme Sofer n'abandonnait pas son siège, le garçon cessa de sourire. Il jeta un regard inquiet en direction du champion de boxe.

Avec une mimique de père tentant de garder son calme face aux caprices de sa progéniture, Lazir contourna la Mercedes et ouvrit la portière de Sofer :

– Venez, s'il vous plaît. Nous ne devons pas traîner.

– Je vous ai demandé pour aller où ? Qu'est-ce qui vous donne le droit de disposer de moi à votre guise ? Qu'est-ce qui vous fait croire que j'accepte d'avance de me comporter comme... comme votre complice ?

Le regard de Sofer était aussi aimable qu'une lame de couteau. Lazir haussa les épaules avec fatalisme. Il désigna le vêtement de Sofer sur le siège arrière :

– Prenez votre pull-over et votre mal en patience. On va en Géorgie. Quinze heures de route si tout va bien. Le Nissan, c'est pas un engin bien rapide. Mais au moins, il est confortable quand on roule en montagne. Là-bas, des gens ont envie de vous voir. Une certaine personne en particulier. Mais, c'est d'accord, vous êtes libre de refuser. On ne vous enlève pas. Vous donnez le nom de votre hôtel à ce gosse et il vous y emmène...

Il se tut, leva un doigt en l'air et cligna de l'œil. Le hululement des sirènes réveillait la ville.

– Les voilà, dit-il en tournant les talons pour s'installer dans le 4 × 4 Nissan. À vous de décider.

Durant quelques secondes, alors que les sirènes se rapprochaient, Sofer dévisagea le jeune garçon éberlué. Finalement, il lui octroya une petite tape amicale sur l'avant-bras, lui souhaita une bonne journée et alla rejoindre Lazir.

C'était vrai. Le 4 × 4 était lent et confortable. Sofer apprécia. Bien qu'il n'en fît rien paraître, il aimait la tournure prise par les événements, leur fumet d'aventure et de mystère. De ne pas savoir où on le conduisait lui donnait l'impression d'être plus léger, comme s'il devait moins se soucier de la réalité. Alors qu'ils laissaient Bakou derrière eux, il songea qu'il n'avait même pas un carnet pour prendre des notes. Son ordinateur était resté à l'hôtel. Tant pis, le roman attendrait. Ce qu'il vivait devenait bien plus amusant que ce qu'il pouvait écrire !

Il pensa encore à Agarounov. Ils avaient rendez-vous dans deux heures. Il n'y serait pas. Tant pis aussi. Il lui expliquerait plus tard.

Il s'endormit avant que le jour soit complètement levé, récupérant de sa nuit gâchée. Il fit un rêve bizarre, sans doute inspiré par l'attentat, plein de feu et de chaos guerrier. Lorsqu'il se réveilla, ils étaient déjà en haute montagne. La route était à peine assez large pour le 4×4 et serpentait sous d'immenses frênes à travers lesquels dansaient des rayons de soleil.

– Bien dormi ? demanda l'infatigable Lazir. La radio vient d'annoncer l'attentat. Tout va bien...

– Tout va bien ! grommela en écho Sofer. Si vous le dites !

Ils parvinrent à un col. La forêt cessa, remplacée par une herbe courte et grasse. Durant de longues heures ils sinuèrent entre des vallées d'où parfois surgissaient de petits villages isolés. Lorsqu'ils les traversaient, les habitants s'immobilisaient et les observaient avec autant de surprise que si la voiture avait été une soucoupe volante. Des vaches et des moutons paissaient sur les pentes. De temps à autre, ils

314

doublaient ou croisaient des hommes à cheval, une houe sur l'épaule, une gourde de peau en bandoulière. Ils entrevirent des chars de foin, des femmes avec des fichus sur la tête et des robes à pois qui maniaient des fourches de bois.

Non seulement Sofer ignorait absolument où il se trouvait, mais il ne savait plus en quel siècle il vivait.

Au début de l'après-midi, une centaine de mètres après avoir franchi un nouveau col, Lazir stoppa la voiture. Devant eux la vallée qui s'ouvrait laissait porter le regard loin vers l'ouest.

Le champion de lutte prit un sac de toile à l'arrière du 4 × 4 et le tendit à Sofer.

– Il y a de quoi manger là-dedans. Saucisson, fromage et fruits. Du vin aussi. Vous êtes français, on a pensé que ça vous plairait !

Sofer faillit demander qui était *on*, mais Lazir sortait du sac une paire de petites jumelles.

– On est à deux pas de la frontière, expliqua-t-il. Je vais voir comment ça se présente.

Il disparut sur la route tandis que Sofer se découvrait une faim de loup. Le vin était doux, sirupeux, comme recuit. Un vin de vieille dame, songea-t-il. Il en but cependant une large rasade à même le goulot. Décidément, rien ne parvenait à entamer sa bonne humeur. Il se sentait comme un enfant que l'on emmène en vacances-surprises !

Une demi-heure plus tard, Lazir revint. Il se contenta d'un sobre hochement de tête en guise de rapport.

– Vous ne mangez pas ? lui demanda Sofer.

– Je mangerai ce soir. En route, c'est la bonne heure.

Un peu plus loin, il quitta la chaussée et s'enfonça dans un chemin de traverse qui descendait jusqu'à une rivière bondissante. Ils la traversèrent à gué avec un peu de difficulté, le 4 × 4 ripant et tanguant sur les pierres humides. Lazir ne donna pas signe d'inquiétude un seul instant. Ils remontèrent sur la berge opposée, une sorte de lent talus herbeux, et continuèrent en roulant dans les champs pendant deux kilomètres. Finalement, une route apparut, défoncée et poussiéreuse.

– Bienvenue en Géorgie, rigola Lazir.

– C'est fait ?

– Depuis la rivière.

– C'est ainsi que passent d'un pays à l'autre les combattants de Tchétchénie ou du Daghestan ? demanda Sofer.

Lazir secoua la tête.

– Non, eux, ils restent sur la route. Ils paient leur passage en dollars au douanier. C'est plus simple.

Une heure plus tard, ils entrèrent dans une plaine aussi sèche qu'un désert. Des champs en friche se succédaient au pied des montagnes. Sofer entrevit quelques chapelles orthodoxes au loin, des bâtiments délabrés, peut-être d'anciennes usines ou des caves désaffectées. La route était de plus en plus défoncée par les nids-de-poule. Bien qu'elle soit rectiligne, Lazir devait ralentir sans cesse et même quelquefois rouler sur la terre du bas-côté, plus confortable. Des panneaux en géorgien, au graphisme à mi-chemin entre le latin et le cyrillique, pendaient ici ou là à des poutrelles rouillées. Au détour d'un virage, ils découvrirent une cinquantaine de personnes formant un rang serré, femmes ou hommes, bêchant un champ à la houe.

– Il n'y a plus de tracteurs en Géorgie, expliqua Lazir à Sofer médusé. Plus de tracteurs, plus de trains, plus d'usines... Plus grand-chose depuis la guerre civile de 1993. En moins de dix ans, c'est comme s'ils étaient revenus au début du siècle !

Ce sentiment de désolation dura aussi longtemps qu'ils suivirent la plaine au pied des pentes du Caucase. Deux fois, ils passèrent dans des villages qui semblaient abandonnés, sans même une poule ou un chat pour traverser la route. À l'entrée d'un troisième, sous un préau de tôles rouillées, quelques vieilles femmes les suivirent des yeux, la mine inquiète. Lazir longea le mur d'une petite chapelle, emprunta une rue ombragée par des eucalyptus et bordée de maisons basses aux beaux balcons de bois ou de zinc. Puis ils recommencèrent à s'enfoncer dans la montagne. Cette fois, Sofer ne put en profiter.

À peine le village disparu dans les rétroviseurs, Lazir arrêta le 4 × 4. Il fouilla dans sa poche et en sortit un tube contenant deux comprimés :

– Désolé, monsieur Sofer, il va falloir que vous avaliez ça.

– Eh !

– Un somnifère, rien de terrible.

– Lazir ! C'est absurde, j'ignore où nous nous trouvons. Je ne lis pas le géorgien ! Ce qui est inscrit sur les panneaux, c'est du chinois pour moi...

– Là où on va, il y en a en russe, s'amusa Lazir.

– Écoutez, je...

– Ce sont les ordres. Avalez ces comprimés et installez-vous sur la banquette arrière. Vous vous réveillerez frais et dispos. Je suis certain que vous serez tout content de la voir...

– *La* ? *La voir* ? Qui ça, bon sang ?

– Faites ce que je vous demande, gronda subitement Lazir. Il est tard, j'en ai marre et je voudrais arriver avant la nuit.

Sofer prit les comprimés, les avala et sortit de la voiture.

Il n'y avait autour de lui qu'un sous-bois. La phrase de Lazir l'obsédait : « Vous serez tout content de la voir. »

Pas la peine qu'il lui demande encore une fois qui.

Évidemment, *elle* !

Ce 4 × 4 dans lequel il roulait depuis des heures était celui-là même dans lequel il l'avait vue monter l'avant-veille, à l'aéroport de Bakou.

– Alors, vous venez ou je dois vous pousser dans la voiture ? demanda Lazir en faisant rugir le moteur.

25

Itil

juillet 955

   – Nous serons à Itil dans deux jours et que feras-tu alors ? Rien. Tu attendras ! Comme à Sarkel. Tu bavarderas avec ce vieux bon à rien de rabbin. Mais le Khagan, lui, tu ne le verras pas ! Attendre, c'est tout ce que tu sais faire, Isaac. Attendre et attendre ! Tout ça pour une lettre qui ne contient que des rêves et des erreurs... Jamais je n'aurais dû te suivre. Jamais je n'aurais dû écouter le changeur Nathan quand il m'a proposé de t'accompagner ! Que le Tout-Puissant, béni soit Son nom, me foudroie si je blasphème, mais votre Khagan des Khazars n'est pas le Messie et ne le sera jamais ! Il n'est pas même un vrai roi des Juifs. Un roi des Juifs te traiterait-il comme il l'a fait, te tuant à demi, t'enfermant, refusant de te recevoir ? Et, puisque tu le dis, un roi des Juifs offrirait-il sa sœur en cadeau aux Chrétiens ? Réfléchis un peu, si tu en es capable...

   – Saül, s'il te plaît !

   – Non, il ne me plaît pas. Rien ne me plaît. Surtout pas toi, Isaac ! Tu étais déjà fou et le

coup que tu as pris sur la tête n'a rien arrangé.
La vérité, c'est que ton Khagan Joseph n'est
qu'un seigneur de guerre comme il s'en dépose
sur cette terre autant que de crottes de bique.
Tous pareils, et toujours prêts à étriper leurs
prochains. Et d'abord nous, les Juifs. Voilà la
vérité ! Je te le demande : à quoi sert désormais cette lettre que tu conserves contre ta
poitrine comme si tu voulais la mettre à la
place de ton cœur ? Pourquoi t'obstines-tu à
vouloir la faire lire à ce faux Juif puisque lui
ne veut pas, que son rabbin le lui ordonne et
qu'il ne l'écoute pas ? À la bonne heure !...
Qu'est-ce que je fais ici, moi qui ne suis qu'un
commerçant, sinon perdre mon temps et ma
bourse ? Je n'achète rien, je ne revends rien.
Chaque jour qui passe je deviens plus pauvre
que Job ! Voilà ce que je fais ! Mais de
cela messire Isaac se moque. Il ne répond que
d'un haussement d'épaules. Peu lui chaut que
nous risquions de trépasser pourvu que nous
accomplissions son caprice...

– Tais-toi, Saül...

– Que non ! J'en ai autant pour toi, Simon.
Ce n'est pas seulement que tu aies la jugeote
d'une bourrique tournant autour d'un puits,
c'est que j'en ai plus qu'assez de t'entendre
vénérer ces sauvages qui nous entourent.
Regarde un peu autour de toi. Regarde-les, ces
Khazars ! Trouves-tu qu'ils sont juifs ? Avec
leurs yeux d'Asiates, leurs moustaches de
Huns, leurs armes de Chinois et leurs bottes de
Norois ? As-tu vu comment ils mangent, sans
même se soucier de purifier les bêtes de leur
sang ?

– Tais-toi, Saül !

Le cri de Simon résonna si fort par-dessus les bruits de sabots que, tout autour d'eux, les cavaliers khazars se retournèrent d'un bloc sur leurs selles, la main déjà posée sur les poignards.

La face écarlate de fureur, Simon ne leur prêta aucune attention et répéta, à peine moins fort :

– Tais-toi, ou c'est moi qui t'étripe sur-le-champ !

– Il est inutile de se disputer, intervint Isaac d'une voix apaisante. D'autant qu'il y a beaucoup de sagesse et de bon sens dans les paroles de Saül.

Ils se turent un instant, les yeux rivés sur la colline boisée qui surplombait le grand fleuve. La lumière du crépuscule en éclairait la lisière d'une teinte de cuivre fondu. Le gros de la troupe du Khagan était à plus d'une demi-lieue, sans doute déjà à l'arrêt et préparant les tentes pour la nuit. Eux, comme chaque soir, devraient se contenter des feux de l'arrière-garde et de la lune pour ciel de lit.

Pour la millième fois, Isaac jeta un regard sur la chaîne qui reliait les boucles des mors de leurs chevaux. Ils n'étaient pas enchaînés, mais leurs montures l'étaient. Ce n'était pas moins humiliant et certainement aussi efficace.

Tout était advenu avec une grande rapidité. Après avoir vu disparaître le bateau emportant Attex, Isaac s'était dirigé vers le village de Sarkel, dans l'espoir de rejoindre ses compagnons.

Il n'avait pas atteint les premières tentes qu'une troupe de cavaliers, lances en avant, l'encerclait. À leur tête, il reconnut sans peine le chef des gardes du Khagan qui l'avait blessé à son arrivée. Cette fois, le Khazar se contenta de lui octroyer un coup dans le dos du plat de son épée !

Isaac sortit de sa ceinture la médaille offerte par Attex et qui devait lui permettre d'entrer sans difficulté dans la forteresse. Il la brandit à la face de l'officier. Le résultat fut à l'opposé de tous ses espoirs. Le chef des gardes s'en saisit avec des hurlements. À sa mine furieuse, Isaac comprit bien vite qu'on le prenait pour un voleur. Hélas, qu'il fût juif ou pas, l'officier du Khagan n'entendait pas un mot d'hébreu ! Malgré tous ses efforts, Isaac ne parvint pas à briser cette confusion.

Sans ménagement, le fer des lances dans le dos, il fut escorté jusqu'à la grande cour de Sarkel-la-Blanche. Sa surprise fut absolue lorsqu'il y découvrit, suant sous le soleil et des fers aux chevilles, Saül et Simon. Ses deux compagnons étaient si pétrifiés de terreur qu'ils ne montrèrent aucun soulagement à le revoir !

En quelques phrases chuchotées, ils lui expliquèrent qu'à l'aube une troupe d'archers, aussi terribles que ceux qui avaient immobilisé le convoi de bateaux en amont de la ville, avait investi l'enclos des étrangers où dormaient pêle-mêle les marchands et les bateliers. Les archers avaient questionné les commerçants et les marins blêmes de peur. Il n'avait pas fallu longtemps avant que des doigts se pointent sur Saül et Simon. Après quoi, en moins de temps qu'il n'en faut pour le dire, ils s'étaient retrouvés enchaînés comme des assassins.

Isaac, lui, n'eut pas le temps de répondre à leurs pressantes questions. Un géant apparut dans la cour. Il portait un casque magnifique, à la turque, incrusté d'argent ciselé, ourlé d'une soie pourpre et muni d'un pan de velours rembourré sur la nuque. Ses moustaches étaient presque aussi longues que la natte qui lui pendait dans le dos ! Son regard semblait fait du même métal que les plaques cousues sur son manteau de peau.

À sa vue, les archers cessèrent leurs bavardages. Ils se figèrent dans une immobilité respectueuse. Leur officier accourut, s'inclina devant ce seigneur, allant même jusqu'à poser un genou au sol. Isaac avait reconnu sans mal celui dont Hezekiah parlait avec tant d'admiration : le grand chef de guerre des Khazars, le Beck Borouh, leur faisait l'honneur d'une visite !

L'homme le dominait d'une tête. Il s'approcha tout près, le toisa comme s'il allait le réduire en poussière. Isaac découvrit, pendue à son cou, une étoile aux branches croisées que certains Juifs des tribus d'Orient appelaient l'étoile de David et aimaient à arborer. Comme le silence durait et qu'il n'était toujours pas devenu poussière, Isaac parla le premier :

– Je suis Isaac Ben Éliezer, annonça-t-il avec autant de fermeté qu'il en était capable. Je suis l'envoyé du grand rabbin de Cordoue et à ce titre ambassadeur des Juifs de Séfarade.

Ceux-ci, que vous avez enchaînés honteusement, se nomment Saül et Simon. Ensemble nous avons traversé la moitié du monde pendant un an pour rencontrer le Khagan Joseph à qui j'ai une lettre à remettre...

Le Beck Borouh esquissa un sourire de grand gel. Ses moustaches découvrirent des dents parfaites, ce qui était extrêmement rare pour un homme de son âge. Tel un magicien, il fit apparaître entre ses doigts la médaille offerte par Attex :

– Il semble que tu aies vu la Kathum Attex, voyageur Isaac Ben Éliezer, remarqua-t-il d'une voix rauque et dans un hébreu laborieux. Cette médaille lui appartient. Soit tu es un voleur, soit elle te l'a offerte. Que préfères-tu que je pense ?

– Je connais la Kathum. Elle m'a soigné avec beaucoup d'attention, lorsque j'ai été blessé par celui-là, répondit Isaac en désignant le chef des gardes.

– Ça, je sais, grogna le Beck. Ne me prends pas pour un imbécile, voyageur. La Kathum s'est enfuie de la forteresse. Elle a désobéi à notre Khagan et risque la mort. Mais toi, tu l'as vue cette nuit. Il me suffit de te regarder pour le savoir. Ces vêtements que tu portes viennent des fabriques de notre capitale. C'est la Kathum qui te les a donnés, n'est-ce pas ?

Isaac ne répondit pas et fit de son mieux pour ne pas rougir.

Le Beck Borouh s'avança d'un pas. Isaac perçut l'odeur de suint et de fer chaud que dégageaient sa cuirasse et son manteau.

Borouh leva la pièce d'argent.

– Tu dois dire où est la Kathum, voyageur Isaac Ben Éliezer. Sinon, je te mettrai à rôtir comme un dindon !

Les regards de Saül et de Simon pesèrent sur Isaac, pleins de stupéfaction. Cependant, dans les yeux du Beck Borouh, Isaac avait perçu un éclat moins dur que les paroles prononcées, presque une lueur d'amusement. Aussi répondit-il, la voix ferme et calme :

– Il est inutile de chercher la Kathum Attex, messire le Beck. Elle n'épousera pas le Grec de Byzance. Elle ne reniera pas la loi de Moïse et ses commandements pour se coucher dans le lit d'un Gentil. Le Khagan Joseph devrait me recevoir et m'entendre au lieu de me menacer. Son salut devant l'Éternel passe aussi par ce que j'ai à lui dire !

Le Beck émit un curieux grondement, rire ou rugissement. Son sourire de glace réapparut. Il jeta un coup d'œil aux guerriers qui les entouraient comme s'il voulait s'assurer de leur obéissance.

– Voilà un voyageur qui ne manque pas d'aplomb ! Le Khagan Joseph et moi allons d'abord occire les Russes. Ensuite je m'occuperai de toi.

– Je ne vous dirai pas où est la Kathum, même si vous me mettez à rôtir ! protesta Isaac. Le Tout-Puissant saura m'accueillir près de Lui !

Cette fois, le Beck éclata de rire :

– Tu es plaisant à entendre. J'espère que tu ne te vantes pas.

– Je veux voir le rabbin Hanania ! insista Isaac, vexé.

– Je serais à ta place, voyageur Isaac Ben Éliezer, je ne voudrais rien du tout. Le rabbin a quitté la forteresse cette nuit en charrette. Il est en route pour Itil. Sache que lui aussi a désobéi au Khagan en te laissant filer hier soir !

– Un rabbin n'obéit qu'au Tout-Puissant ! jeta Isaac pour avoir le dernier mot.

Et ce fut ainsi qu'ils quittèrent à leur tour Sarkel-la-Blanche, tous les trois sur de mauvais chevaux enchaînés, noyés dans la cohorte de l'arrière-garde de l'armée royale, où pas un homme ne comprenait l'hébreu ni même le russe de Saül !

En trois jours d'une course épuisante, depuis les premières lueurs de l'aube jusqu'à la nuit tombée, ils avaient chevauché à travers la steppe, immense et plate, affrontant un vent continuel de poussière.

À chaque bivouac ils devaient accepter en silence les manières rudes des guerriers khazars. Ils dormaient sous les étoiles. Dans ce désert, le froid venait vite malgré l'incandescence du jour. Ils trouvaient difficilement le sommeil. Pour meubler les longues heures d'obscurité, Isaac avait, par le menu, raconté à ses compagnons son arrivée dans la forteresse et tout ce qui s'en était suivi. Presque tout, voilant d'un pudique mensonge la vérité de sa nuit auprès d'Attex.

Simon plusieurs fois lui avait demandé de dépeindre la beauté de la princesse. Les descriptions d'Isaac le ravissaient. Mais Saül contenait de plus en plus mal sa colère :

– Belle ou pas, qu'est-ce que cela peut bien nous faire ? Tu l'as aidée à fuir en te mêlant de ce qui ne te regardait pas. S'il manquait au roi des Khazars une raison pour nous trucider selon son bon plaisir, celle-là sera mille fois suffisante. Tu ne penses qu'à toi, Isaac, comme toujours ! Cela te va bien de proposer aux Khazars de te rôtir pour sauver cette donzelle. Mais moi ?

– Saül, protestait Simon, les larmes aux yeux, cette princesse obéit au rabbin. Elle est aussi pleine de courage que belle en accomplissant ce que toute femme juive devrait faire en une pareille situation. La voudrais-tu dans le lit d'un Grec de Constantinople ? Ne te souviens-tu pas comment ma propre épouse est morte de la méchanceté des Chrétiens ?

– J'en suis bien désolé pour toi, compagnon, avait répliqué sèchement Saül. Mais elle n'était pas la première et ne sera pas la dernière. Est-ce une raison pour que tous les Juifs de l'univers flambent sur des bûchers en souvenir d'elle ?

Isaac n'avait rien à redire à cela.

Ou alors trop, et il ne s'en trouvait ni la force ni le désir.

En vérité, quoi qu'il arrivât désormais, il s'en remettait tout entier à la volonté de l'Éternel.

Plus que jamais ce qu'il avait dit à Attex alors qu'elle était dans ses bras lui semblait vrai. Peut-être était-ce folie, délire d'amant, mais il portait encore en lui, indélébile, la beauté surnaturelle de la princesse. Et cette grâce ne pouvait être que le murmure vivant du Tout-Puissant à travers les êtres humains, Son miel de l'Éden, Sa main et Son regard, Sa voix et Sa douceur. Comment expliquer à Saül que cette foi, ce plein d'amour, il en était certain, le protégeaient mieux que ne l'auraient fait toutes les cuirasses des archers khazars ?

Ce qui allait advenir dans la terrible nuit suivante le prouva.

Ce soir-là, comme d'habitude, les cavaliers khazars descendirent de leurs chevaux alors que l'obscurité voilait d'ombre la steppe.

Un peu plus tôt, ils avaient contourné une colline boisée et rejoint la rive de l'Atel. C'était un fleuve tel qu'Isaac n'en avait jamais vu, à ce point immense et lisse qu'on en devinait mal l'autre berge. On aurait aisément pu le prendre pour un lac. Il frissonnait sous le vent perpétuel de la steppe, ce vent des Khazars qui levait des tourbillons de poussière jusque dans le ciel. Étrangement, on n'y voyait aucune barque, aucune voile, pas le moindre bateau.

Était-ce la présence du fleuve, celle de la capitale que l'on disait proche ou des rumeurs au sujet des Russes ? Les cavaliers khazars, d'ordinaire si sûrs d'eux, se montraient presque nerveux. Lorsqu'ils mirent pied à terre, cela se fit en silence, contrairement aux soirs précédents.

Déjà, une demi-lieue en aval, les feux du campement du Khagan rougeoyaient dans l'obscurité montante. Là-bas, les guerriers avaient le droit de dresser des tentes et d'allumer autant de brasiers qu'ils le souhaitaient. L'arrière-garde, elle, devait se contenter des « feux trompeurs ».

Il s'agissait d'une demi-douzaine de bûchers allumés à l'écart du campement. Les cavaliers s'en servaient pour cuire un peu de nourriture et faire bouillir l'eau du thé. Cependant, nul ne dormait près d'eux. Seules des sentinelles bien éveillées maintenaient les âtres toute la nuit. Leurs lueurs étaient destinées à attirer d'éventuels attaquants, à les leurrer et à briser l'effet de surprise escompté.

À peine Isaac et ses compagnons furent-ils assis côte à côte, dans l'attente de leur maigre pitance, qu'il y eut des cris et un mouvement en tête de leur groupe. Ils entrevirent la silhouette d'un cavalier qui tentait de se frayer un chemin. Les combattants khazars cherchaient à l'immobiliser pour reculer aussitôt, le saluant avec respect. Isaac le reconnut soudain. Il se dressa, stupéfait :

– Hezekiah !

– Isaac !

Tout autant ébahis que les guerriers qui les entouraient, Saül et Simon virent le fils du Khagan pousser sa monture jusqu'à eux, sauter de sa selle d'un bond de danseur pour enlacer Isaac avec une émotion toute fraternelle.

– Est-ce vrai que tu as vu Attex ? questionna-t-il. Tu l'as vue ?

– Oui... Elle va bien ! répondit prudemment Isaac, ne sachant trop quelle vérité livrer.

– Elle ne se mariera pas avec le Grec ? insista Hezekiah.

– Aucune chance !

– Ah, c'est bien !

Isaac présenta ses compagnons au prince. Hezekiah désigna l'amont du fleuve et ne reprit pas son souffle pour déclarer :

– Les Russes vont attaquer bientôt !

– Bientôt ? Demain à l'aube ?

– Non ! Pas demain : ce soir. Ils aiment faire la guerre la nuit pour utiliser la surprise et le feu...

Isaac et ses compagnons parcoururent des yeux l'horizon de l'ouest. L'ombre de la nuit semblait déjà le dissoudre et les quelques bûchers allumés éblouissaient. Pas moyen de distinguer quoi que ce soit à plus de cent coudées. Cependant, les cavaliers khazars ne paraissaient pas se préparer à une attaque. Tout au plus, quelques-uns avaient-ils préféré ne pas desseller leur monture.

– En es-tu sûr ? demanda Isaac, se rasseyant sur sa couverture et invitant Hezekiah près de lui.

– J'ai entendu le Beck Borouh l'annoncer à mon père, répondit Hezekiah à voix basse. Il lui disait que des milliers de Russes, à cheval et sur des bateaux, sont juste au nord.

– Mais c'est impossible ! protesta Saül. Avant qu'il fasse nuit, on voyait loin sur la steppe et elle était vide. Tout comme le fleuve !

Hezekiah secoua la tête et répliqua avec sérieux :

– Il ne faut pas s'y fier. On ne les voit pas car ils savent très bien se dissimuler, mais le Beck a des espions parmi eux. Il en va toujours ainsi avec les Russes, c'est pour cela que tout le monde les craint...

– C'est difficile à croire, insista Simon. Regardez autour de nous, prince : les archers sont un peu nerveux, mais pas en ordre de guerre...

– Parce que mon père et le Beck l'ont décidé ainsi.

Hezekiah observa Isaac comme s'il avait honte de ce stratagème :

– Là-bas, ils sont prêts. Les archers sont déjà à cheval. C'est la ruse du Beck. Il agit souvent de cette façon : il sacrifie son arrière-garde et l'utilise comme un appât afin de prendre les Russes à leur propre piège.

Saül et Simon jetèrent des regards effrayés dans l'obscurité.

– En ce moment même, les Russes nous observent, ajouta Hezekiah. Ils se disent que toute la garde royale est comme ceux-ci, en train de faire cuire la soupe...

Des bruits d'écuelles tintaient par-dessus les rires et les bavardages. Des chevreaux rôtissaient sur les braises des feux que les sentinelles poussaient maintenant en flammes hautes. Une cinquantaine de guerriers s'étaient installés tout près du fleuve. On entendait leurs chants un peu plaintifs. Isaac, avec surprise, se rendit compte qu'ils chantaient en hébreu.

– Votre père sait-il que nous risquons de périr avec son arrière-garde ? demanda Saül avec sévérité.

Hezekiah approuva d'un petit hochement de tête.

– Il est très fâché contre Isaac. Il dit que le Tout-Puissant décidera Lui-même de votre sort.

Saül grogna. Laissant peser un regard lourd de reproches sur Isaac, il s'essuya les tempes avec la manche de sa tunique.

– Inutile de perdre plus de temps, fit Isaac. Partez, glissez-vous au bord du fleuve et marchez vers le campement du Khagan.

– Pour aller où ? objecta Saül. Nos chevaux sont attachés avec ceux des guerriers...

– Allez à pied ! Personne ne croira que vous cherchez à fuir. D'ailleurs, personne ne nous surveille...

– Mais toi ? demanda Simon.

– Je raccompagne Hezekiah près de son père.

– Je pourrais essayer d'avoir un autre cheval, intervint Hezekiah. Comme cela vous...

Le fils du Khagan n'eut pas le temps d'achever sa phrase. Une clameur incroyable, aussi terrible que si le ciel obscur s'ouvrait en deux, les pétrifia.

Un bref silence, puis la clameur recommença.

Les guerriers khazars à leur tour se mirent à crier, bondissant sur leurs armes, se hélant les uns les autres pour organiser un front.

Une fois encore la clameur gigantesque les statufia, comme si mille loups hurlaient ensemble. Elle sortait du noir, venant de nulle part et de partout à la fois. Puis elle diminua. Alors Isaac entendit le tintement des épées contre les boucliers.

Les Khazars avaient recouvert la moitié des feux. Les flammes éblouissaient moins.

– Là-bas ! s'écria Hezekiah. Là-bas !

Il pointait du doigt la colline et les ténèbres de la forêt.

Tels des démons surgissant du néant, la horde des Russes en jaillissait. Ombres de l'ombre, silhouettes de la nuit, ils galopaient, l'épée à nu. Le vague éclat de la lune montante se reflétait sur les lames et les casques.

– Les Russes ! murmura Simon, incrédule. Les Russes...

À travers la semelle de ses fines bottes, Isaac perçut le tremblement du sol martelé par les centaines de sabots.

Hezekiah s'était rué pour saisir la bride de son cheval, de crainte que le chaos ne l'effraie et qu'il ne fuie.

– Filez ! cria Isaac à Saül et à Simon. Courez vers le fleuve ! Vite, vite !

Mais un groupe de guerriers khazars, dans la précipitation à former un front, les bouscula rudement. Saül prit un mauvais coup qui le fit trébucher, rageur.

À l'instant où il se relevait, un bourdonnement emplit l'air comme si un dragon y soufflait sa colère.

– Les flèches ! hurla Hezekiah. Attention aux flèches !

Le bourdonnement se transforma en une grêle de fer et de mort. Des cris jaillirent tout autour d'eux. Une flèche à l'empennage blanc se planta à trois pas de Simon, qui hurla. Hezekiah agrippa la main d'Isaac. Les cavaliers khazars s'accroupirent sous leurs boucliers. Les traits s'y brisaient, ricochaient et parfois blessaient encore.

– Mon cheval ! cria Hezekiah.

La bête dansait de peur, tournait sur elle-même, ruant et jetant ses antérieurs, si bien qu'elle fracassa la poitrine d'un Khazar.

– Hezekiah, prends son bouclier ! cria Isaac en se précipitant pour saisir la bride de la bête.

Les yeux fous, le cheval tenta de mordre Isaac. Celui-ci parvint cependant à attraper la longe qui fouettait l'air et tira dessus de toutes ses forces. Dans son dos, il entendit à nouveau la clameur des Russes, beaucoup plus proche.

Tandis qu'Hezekiah lui tendait la rondache doublée de fer du Khazar déjà mort, Isaac vit Simon qui le dévisageait, les yeux écarquillés, incapable de faire un mouvement.

– Ne reste pas là, Simon ! supplia-t-il. Trouve un bouclier et file !

Le sifflement d'une nouvelle pluie de flèches vibrionna au-dessus de leurs têtes. Isaac serra Hezekiah contre lui, s'accroupissant à l'abri du bouclier. Il ferma les yeux, s'en remettant au Tout-Puissant. Mais ce furent des secondes d'enfer. Deux, trois, cinq fois, il sentit le choc des pointes de fer qui se brisaient sur le métal du bouclier ! D'autres crissaient dans le sol, y rebondissaient, fusaient, cherchant les chairs

fragiles. Les gémissements et les râles redou-
blèrent autour de lui.

La pluie de mort cessa enfin.

Lorsqu'il écarta le bouclier, il vit que deux
flèches étaient plantées à une main de sa botte.
Hezekiah, les yeux agrandis de terreur, tremblait comme si la fièvre l'avait saisi.

– Saül ! Saül...

Le cri de Simon surmonta la clameur nouvelle des cavaliers russes engageant le corps à
corps sur les premières lignes khazars.

– Saül !

Le marchand avait achevé son voyage dans
le royaume juif des Khazars sans même y avoir
réalisé une bonne affaire. Une flèche s'était
fichée dans son œil gauche, traversant son
crâne, le renversant et lui fixant la tête dans la
poussière. Au moins lui avait-elle évité la souffrance d'une agonie.

Tout se passa ensuite comme dans une sorte
de cauchemar, lent et inexorable, dont on vou-
drait se réveiller mais qu'il faut vivre jusqu'au
bout, car l'interrompre, c'est rencontrer la
mort.

Isaac arracha Simon au corps de Saül. Il le
poussa vers le fleuve, lui criant de trouver un
cheval. Hezekiah déjà était en selle. Isaac
sauta sur la croupe, serrant le garçon contre
lui. À peine parvinrent-ils sur la berge qu'ils
virent la charge des cavaliers de la garde
royale khazar. En une ligne puissante, quelques-uns portant des torches, ils galopaient à
bride abattue. Avec terreur, Isaac comprit
qu'ils ne pouvaient se diriger ni vers le nord,

où les combats avec les Russes faisaient rage, ni vers le sud, d'où arrivaient les secours.

À rebours du flux des guerriers, cognant de son bouclier et tenant serré les rênes de sa monture fébrile, il tenta de louvoyer sur la berge. Alors, le ciel s'embrasa.

Une flamme jaune jaillit du fleuve, elle s'allongea gracieusement et décrivit un orbe d'étoiles. Tous les visages levés vers le ciel s'illuminèrent, bouches béantes, cris retenus dans les gorges. Un souffle de dragon pesa sur les poitrines.

Puis le feu s'écrasa sur la plaine, nappant les combattants d'étincelles, les transformant l'espace d'un instant en silhouettes d'or. Aussitôt les hurlements de douleur, inhumains, fusèrent de ces torches vivantes.

– Le feu grégeois ! murmura Hezekiah.

Peinant à retenir le cheval, Isaac vit deux nouvelles boules de feu monter à l'assaut du ciel. Cette fois, dans la nuit baignée de lumière, il distingua les bateaux. Cinq longues barques de Norois, rapides et agiles, avec chacune deux rangs de rameurs. À leur proue, les Russes avaient installé ces étranges arbalètes qui transformaient le ciel et la terre en brasier.

Le feu se déversa d'un coup sur tout le campement de l'arrière-garde, brûlant même les cavaliers russes qui s'y trouvaient encore. Se répandant jusque sur les berges de l'Atel, les flammes ardentes ne laissaient plus aucun passage à Isaac et Hezekiah.

Le garçon planta ses ongles dans le bras d'Isaac :

– Regarde, regarde !

Les cuirasses étincelantes, les cavaliers du Khagan, le Beck en tête, contournaient le brasier. Lancés au galop, ils ne cherchaient pas le combat et fonçaient vers les bateaux. Isaac dut détourner les yeux. Un globe huileux de feu s'écrasa à cinquante pas d'eux, crépitant sur l'eau en flammèches bleues.

Isaac saisit Hezekiah et le plaça dans son dos :

– Accroche-toi, hurla-t-il.

Fouettant la croupe du cheval, il le lança dans le fleuve.

À sa surprise, la berge se transforma vite en à-pic. Le cheval perdit pied et commença à se démener sans parvenir à nager. Alors Isaac écarta les cuisses et le laissa aller dans l'eau glacée.

– Je ne sais pas nager, gémit Hezekiah qui l'étranglait à demi.

– Agrippe-toi à mes épaules et tiens ton menton haut ! cria Isaac.

Le froid lui serrait la poitrine, lui coupant le souffle, alors que les flammes du feu grégeois répandu sur l'eau lui chauffaient le visage. Un instant, il chercha à lutter contre le courant, mais il comprit qu'il valait mieux se laisser porter sans trop s'éloigner de la berge.

Des nappes de feu, tout autour d'eux, dérivaient en s'affaiblissant peu à peu. Ils dépassèrent plus vite qu'il ne l'espérait le gros des flammes. Isaac commença à nager vers la rive, luttant pour que le poids d'Hezekiah ne l'enfonce pas sous l'eau. Ils n'étaient plus qu'à quelques toises de l'herbe. Le cœur bondissant, Isaac sentit le fond de l'eau sous ses bottes. Ils rampaient, à bout de souffle, sur la berge lorsque Hezekiah le secoua pour qu'il se retourne.

Les archers khazars lançaient deux salves de flèches enflammées sur les barques russes, traçant un pont de lumière entre la rive et le centre du fleuve. Un bateau s'embrasa presque aussitôt. L'incendie du pont se répandit aux barils de naphte. Tout explosa. Une énorme boule de feu se dilata, emportant mâts, bancs de nage et corps des rameurs, les jetant tels des fétus dans la nuit. La coque s'ouvrit aussi aisément que celle d'une noix, une langue d'un feu si pâle qu'il en paraissait blanc recouvrit le fleuve. Une seconde barque explosa à son tour, et la nuit devint le jour.

Isaac murmura une prière. Le Tout-Puissant venait de sauver le royaume juif des Khazars.

Tout épuisé, grelottant et dégoulinant qu'il fût, Hezekiah avait le sourire :

– Maintenant que tu m'as sauvé la vie, murmura-t-il, mon père sera bien obligé de te recevoir. Et de t'écouter !

26

Sadoue, Géorgie

mai 2000

Lorsque Sofer reprit ses esprits, il faisait nuit. Du moins, l'obscurité épaisse qui l'enveloppait semblait être celle de la nuit.

La soif le taraudait comme s'il venait de traverser un désert. Sa gorge en était douloureuse. C'était cela, certainement, qui l'avait réveillé.

Il battit des paupières, scruta le noir, guettant un bruit qui puisse lui indiquer où il se trouvait. Le silence, cependant, demeurait aussi épais que l'obscurité. Une sorte d'abrutissement général ralentissait sa pensée aussi bien que ses sensations.

Sous ses paumes, il perçut la raideur d'un drap épais. Du lin peut-être. Il écarta les bras, les glissa le long de la couche. Ses doigts rencontrèrent de curieuses sculptures de bois. Il en palpa les rondeurs et les bosses avant de comprendre qu'il s'agissait des montants d'un baldaquin. Un vieux lit ! Le matelas en était aussi dur qu'une planche de bois, mais une couverture lui recouvrait les jambes. On avait pris soin de lui ôter ses chaussures.

Que faisait-il là ? Comment y était-il parvenu ?

Sa bouche pâteuse et une vague amertume lui rappelèrent le somnifère qu'il avait ingurgité. Tout lui revint d'un coup : l'attentat de Bakou, l'interminable trajet jusqu'en Géorgie avec Lazir, l'allusion de Lazir à... À elle !

Elle !

Elle, bien sûr !

Qu'avait dit Lazir ?

Les yeux clos, Sofer fouilla dans sa cervelle comme on fouille dans un tiroir en désordre. Un sourire lui vint. « Vous serez tout content de la voir... » Oui, il se souvenait parfaitement des mots du champion de lutte aux dents d'or !

Tiens, et où était-il passé, celui-là ?

Son esprit recommençait à fonctionner avec un peu de cohérence. D'agressivité aussi. Il s'en voulait. Il avait bien trop facilement accepté d'avaler la drogue de Lazir !

Il songea à appeler, crier... faire savoir qu'il était réveillé.

Le ridicule de la situation le retint. Il n'allait tout de même pas brailler dans le noir comme un enfant ! Appeler qui, d'ailleurs ? Après tout, si l'inconnue rousse l'avait fait venir jusque-là, le réveillant en pleine nuit, l'enlevant ou presque, l'abrutissant de somnifères, ce n'était pas à lui de faire le « dernier pas ».

Maintenant, il se doutait de ce qu'était cette étrange nuit, alourdie d'un silence ouaté.

Il se redressa, le dos raide. Quelques secondes encore, il dut lutter contre l'engourdissement qui contraignait sa poitrine et sa respiration. La soif amplifiait son malaise et l'oppressait.

« Bon sang, songea-t-il avec colère, cet abruti m'a donné une dose de cheval ! »

Il pivota pour s'asseoir sur le rebord du lit et poser les pieds sur le sol. Une lumière vacilla dans les ténèbres. Il crut d'abord à un simple éblouissement, l'éclat d'un malaise. Il se massa les tempes, se frotta les paupières de ses doigts gourds.

Lorsqu'il les rouvrit, il constata qu'il n'avait pas la berlue : devant lui, à quelques pas, luisait une lumière jaune, qui jetait des lueurs irrégulières aussitôt avalées par l'obscurité. Sans plus réfléchir, il se redressa, les jambes encore incertaines. Il perçut la fraîcheur poussiéreuse de la pierre sous ses pieds. Avec précaution, les bras tendus devant lui, il s'approcha du point lumineux.

Ce qu'il découvrit lui tira un nouveau sourire.

Dans une sorte d'alcôve, au revers d'une voûte, une torche longue comme un bras était fichée dans un anneau de fer. La flamme en était assez courte. Elle dégageait une odeur un peu rance et une lumière juste suffisante pour éclairer un meuble de bois sombre, une table lourdement bâtie à double plateau, sur laquelle on avait déposé une cuvette de cuivre, un tissu épais et une cruche de terre. Derrière, le mur blanchi à la chaux décrivait une large courbe dans laquelle étaient maçonnés les murets d'un petit bassin.

Sofer avança d'un pas. Il vit sa silhouette se refléter sur la surface de l'eau. Il y trempa la main comme s'il allait traverser l'illusion d'un mirage. Ses doigts s'agitèrent dans la froideur de l'eau et son image se brouilla.

Il y plongea le visage puis, recueillant l'eau dans ses paumes, il but avidement sans même se demander si elle était potable.

Il se redressa tout essoufflé, saisit la serviette de toilette sur la table. Il s'attendait au doux contact d'un linge de bain, mais le tissu qu'il tenait dans la main était rêche et râpeux comme si le fil avec lequel on l'avait tissé avait été à peine cardé. Le déployant, Sofer y découvrit une sorte de relief épousant la forme d'un chandelier à sept branches avec, dessous, des signes et des lettres. Les signes et les lettres de la pièce de monnaie khazar de Yakubov !

Il rit et songea : « Quelle mise en scène ! »

D'un coup le mot qui traînait dans son esprit depuis son réveil se formula : *la grotte !*

Il était dans la grotte des Khazars. Voilà où Lazir l'avait entraîné, voilà pourquoi on l'avait drogué. La fameuse grotte !

« Mais quelle mise en scène ! » se répéta-t-il avec ironie.

Il rit encore. Il allait mieux. Il n'avait plus soif, son engourdissement oppressant s'estompait.

Au moins avait-elle le sens du jeu tout autant que du mystère. Avec une pointe de vanité, il se dit que jamais une femme n'avait fait tant d'efforts pour le séduire !

Le souvenir de l'explosion dans le port de Bakou lui traversa l'esprit et le ramena à la réalité. Non, ce n'était pas pour un jeu d'amour qu'on l'avait entraîné ici.

Cependant, puisqu'on l'invitait à des ablutions aussi simples qu'antiques, c'est avec un certain entrain qu'il quitta sa chemise et s'aspergea énergiquement la poitrine et la nuque au-dessus du bassin. Il se demanda quelle tête il avait. Sa barbe poussait, dure, râpeuse et inconfortable. Il jeta un regard vers le meuble de toilette. Un morceau de savon était posé à côté de la cuvette de cuivre. Pas de rasoir ni de mousse à raser. Elle n'avait pas pensé à tout !

Le drap de lin ancien épongeait mal. Il n'insista pas et remit sa chemise sur son torse encore humide. Puis il décrocha la torche et revint vers le lit.

Dans la chiche lumière, il découvrit que la pièce était ronde, un peu biscornue. Elle était vide à l'exception du lit dont le dais lui parut immense. En face, la pièce se resserrait en une sorte de couloir clos par une porte de bois sombre.

Il prit le temps de se chausser, embarrassé par la torche qu'il devait tenir haut afin qu'elle ne lui chauffe pas le visage.

Lorsqu'il s'approcha enfin de la porte, son cœur battit plus vite. Il avait peur de la trouver fermée.

Mais non.

Le lourd panneau de bois pivota d'une simple poussée, sans même un grincement. Sofer se retrouva dans un couloir aussi ténébreux que la pièce qu'il venait de quitter. À droite, une volée de marches arrondies par l'usure s'élevait dans la roche blanche et se

343

perdait dans l'obscurité. Sofer décida de prendre le sens inverse et de suivre le couloir.

Après une dizaine de mètres, l'étroite galerie formait un coude où se réverbérait la lumière du jour. En quelques pas, il fut dehors, à l'air libre.

Cette fois, sa surprise fut absolue. La beauté de ce qu'il découvrait l'éblouit.

Il était debout sur un replat large d'à peine deux ou trois mètres, taillé autant que suspendu au flanc d'une gigantesque falaise. À ses pieds s'étendaient les replis de collines boisées aux verts épais et changeants. Au-delà, vers le sud, une vallée toute en longueur déployait ses champs calcinés et désertiques.

Réprimant un soupçon de vertige, Sofer s'avança jusqu'à l'extrême bord. Tel un oiseau en vol, il surplombait d'une cinquantaine de mètres les frondaisons serrées qui tapissaient le pied de la falaise. Autour de lui, la roche paraissait aussi lisse qu'une peau, par endroits blanche, ailleurs ocre, partout striée de coulées moussues. Mais alors que son regard cherchait à comprendre l'étrange chaos de formes qui l'entourait, il eut une exclamation de surprise.

Sur une vingtaine de mètres de hauteur et peut-être une centaine de long, la paroi de la falaise était sculptée, travaillée comme un immense mur de mystères !

Par dizaines, des grottes s'ouvraient dans les entrailles de la montagne. Quelques-unes possédaient des portes et des cloisons de bois gris, brûlé et lavé par le soleil, parfois même des balcons à balustrade, des vérandas aux toitures de tuiles. Toutes étaient reliées par un entre-lacs savant et vertigineux d'escaliers et de passerelles ! À l'emplacement même où se trouvait Sofer, un double escalier menait à des plates-formes supérieures ou inférieures.

Ce n'était pas une grotte mais une ville tout entière qui avait été creusée autant que bâtie dans le calcaire. Ici ou là, hallucinantes de grâce et affleurant la roche abrupte, appa-raissaient de véritables façades de maison, pareilles à celles que Sofer avait pu voir à Quba. D'énormes voûtes les coiffaient, s'enfonçant loin dans la paroi rocheuse. L'ensemble n'offrait aucune régularité mais, au contraire, une impression de désordre, un peu affolante, semblable à la vision labyrin-thique que présente une termitière brutale-ment éventrée.

Au-dessus, sur une épaisseur de plusieurs dizaines de mètres, la falaise demeurait intacte jusqu'à sa crête, si haute qu'elle paraissait s'enfoncer dans le bleu déjà sombre du ciel.

Le souffle coupé, Sofer recula de quelques pas.

Il ne savait pas où il se trouvait avec préci-sion, mais il ne pouvait douter d'être sur les flancs sud du Caucase, presque à mi-chemin des plus hauts sommets.

Son regard porta sur la vallée étrangement sèche au-delà de la forêt. De là-bas, il était impossible de deviner la présence des grottes ouvertes dans la falaise ! Elles devaient se fondre dans les ombres naturelles de la roche. Sans doute aussi, à l'époque des Khazars, la forêt était-elle plus vaste encore, recouvrant une bonne part de la vallée et dissimulant parfaitement cette étrange cité troglodytique.

Un pépiement d'hirondelles le fit sursauter. Les oiseaux volaient en bandes serrées, décrivant des arabesques violentes au ras des arbres, gobant leur pitance d'insectes excités par la chaleur du crépuscule.

Alors seulement Sofer se rendit compte que le soleil plongeait sur l'horizon montagneux, creusant les ombres et enflammant les pics. Combien de temps avait-il dormi ? Si ses souvenirs étaient exacts, la nuit approchait aussi lorsque Lazir lui avait fait prendre les somnifères. Aurait-il donc dormi pendant vingt-quatre heures ?

C'était probable.

Pas étonnant qu'il se soit senti mal au réveil !

Il chercha le sentier par lequel on l'avait porté jusqu'au cœur de cette ville. Il ne l'avait pas vu du premier coup d'œil, subjugué par l'ensemble et trompé par le chaos rocheux. La lumière rasante du crépuscule le révélait maintenant par un net jeu d'ombre.

Tout un pan de roche, telle une lame de couteau pointée vers les cieux, s'écartait de la falaise, ouvrant un vide béant de dix ou quinze mètres. Une construction soignée en occupait la pointe, ouverte sur tous ses côtés, très ancienne et évoquant les temples grecs.

Son toit à pente double, recouvert de dalles de calcaire parsemées de lichens, reposait sur

une vingtaine de colonnades à petits chapiteaux doriques. Sur le fronton, des traces
de bas-reliefs en rondes-bosses étaient visibles bien qu'usées et polies par des siècles
d'intempéries. Un pont de bois aux rambardes
sculptées reliait l'arrière de ce faux temple au
premier des escaliers qui conduisait, dans une
périlleuse élévation, à l'emplacement même où
se trouvait Sofer.

De l'autre côté une crevasse séparait le
temple d'un étroit sentier qui, à flanc de roche,
montait depuis la forêt. Parvenu à hauteur de
la construction, il s'interrompait net, comme
suspendu dans le vide. La falaise au-delà ne
formait qu'un à-pic vertigineux et meurtrier!

Regardant mieux, Sofer comprit que ce qu'il
voyait était à la fois la porte et la clef de la cité
troglodytique. Il devina, glissée derrière les
colonnades du faux temple, une sorte de passerelle comme on en utilise pour relier les
paquebots aux quais. Ainsi les occupants de la
grotte pouvaient à volonté couper tout lien
avec le reste du monde. La passerelle retirée,
ceux qui étaient parvenus jusqu'à l'extrémité
du chemin n'avaient d'autre ressource que de
ruminer leur déception et leur rage. Mieux
encore : la disposition du chemin, son étroi-
tesse et sa pente empêchaient un assaut en
nombre et rendaient impossibles des salves
efficaces de flèches. En revanche, des archers
placés dans le temple-poterne avaient tout le
loisir de massacrer les imprudents bloqués sur
le sentier sans issue.

Une ville aussi secrète qu'inexpugnable !

Voilà pourquoi elle avait traversé les siècles en conservant son mystère !

Et voilà comment lui, Marc Sofer, s'y retrouvait soudain en parfait prisonnier !

La lumière lourde du crépuscule effleurait à présent les crêtes opposées, les nappant de pourpre et poussant l'ombre dans la vallée telle une marée opaque.

De seconde en seconde, la beauté du lieu acquérait une profondeur inquiétante. L'émotion empoigna Sofer. Ce qu'il voyait, des Khazars l'avaient vu. Si son imagination disait vrai, la Kathum Attex elle-même, un jour, avait monté ce sentier ! L'imagination n'est-elle pas toujours l'empreinte d'une vérité encore voilée ?

Un ronronnement détourna sa pensée. Loin dans le soleil rougeoyant, il distingua un hélicoptère dont le vrombissement grandissait. Un instant, Sofer crut que l'appareil venait droit sur la falaise et se demanda si on le cherchait, si le pilote pouvait le voir, s'il allait lui-même se manifester ou au contraire se cacher à l'intérieur de la grotte.

Il n'eut pas le temps de choisir. L'appareil ralentit, vibra dans un vol stationnaire au-dessus de la forêt et demeura bizarrement immobile, pareil à un gros insecte maladroit. Sofer tenta en vain de voir s'il s'agissait d'un appareil militaire. Sans doute ne devait-on pas être très loin de la frontière entre la Géorgie et la Tchétchénie...

Brusquement, l'hélicoptère s'inclina et, en un clin d'œil, disparut vers le nord. Son vacarme s'estompa. Il ne resta plus que le vol des hirondelles auquel déjà se mêlait celui, plus saccadé, de nuées de chauves-souris.

Pour la première fois, Sofer eut conscience de son absolue solitude et en ressentit une pointe d'angoisse. Personne ne se souciait donc de lui ? *Elle* ne se souciait pas de lui ? Où était Lazir ? Essayait-on de l'impressionner en l'abandonnant ainsi ? Était-ce un jeu, comme il se plaisait encore à le croire, ou était-il réellement prisonnier ?

En un éclair lui revinrent à l'esprit les articles sur les innombrables enlèvements dont le Caucase était le théâtre. Il ne parvenait pourtant pas à être réellement inquiet. Pas une seconde, alors que Lazir l'éloignait de Bakou, il n'avait sérieusement songé à un enlèvement. Pas plus qu'il ne ressentait de crainte véritable à présent.

Bien au contraire, quelque chose se passait, en cet instant même, de prodigieux et de merveilleux. Quelque chose dont il avait rêvé durant toute sa vie d'écrivain.

Il avait la sensation d'être, ici, en ce lieu sans nom pétrifié par la mémoire et le temps, au cœur réel du roman commencé des semaines plus tôt. À son corps défendant, peut-être, par la volonté du hasard ou du destin, on l'avait déposé dans cette grotte qu'il cherchait en lui et inventait depuis les premières lignes écrites à Oxford. Il pouvait tendre le bras et en toucher la roche. Il regardait autour de lui, dans le jour déjà mêlé de nuit : ce qu'il voyait n'appartenait pas au monde présent mais au lointain millénaire des Khazars.

Il n'avait pas besoin de réfléchir, pas besoin d'inscrire les mots sur du papier ou sur un écran d'ordinateur. La réalité de la princesse Attex, d'Isaac Ben Éliezer et de Joseph le Khagan était là. Il respirait le même air qu'eux. Il écoutait le même silence, les mêmes criaillements des hirondelles, le même bruissement de brise.

Il lui suffisait de baisser les yeux vers le temple-poterne pour voir les guerriers khazars héler la petite troupe qui se dépêchait de monter le chemin à flanc de falaise avant que la nuit ne le rende trop dangereux.

Les arcs étaient déjà bandés et les pointes des flèches dirigées sur les arrivants. La passerelle, retenue par une grosse corde de chanvre à un piton du fronton, était relevée.

Le chef des gardes s'avança derrière un archer pour crier :

– Qui va là ?

Ce fut Attex elle-même qui répondit :

– Je suis Attex, fille d'Aaron, sœur du Khagan Joseph et Kathum de Khazarie !

L'écho de sa voix rebondit contre la falaise et sembla un instant suspendu dans l'air fraîchissant de la nuit. Le chef des gardes observa un court silence. Sofer perçut son embarras. L'homme jeta un coup d'œil vers le haut de la falaise, comme s'il espérait de l'aide, et Sofer entendit un frottement de pas, un bruissement de tissu derrière lui.

– Qui est avec vous ? demanda enfin le chef des gardes.

– Ne le vois-tu pas ? répondit Attex avec agacement.

– Je dois vous le demander, ce sont les ordres !

– Baisse donc la passerelle, insista Attex. Attends-tu que nous nous rompions le cou sur ce chcmin ?

– Passé la prière du soir, je ne dois laissei entrer personne dans la ville ! répondit le chef des gardes.

Sofer entendit distinctement le grognement de colère d'Attiana qui agita les bras en direction du temple et lança de sa voix brisée :

– Baisse cette passerelle, bourrique de garde ! Tu vois bien qui nous sommes !

– C'est Attiana ma servante qui vient de te parler ! cria Attex. Et il n'y a que cinq guerriers avec moi ! Officier, nous avons fait trois semaines de route depuis Sarkel-la-Blanche et nous sommes épuisés. Si tu as un doute, appelle mon oncle Hanuko, puisque c'est de lui que tu tiens tes ordres. Mais fais vite. La nuit tombe.

Sofer entendit un rire tout près de lui. Hanuko, drapé dans le long manteau des Khazars, une chaîne d'or autour du cou, la chevelure blanche tirée en tresses impeccables, apparut à son côté. D'une voix forte et claire pour son âge, il lança :

– Eh bien, ma nièce, tu en fais du bruit !

– Oh, mon oncle !

– Je te salue, Kathum ! Que l'Éternel soit béni pour cette surprise !

– La surprise sera mauvaise, mon oncle, si on ne nous lance pas la passerelle. On n'y voit goutte ici. Je ne sais déjà plus où je pose les pieds !

Hanuko rit encore. Au même instant un autre rire fit tressaillir Sofer.

– Bonsoir, monsieur Sofer, dit une voix de femme.

Il pivota de tout son corps. Et il la vit.

C'était *elle*. Attex.

Avec dix ans de plus, ses cheveux roux retenus par une bande de tissu, vêtue d'un jean et d'un large pull-over. Elle tenait à la main la torche que Sofer avait abandonnée à l'entrée de la grotte. Dans la lumière chaude, son visage paraissait d'une parfaite douceur.

– Bon sang, c'est vous ! s'exclama-t-il. Je me demandais si vous alliez enfin vous montrer !

Elle rit et désigna le temple dans l'obscurité.

– Je suis derrière vous depuis un bon moment, monsieur Sofer. Mais vous paraissiez tellement pris par votre songerie ! Si je n'avais pas eu peur que vous ne tombiez de la plate-forme, je vous aurais laissé rêver.

Sofer se sentit pris de vertige. Un vertige sans rapport avec l'abîme qui plongeait dans la nuit tout à côté de lui. Sa bouche était sèche, son cœur battait fort. Il s'était réveillé dans une forêt inconnue et, comme dans un conte merveilleux, la princesse venait à lui. Aucun humour, aucune réserve ne venait plus modérer son émotion.

C'était *elle*, cette femme qui l'avait apostrophé lors de la conférence de Bruxelles quelques semaines auparavant.

Elle, telle qu'en son souvenir, avec ces mêmes yeux verts légèrement fendus et ces pommettes marquées, ces lèvres mouillées et cette chevelure d'un roux ardent qui accentuait encore la délicatesse de sa peau. Celle qui n'avait cessé d'occuper ses pensées, devenant cette jeune fille qu'il portait désormais en lui, à travers qui il pensait, aimait et ressentait.

À la seule différence que la femme qui s'avançait vers lui, un sourire ironique aux lèvres, pour lui tendre la main, ainsi qu'on le fait entre inconnus lors d'une première rencontre, était réelle !

Sofer demeura paralysé un instant. Puis le geste se fit malgré lui. Il perçut le contact frais des doigts et de la paume contre ses doigts et sa paume.

Il perçut beaucoup plus. Comme si, par ce simple attouchement, elle parvenait à le saisir en entier.

– Je savais que cet endroit vous plairait, dit-elle.

– Attex ! Vous êtes Attex et vous êtes vraie !

Elle rit et lâcha sa main pour repousser machinalement une mèche de sa chevelure.

– Non, protesta-t-elle, amusée. Mon nom est Sonja Tchobanzadé !

Sofer sourit enfin.

– Oui, bien sûr, mais vous êtes Attex ! Vous l'êtes depuis le début, maintenant je le sais.

– Vous devez avoir faim ! remarqua-t-elle.

Comme Sofer ne répondait pas, elle ajouta avec un petit rire de gorge :

– Je suis désolée. Lazir s'est trompé dans la dose de somnifère. Vous avez dormi une nuit et une journée entière !

Qu'il ait dormi monstrueusement, Sofer n'en doutait pas. Ce qui lui semblait moins certain, c'était d'être réveillé.

Celle qu'il avait instinctivement appelée Attex marchait devant lui, la torche tenue haut. De temps à autre, un souffle invisible en allongeait la flamme. Des courants d'air parvenaient jusqu'à eux, tantôt venus d'en haut comme de la bouche d'un puits, tantôt du côté droit. Son hôtesse se dirigeait dans le labyrinthe de couloirs étroits, pareils à des boyaux de roche, avec l'assurance désinvolte d'une maîtresse de maison faisant visiter sa propriété.

– Je vous ai préparé un petit repas, reprit-elle sur le même ton mélodieux. Mais avant, je voudrais vous montrer quelque chose.

Sa voix résonnait contre la voûte. Elle avançait avec une souplesse animale. La lumière de la torche, irisant sa nuque et son épaule, projetait une ombre mouvante et joueuse sur les parois de pierre. De temps à autre elle accentuait le balancement des hanches, l'avancée du buste, la rondeur tendue des seins sous le pull-over. Le silence massif de la roche réverbérait les bruissements des tissus, le frottement des pas. Il semblait alors que la chair même de son corps se faisait entendre.

Sofer fut saisi d'une émotion qu'il avait presque oubliée : l'apesanteur du désir. Elle l'entraînait hors du monde. Derrière elle, il marchait sur un sol sans autre support, sans autre matérialité que son imagination, ébloui par la sensualité de l'instant.

Chaque pas qu'elle accomplissait devant lui, chaque glissement de son bras le long de ses hanches envahissait sa conscience. Cette manière qu'elle avait, pour éviter l'abaissement imprévu du plafond de pierre, d'incliner la tête sur le côté, le ploiement de son buste, le murmure de son souffle... Il avait beau s'admonester, trouver cette excitation ridicule, il se soumettait sans combat à l'éblouissement charnel de cette femme.

– Attention, prévint-elle, les marches sont irrégulières.

Un large escalier se dressait devant eux. Ils le gravirent côte à côte. Au fur et à mesure qu'il s'élevait, Sofer découvrait un espace vaste, pauvrement éclairé par une dizaine de torches. L'odeur de naphte se fit de plus en plus lourde.

Avant même de parvenir à l'ultime marche, il s'immobilisa.

Ils se tenaient à l'intérieur d'une immense cavité, si gigantesque que la voûte s'élevait dans l'obscurité comme dans l'opacité d'un ciel. Là, trois bâtiments délimitaient une cour centrale. De véritables bâtiments aux murs de pierres soigneusement taillées et maçonnées, recouverts de toits de tuiles comme s'ils étaient construits sous les cieux de l'univers et non au cœur d'une montagne !

Une vingtaine de torches illuminaient l'ensemble sans vraiment dissiper le poids des ombres. Les façades comportaient des colonnes et un fronton triangulaire surplombant d'énormes portes. Sofer aperçut sur celles-ci des panneaux magnifiquement travaillés qui représentaient les Tables de la Loi. C'était l'entrée de la synagogue.

La synagogue secrète !

Ainsi, elle existait véritablement !

Il dut pousser une exclamation de stupeur car il entendit sa voix se répercuter en écho contre la voûte. La jeune femme se tourna vers lui, l'observant avec douceur :

– Venez, dit-elle. Ce n'est pas un rêve !

Dans la lumière traversière de la torche, le vert de ses yeux devint plus clair et sa bouche s'arrondit. Sofer chercha une phrase, une formule amusante qui pût briser le mutisme ridicule qui lui clouait la bouche. Il ne trouva rien. Il hocha la tête et la suivit.

Bien qu'elle fût aussi épaisse qu'un bras d'homme, la porte de la synagogue s'ouvrit avec aisance. Ses gonds vibrèrent à peine.

Sofer mit quelques secondes avant de comprendre ce qu'il voyait. Sa stupéfaction était si grande qu'elle lui paralysait l'esprit.

L'intérieur du bâtiment était octogonal. De vastes tentures lie-de-vin ou d'un bleu passé recouvraient les murs. Quelques-unes étaient déchirées ou avaient été partiellement brûlées par les candélabres disposés tous les deux ou trois mètres.

Au centre reposait un meuble qu'il reconnaissait et que pourtant il n'avait jamais vu de ses yeux. Il ressemblait à un haut et grand coffre de bois gris, d'où dépassaient de chaque côté des sortes de brancards, et muni de pieds courts. Il devina, au centre de la synagogue, d'autres tentures sombres.

Le cœur battant, il s'avança. C'était bel et bien une Arche des temps bibliques ! Il entendit alors derrière lui :

– *Ils feront donc une Arche en bois d'acacia... Tu la recouvriras d'or pur... Tu fondras pour elle quatre anneaux sur un de ses côtés... Tu feras des barres en bois d'acacia et tu les recouvriras d'or. Tu introduiras les barres dans les anneaux sur les côtés pour porter l'Arche avec elles...*

– L'Exode ! murmura Sofer. L'Arche telle qu'elle est décrite dans l'Exode !

Il tendit la main, ses doigts glissèrent timidement sur le très vieux bois, si sec qu'il avait la dureté lisse d'un métal. Surmontant les côtés de l'Arche, des sculptures, abîmées, rognées et maladroitement entaillées ou cassées, représentaient de petites silhouettes humaines. Il sourit et dit à son tour :

– *Fais un Chérubin à un bout et un Chérubin à l'autre bout...*

– Oui ! approuva-t-elle avec un petit hochement de tête. Une Arche construite strictement selon la description qui en est faite dans l'Exode. En acacia et selon des dimensions parfaites : deux coudées et demie de longueur, une coudée et demie de largeur et de hauteur.

– Bien sûr, songea tout haut Sofer. Les Khazars avaient les mêmes besoins que les tribus de l'origine. Comme elles, ils se déplaçaient sans cesse. La steppe tout entière était leur synagogue. Ils ne déposaient pas la Torah dans un meuble fixe mais dans l'Arche afin de la transporter avec eux.

– Et lorsqu'ils se sont sédentarisés, ils ont dû conserver cette coutume qui devait être sacrée pour eux, conclut-elle. Mais voyez...

Dans les barres de transport comme sur les côtés de l'Arche d'étranges séries de trous étaient alignées deux par deux comme des pointillés.

– Ce sont les emplacements des agrafes qui retenaient les feuilles d'or, expliqua-t-elle. L'Arche devait être très exactement recouverte d'or comme il est écrit dans le Livre. Cela explique pourquoi les Chérubins sont à ce point en mauvais état : on en a gratté la pellicule d'or...

Tandis qu'elle parlait, Sofer regardait autour de lui, la bouche béante, ne pouvant s'empêcher de répéter comme un gosse : « Je vois une synagogue biblique, je vois une synagogue biblique ! »

Avec délicatesse, il fit basculer le petit tenon retenant la porte de l'Arche, haute d'une trentaine de centimètres. À sa grande déception, il n'y avait à l'intérieur que de la poussière. Bien sûr ! Comment imaginer qu'une Torah eût été conservée ici durant mille ans !

Elle souriait, pétillante de malice.

– L'Arche est vide, mais ce n'est que le début de la « visite » ! Suivez-moi...

Il nota la fierté qui perçait dans sa voix. Et aussi une assurance qui le surprenait, comme si elle avait maintes fois répété cette situation et avait prévu chacune de ses réactions. Il dut convenir qu'en d'autres circonstances, et par principe, il se serait déjà rebellé, exigeant de découvrir un si extraordinaire lieu à son rythme. Il se contenta de sourire et d'admirer une fois de plus la grâce de sa nuque dorée par le reflet de ses cheveux roux.

Ils traversèrent la cour pour pénétrer dans le bâtiment le plus proche de la synagogue. C'était une salle longue et basse. Des murs intérieurs, à hauteur d'homme, y dessinaient des sortes d'alcôves.

Avec l'aisance de l'habitude, la jeune femme alluma quelques lampes à essence disposées sur un plancher grisé de poussière, çà et là rongé par les animaux. Sofer vit surgir de l'ombre une dizaine de gros coffres bardés de métal, argent ou acier terni, des sièges en bois sculpté, certains à haut dossier, d'autres simples pliants ou banquettes. Des tapis étaient roulés en tas, des paniers amassés près d'un mur, tout un fatras de barriques, de vieilles couvertures, de seaux de bois ou de cuivre...

Avançant jusqu'au centre de la salle, Sofer eut un nouveau mouvement de surprise : entre les murs d'une alcôve étaient entassés des lances, des arcs, des carquois remplis de flèches. Les empennages de quelques-unes étaient encore en bon état; la couleur des plumes perceptible. Sofer s'approcha, mais le contenu de l'alcôve suivante capta son attention : deux selles recouvraient des tabourets bas, tandis que toute une panoplie d'épées glissées dans leurs fourreaux, de glaives et de poignards était accrochée aux murs.

Avec un grognement d'excitation, il alla palper le cuir rêche et fendu des selles. Elles étaient dotées de harnachements à la turque, sans pommeau, cloutées de plaques d'argent et cousues à d'épaisses couvertures à carreaux bleus. Les sous-ventrières étaient de lin bruni, doublé d'un cuir racorni, cassant comme du bois sec.

Sofer sursauta en entendant un grincement dans son dos. Attex ouvrait l'un des coffres. Elle y plongea la main avant de tendre un disque argenté à Sofer.

– Je suppose que vous allez reconnaître ceci, dit-elle.

C'était une pièce de monnaie, large comme une paume et épaisse d'un demi-centimètre. Elle était plus grande et plus lourde que celle qu'il possédait. Sofer s'en saisit avec émotion, devinant ce qu'il allait y voir : le chandelier à sept branches, de curieux caractères et, sur l'autre face, l'étoile de David.

Il fouilla la poche de son veston pour en retirer la pièce donnée par Yakubov. Hormis la différence de taille et de poids, quelques usures de l'âge, elles étaient semblables.

Attex abaissa sa torche : le fond du coffre était recouvert d'une centaine de pièces identiques !

– Yakubov n'a pas pu tout emporter, remarqua-t-elle, narquoise. Il s'est contenté des plus petites !

Sofer fut saisi d'un rire nerveux :

– Parce que, bien sûr, vous connaissez Yakubov ?

Elle hocha la tête, amusée :

– Encore un peu de patience, et je vais tout vous expliquer...

D'un mouvement circulaire de sa torche, elle désigna l'espace qui les entourait :

– C'était une salle de garde, sans doute destinée aux officiers khazars, mais nous pensons que les rabbins pouvaient y loger. Il semble qu'au cours des âges ce soit devenu une sorte de cache, d'entrepôt secret. Toutes les armes ne datent pas de l'époque khazar, certaines sont plus récentes.

Sofer fut sur le point de demander qui désignait ce *nous*, mais la jeune femme se détourna en ajoutant :

– Vous n'êtes pas au bout de vos surprises... Comme on dit chez vous, j'ai gardé le meilleur pour la fin !

Ils retraversèrent la cour centrale de la grande grotte pour se retrouver devant la haute porte du troisième bâtiment. Les panneaux, beaucoup moins travaillés que ceux de la synagogue, étaient recouverts de larges lames d'acier piquetées par la rouille. Au centre des battants clos, de gros anneaux se superposaient en quinconce. Il suffisait d'y glisser des chaînes pour la refermer aussi bien qu'un coffre.

Pour l'heure, elle était libre de toute entrave. Cette fois, Sofer dut aider son hôtesse à faire pivoter l'un des battants dont le bois frottait sur les dalles. Dans ce mouvement, ils se trouvèrent quelques secondes épaule contre épaule. Les cheveux d'Attex frôlèrent son visage. Il respira son parfum, un mélange un peu poivré d'ambre et de santal. Mais il n'eut pas le temps de se laisser emporter par la houle sensuelle qui montait en lui.

Aussitôt le passage libre, Attex s'avança dans l'obscurité. Avant que Sofer ne puisse distinguer quoi que ce soit dans le halo lumineux de la torche, elle s'inclina sur une caisse de plastique et bascula la poignée d'un contacteur. Une demi-douzaine de projecteurs disposés sur des trépieds s'allumèrent. Sofer se figea, bouche bée.

Une immense bibliothèque recouvrait chacun des murs, hauts de six ou sept mètres. Une bibliothèque comme Sofer n'en avait vu que représentées dans des ouvrages très anciens.

Gros volumes aux écrins de bois gravé, maroufflé de cuivre ou d'argent ciselé et repoussé, in-quarto aux reliures de cuir, feuillets libres de papyrus, rouleaux de parchemins, amas de plaquettes peintes... Des centaines, des milliers d'ouvrages de toutes tailles surchargeaient les rayonnages sombres aux montants sculptés !

Sofer se sentit soudain étranger à lui-même. Même l'odeur qui régnait dans la salle était inconnue, bizarre mélange d'humidité, d'âcre poussière, d'huile rance, de fraîcheur caverneuse. Une fois encore il eut le sentiment de basculer dans le temps aussi bien que dans une incarnation de ses pensées, comme si se matérialisait sous ses yeux la puissance enfin visible de la mémoire.

Il se passa la main sur le visage, les tempes douloureuses. Son regard sautait d'un coin à l'autre de la pièce, incapable de se fixer ici plutôt que là, voulant tout embrasser d'un coup, comme si ce qu'il voyait allait se dissiper ainsi que dans un rêve.

D'une voix un peu solennelle, Attex annonça :

– La bibliothèque des Khazars. Tout est ici. Tout ce que les rabbins et les Khagans d'Itil ont pu lire et connaître est ici. Chacun de ces livres, de ces manuscrits est passé au moins une fois entre leurs mains...

Sofer garda le silence.

– C'est merveilleux, murmura-t-il enfin. Merveilleux ! Il n'y a pas d'autre mot... Je n'ose y croire ! Comment est-ce possible ?

Ses yeux glissèrent des murs encombrés à la longue table qui occupait le centre de la pièce. Là aussi s'accumulaient des rouleaux, des manuscrits antiques, des étuis de cuir pareils à de petits sachets contenant les fines tiges de roseau des calames. Tendant une main, il les frôla. Le jonc bruni était si poli par l'usage qu'il possédait la finesse d'un ivoire. Les doigts de Sofer s'aventurèrent sur les reliures. À son étonnement, le premier ouvrage qu'il ouvrit, d'un papier épais et fort bien conservé, dévoila une double écriture. Surmontés de frontispices richement enluminés d'ocre, d'or et d'indigo, les deux tiers gauches de chaque page étaient écrits dans ce qui semblait être de l'hébreu tandis que le tiers restant contenait des lettres arabes merveilleusement calligraphiées.

– C'est le Pentateuque, expliqua la jeune femme dans son dos : les cinq livres de Moïse en hébreu et en arabe.

Elle désigna un rayonnage éloigné et ajouta :

– Vous en trouverez là-bas d'autres copies, en hébreu et en copte bohaïrique, ou encore en arabe et en grec... Ils ont été accumulés et transportés ici par des rabbins et des scribes lorsque les Khazars comprirent que la destruction de l'empire était inéluctable. Avant même l'occupation d'Itil et de Sarkel par les Russes, les rabbins prirent des mesures pour vider les synagogues de ce qu'elles contenaient de plus précieux.

– Mais comment le savez-vous ? s'exclama Sofer d'une voix rendue aiguë par la stupéfaction.

Elle rit, et son rire rendit un peu de réalité à l'instant.

– Mais parce que nous étudions ces documents !

Sofer suivit la direction qu'indiquait sa main tendue. Il découvrit sur la table, à demi ensevelis sous les manuscrits et les parchemins, anachroniques, deux ordinateurs portables, des blocs-notes, des loupes, des gants de coton et même une étrange machine d'acier poli ressemblant à un microscope trapu.

– Cela fait des mois que nous étudions cette bibliothèque, reprit-elle sur le même ton amusé. Il faut en faire l'inventaire et nous n'en sommes pas à la moitié. Mais je peux vous dire qu'il y a là une copie de la correspondance entre le roi Joseph et le rabbin Hazdaï Ibn Shaprut de Cordoue, dont Cambridge possède l'original. Probablement la copie exécutée par le messager cordouan Isaac Ben Éliezer lui-même ! C'était une précaution courante à l'époque : on multipliait les copies des documents importants, craignant avec raison leur destruction...

Elle avait longé la table tout en parlant, effleurant les rouleaux, glissant les doigts sur les reliures. Ses cheveux roux parurent une seconde s'enflammer dans la clarté intense d'un projecteur. Fasciné, Sofer ne put s'empêcher d'imaginer Attex, la jeune Kathum, se déplaçant ainsi, en ce même endroit... Il fit un effort intense pour ne rien laisser percer de la confusion qui l'agitait et demanda :

– Qui êtes-vous ?

Elle se redressa, le jaugeant, la tête rejetée en arrière comme si elle cherchait à l'affronter. Sofer soutint son regard. Elle reposa doucement l'étui de cuir qu'elle tenait sur le fatras de la table et sourit. Un sourire qui étonna Sofer. Il n'était pas de séduction et encore moins d'amusement. Au contraire, il ployait sous la tristesse en même temps que sous la fierté. Une lointaine phrase, tirée d'il ne savait plus quelle pièce d'Euripide, traversa l'esprit de Sofer : *Ce n'est pas la beauté de la femme qui ensorcelle, mais sa noblesse.*

Sans répondre, elle se dirigea vers les batteries pour éteindre les projecteurs et proposa de sa voix enjôleuse :

– Si nous allions manger ?

– Lorsque j'étais adolescente, il y a une quinzaine d'années, la Géorgie ne ressemblait en rien à ce que vous avez vu. Partout il y avait des cultures, des usines, les champs étaient couverts de vignes, de blé, de fleurs... On voyait quantité de tracteurs et de machines agricoles ! Nous avions l'impression d'être riches. Riches et en sécurité. Chaque jour nous mangions de bonnes choses et nous étions certains que cela allait durer toujours ! Mes parents en étaient persuadés. Pourtant, ils étaient juifs et, durant la guerre, leurs propres parents avaient été déportés par Staline... Ils auraient dû se souvenir et être prudents ! Mais non. C'était cela sans doute la force du communisme : effacer les identités et la mémoire des peuples, même celle des Juifs ! À cette condition tout allait bien. Nous vivions dans une bulle et il nous semblait que rien ne pouvait la faire éclater. C'est ainsi que mes parents m'ont envoyée faire mes études à Moscou. Ils en étaient très fiers...

Elle parlait doucement. Sa voix paraissait absorbée par l'épaisseur de la nuit au-dehors. Elle se tourna vers l'ouverture rectangulaire où se dessinait un croissant de lune.

Sofer devina plus qu'il ne vit l'émotion mouiller son regard. Elle se passa machinalement les doigts sur les lèvres. Cette caresse rapide le bouleversa. Il ressentit à nouveau toute la violence de son désir et, comme honteux de son impudeur, baissa les yeux sur les reliefs du repas devant lui.

De part et d'autre d'une table étroite, ils étaient assis sur des bancs creusés dans la roche. Cette pièce troglodytique toute en longueur ressemblait à une cuisine de vieille ferme. Un feu y flambait dans une cheminée dont le foyer à demi recouvert permettait de cuisiner. Des niches étaient creusées dans la paroi de roche, aussi finement qu'un travail d'ébénisterie, et utilisées comme autant d'étagères et de rangements.

Celle qu'il appelait Attex lui fit à nouveau face et il fut certain qu'elle devinait exactement ses pensées. Mais elle eut un geste un peu brusque :

– Mangez donc, je vois bien que vous avez une faim de loup !

C'était si vrai qu'au lieu de se rassasier il lui semblait découvrir sa faim à chaque bouchée. Il dévorait les brochettes d'agneau, les rouleaux d'aubergines farcies à la noisette et les crêpes fourrées au fromage ! Le vin blanc était aussi doux que celui que Lazir lui avait offert, guère plus alcoolisé qu'un cidre, mais il le buvait avec avidité, comme un fruit de l'Éden.

– À dire vrai, admit-il en se moquant de lui-même, je ne me souviens pas d'avoir eu une faim pareille de toute ma vie !

Elle eut un rire de gorge attendri et laissa revenir le silence. Sofer eut la certitude qu'en cet instant il aurait pu tendre la main et lui caresser la joue, les lèvres, peut-être même obtenir un baiser. Mais il sut avec autant de force qu'il ne devait pas le faire. Pas encore.

Il pensa à la triste mine qu'il devait offrir, pas rasé, les yeux gonflés par le sommeil abrutissant où il avait été plongé, le regard ahuri d'un homme qui ne sait s'il délire. Il repoussa ses doutes et remplit leurs verres.

– À cette époque, demanda-t-il, vous connaissiez déjà l'existence de ces grottes et de la synagogue ?

– Non, pas du tout ! Ce n'est pas ainsi que ça s'est passé. Notre village, Sadoue, est à une vingtaine de kilomètres de cette falaise. Très peu de personnes s'aventuraient par ici autrefois, sinon pour cueillir des champignons ou chasser. Mais la forêt, là-dessous, au pied de la falaise, avait mauvaise réputation. Depuis très longtemps, on la disait infestée de serpents, de loups et d'ours !

Elle sourit, un instant songeuse, avant de reprendre :

– C'était sans doute vrai en partie. Surtout dans les siècles passés. Mais aujourd'hui je me demande s'il ne s'agissait pas d'une rumeur venue du fond des âges, répandue par les Juifs khazars eux-mêmes afin de protéger le secret de leur synagogue... Quoi qu'il en soit, tout le monde à Sadoue ignorait son existence jusqu'à ces dernières années. Les Juifs comme les autres. Avant que les Yakubov...

– Ah, Yakubov ! l'interrompit Sofer. En voilà un qui est partout et nulle part ! Que savez-vous de lui ? Qui est-il ?

Elle secoua la tête avec un petit geste nerveux :

– Il vaut mieux que je vous raconte les choses dans l'ordre. À dix-sept ans, au grand bonheur de mes parents, j'ai obtenu une bourse pour l'université Lomonossov, de Moscou...

– Sur le mont Lénine ! opina Sofer avec amusement. J'y ai participé à quelques débats, juste après le renversement de Gorbatchev par Eltsine ! Beaucoup de sottises ont été proférées à ce moment-là, comme toujours lorsque l'on se croit au cœur de l'Histoire...

Sofer ricana. Mais elle dit :

– Je sais, j'étais là ! Et je vous ai découvert ainsi. Je ne trouvais pas que vous disiez des sottises. Au contraire, vous étiez plein de force et de vie, et cela nous encourageait.

Sofer se sentit rougir. Durant quelques secondes, il eut l'impression que la jeune femme pointait en lui une manière de trahison. Mais son visage et ses yeux clairs n'avaient rien d'agressif, bien au contraire. Il bougonna :

– Et alors... Ensuite ?

– J'ai étudié l'histoire et les langues – français et anglais – pendant six ans. À chacune de mes vacances je rentrais à Sadoue. Une partie de notre famille vivait alors à Ducheti, un village au nord de Tbilissi, en grande partie juif. C'est là que j'ai entendu parler pour la première fois des Khazars et de leur conversion au judaïsme. Mais... je n'y ai pas cru !

Une grimace émue brouilla ses traits :

– Je ne voulais tout simplement pas croire cette histoire de conversion au judaïsme et de grand empire disparu ! J'étais alors certaine de détenir la vérité. Je croyais connaître par cœur l'histoire russe ! Pour moi, l'histoire édifiante des Khazars, ce grand empire tolérant, le premier à fabriquer du papier dans la région, à frapper la monnaie... tout cela n'était qu'une fable. Une légende nostalgique et réactionnaire que les Juifs se transmettaient, faute de mieux, pour avoir un peu de légitimité historique dans ce pays. Je ne me rendais pas compte que je débitais moi-même la version officielle de l'URSS.

« Cependant, comme mes amis juifs insistaient, j'ai relevé le défi. Je suis allée fouiner dans les bibliothèques. Ce qui d'abord confirma mon opinion. Comme je voulais enfoncer le clou, profitant de l'ouverture de la perestroïka, j'ai écrit à quelques historiens anglais. Je me souviendrai toute ma vie du jour où j'ai lu les documents qu'ils m'ont envoyés. C'était comme si je découvrais que l'on m'avait toujours menti sur ma naissance ! Quand on dit que le sol se dérobe sous vos pas, cela peut devenir une réalité. Moi, j'avais jusque-là marché sur un tapis de mensonges. Et, brusquement, on le retirait de sous mes pieds. Oui, les Khazars avaient été un grand peuple, se convertissant au judaïsme alors qu'ils n'étaient pas sémites. Oui, le poids de l'héritage khazar dans la fondation de la Russie était important. Et oui, toutes les études sérieuses sur ce sujet avaient été interdites, censurées et condamnées par le régime soviétique !

– Mais pourquoi ? s'étonna Sofer.

– Oh, pour la raison la plus simple : le nationalisme russe. Pas question que ce grand peuple puisse être redevable de quoi que ce soit au judaïsme ! Un historien russe a tenté d'écrire cette vérité : Artamanov. Dans les années trente, il a rédigé un essai : *Histoire des Khazars*. Il montrait l'influence des Khazars sur la formation du premier État russe. Artamanov rappelait ce fait indiscutable : les

370

hordes russes qui envahirent et conquirent le royaume khazar n'étaient que des barbares manipulés par Byzance. C'est en s'installant dans les villes khazars et en adoptant leurs mœurs, leurs lois et leurs savoirs qu'ils acquirent leur première structure politique, leur premier vernis de société civilisée. L'étude d'Artamanov fut d'abord ignorée puis, trois ans avant la mort de Staline, elle fut condamnée comme subversive et anticommuniste. La *Pravda* la déclara « histoire de parasites à teinture juive ». Staline et ses suppôts ne faisaient que reprendre une tradition initiée par les tsars depuis des siècles.

Sofer eut envie de sourire. Le regard vert de l'ancienne étudiante flouée était encore empli de colère et d'humiliation, elle s'exprimait avec la ferveur de ceux qui veulent, quelle qu'en soit leur expérience, méconnaître la puissante duplicité du monde. Avec cette sorte de pureté admirable qui est toujours le moteur des héros. Pureté qui cause également leur perte car, hommes ou femmes, ils sont toujours pris au dépourvu par les méandres de l'âme humaine.

« Est-ce l'âge qui me fait voir les choses ainsi ? » songea Sofer. Néanmoins, c'est avec plus d'ironie qu'il ne l'aurait voulu qu'il remarqua :

– Alors c'est ainsi qu'est né ce groupuscule, le « Renouveau khazar », qui fait exploser les installations pétrolières de Bakou !

Elle le considéra avec un peu de surprise, comme dégrisée de sa colère, et répliqua froidement :

– Non, pas tout à fait.

Sofer s'en voulut aussitôt. Mais plutôt que de s'excuser, agacé par lui-même, il chercha à remplir son verre. La bouteille était vide.

– Aimeriez-vous plus de vin ? demanda-t-elle.

– Non, j'ai assez bu comme cela.

– Voulez-vous du café ?

Elle était déjà debout, se dirigeant vers le feu. Elle ajouta, cette fois prenant l'ironie à son compte :

– Vous êtes le prisonnier d'un dangereux groupe terroriste, mais vous avez droit à des égards. Café, thé, tout ce qu'il vous plaira...

Piqué au vif, Sofer répondit sans humour :

– Mais oui, je suis votre prisonnier ! Je l'ai vu tout à l'heure, je suis enfermé ici aussi bien que dans Alcatraz. Et, à dire vrai, j'ignore encore pourquoi !

Une vieille cafetière d'aluminium à la main, elle se retourna avec un petit rire et le toisa. Debout, cambrée, un sourire railleur remontant encore ses pommettes, elle était plus désirable que jamais. Bien que silencieuse, elle semblait murmurer de tout son corps : « Mais si, vous le savez fort bien ! »

Attrapant deux bols dans une niche, elle revint s'asseoir et déclara d'une voix égale :

– Vous êtes totalement libre. Vous pouvez partir d'ici et rejoindre Bakou quand vous le désirez. Je vous en donne ma parole. Tout à l'heure, à l'aube, si vous le voulez. La passerelle n'est retirée que par sécurité pour nous. Il me suffira de réveiller Lazir. Le 4 × 4 vous attend dans la forêt, à une centaine de mètres de la falaise.

– *Nous* ? fit Sofer que cette question agaçait depuis un moment. De qui parlez-vous ? De Lazir et de vous ?

Elle secoua la tête, amusée, remplissant son bol d'un café odorant.

– Nous sommes une dizaine à vivre ici. Nous nous sommes dispersés dans les grottes. Il y en a des centaines, comme vous avez pu le voir. Chacun a choisi celle qui lui convenait le mieux. Notre séjour dure déjà depuis quelques mois et risque de se prolonger, autant avoir un peu de confort...

– Je vois, marmonna Sofer avec un sourire agressif. Je dois reconnaître que c'est une cachette astucieuse. Pas très pratique pour les attentats, cependant : le trajet jusqu'à Bakou n'est pas de tout repos !

Elle hésita, les lèvres pincées, le visage dur.

– Aucun de nous n'est allé à Bakou. Ici, il n'y a que des historiens !

– Attendez ! Qu'êtes-vous en train de me dire ? Vous n'êtes pas le « Renouveau kha-zar » ?

– Notre organisation est scindée en deux. Ici, il n'y a que des historiens, des scientifiques. Nous étudions le contenu de la bibliothèque, nous faisons un relevé précis de chaque document. La tâche est énorme et vous n'imaginez pas à quel point elle est urgente.

– Oh que si ! ironisa Sofer. Et pour le compte de qui vous livrez-vous à cette énorme tâche ?

– De nous tous ! De la mémoire humaine, de vous, des Juifs du monde entier, de ceux d'ici, de Géorgie ou d'Azerbaïdjan !

– Quelle liste de commanditaires ! Sauf que, puisque j'en fais partie, je ne me souviens pas d'avoir passé le moindre contrat avec un groupe terroriste !

– Nous ne sommes pas des terroristes ! protesta-t-elle, les joues empourprées.

– Ah ! Mais alors, qui fait sauter les installations de Bakou ?

Pour la première fois elle montra un peu de gêne.

– Lazir pourra vous en dire plus à ce sujet. S'il le veut... C'est lui qui fait le lien avec... ces gens-là.

– Ces gens-là !

Le rire bas de Sofer était si chargé d'ironie qu'elle détourna le regard.

– Ces gens-là, insista-t-il, c'est vous aussi, non ? Vous faites partie de la même organisation, le « Renouveau khazar » ! Que vous soyez historienne ou poseur de bombe, vous signez tous les mêmes attentats !

– Nous voulons seulement la justice !

– Selon mon expérience, c'est toujours de la justice que se réclament les terroristes pour justifier leur violence !

Quelques secondes, ils se jaugèrent. Sofer fut impressionné par son calme. Mais aussi par la distance qui s'était installée entre eux.

Contrairement à ce qu'il voulait laisser croire, ce n'était pas – pas encore du moins – la morale et la violence qui attisaient sa mauvaise humeur. Cette discussion, tout simplement, brisait l'étrange bulle magique dans laquelle les avaient plongés leur rencontre et les visites de la synagogue et de la bibliothèque. Ils redevenaient des étrangers. Elle avait cessé d'être Attex! Il était en colère contre cette magie qui lui échappait.

Pour ponctuer cette folie, un brusque souffle de brise nocturne pénétra par l'ouverture. La jeune femme croisa les bras sous sa poitrine pour retenir un frisson. Ce geste souligna la forme de ses seins sous son pull-over. Sofer baissa les yeux, le désir au ventre à nouveau.

Furieux contre lui-même, furieux contre la jeune femme, il fut sur le point de se lever et de quitter la pièce. Mais il découvrit qu'elle souriait en l'observant, s'amusant franchement de l'humeur noire qui passait sur ses traits. Elle tendit la main au-dessus de la table et saisit la sienne.

– Je me doutais que vous alliez me faire la leçon! J'ai lu vos livres, vous savez! Je sais ce que vous pensez de la violence!

Elle rit, de ce rire de gorge qui laissait Sofer à vif.

– Accordez-moi le reste de la nuit avant de me condamner à jamais. J'ai encore beaucoup à vous expliquer. Je vous l'ai promis : si je ne vous convaincs pas, vous repartirez dès l'aube pour Bakou. Vous pourrez alors nous dénoncer aux autorités d'Azerbaïdjan... ou nous oublier. Vous voyez : moi aussi je prends des risques et je parie sur vous.

Sofer s'efforçait de ne pas regarder la main qui serrait la sienne. Comme il s'efforçait de n'être pas happé tout entier par la seule sensation de ce contact, de ne pas se dissoudre dans le mouvement des lèvres qui formulaient ces mots qu'il n'écoutait qu'à demi.

Elle retira sa main, laissant la pointe de ses doigts glisser comme à regret. Elle devint grave et son visage, quelques secondes, fut celui d'une enfant songeuse, étonnée, émerveillée :

— Tout à l'heure, lorsque je vous ai rejoint sur la falaise, vous m'avez appelée *Attex*... Je me suis dit que vous étiez un peu fou. Mais en vérité, je ne cesse d'y penser tandis que nous parlons et je me rends compte que cela me plaît. Me plaît beaucoup ! Attex n'était pas seulement la sœur du Khagan, sa vie avait un sens. Elle a connu la toute-puissance de l'amour avec Isaac, et cela était presque comme un cadeau que lui faisait le Tout-Puissant. Elle le savait et eut le grand courage d'offrir sa vie pour ce qu'elle croyait juste : la survie de son peuple !

Elle rit, espiègle, et ajouta :

— Comme une terroriste !

Sans laisser à Sofer le temps de répondre, elle fut debout, traversant la pièce pour fouiller dans l'un des rangements.

— Où allez-vous ? s'inquiéta Sofer en se levant à son tour.

Elle lui tendit une puissante torche électrique :

— Venez avec moi. Je vous conduis à la dernière surprise de cette nuit. Celle qui vous convaincra que le « Renouveau khazar » défend une bonne cause !

Cette grotte-là était basse, la voûte supérieure assez proche pour que Sofer puisse la toucher en levant le bras. Du sable fin, d'un gris presque blanc, en recouvrait le sol en pente douce. D'instinct Sofer baissa la tête. Les faisceaux de leurs torches électriques trouant l'obscurité devant eux, sans autres repères que le sol et la voûte, ils progressèrent encore sur une dizaine de mètres.

Il sentit que la jeune femme s'éloignait de lui. Au même moment, sur la droite, une sorte de murette blanchie apparut. Sofer voulut s'en approcher. C'est alors que sa torche capta un étrange scintillement.

– Qu'est-ce que... ?

Un claquement métallique le fit sursauter. Une lumière sans violence colora de jaune le plafond bas de la grotte.

Ils se trouvaient dans une poche oblongue, creusée dans les entrailles de la montagne et si vaste que la lumière du projecteur ne parvenait pas à atteindre sa plus lointaine extrémité. L'eau, sans doute arrivée jusque-là par un formidable réseau de failles et d'anfractuosités, y formait un bassin d'un bleu turquoise.

Une eau parfaitement immobile, figée dans sa limpide transparence, à ce point sans un frémissement qu'elle aurait tout aussi bien pu être un bloc de verre. Le miroir net de sa surface léchait la pente sableuse du sol, tandis que sur le côté droit une étonnante construction la retenait. Ce qu'un instant plus tôt Sofer avait pris pour une murette était en réalité l'arc ample d'un hémicycle dont les gradins, semblables à ceux d'une arène, s'enfonçaient dans l'eau cristalline. La plus haute des marches était surmontée, à intervalles réguliers, d'une demi-douzaine de colonnades rejoignant la voûte. Les assises et les chapiteaux conservaient des traces de peinture, pourpre et bleu, quand sur les fûts des colonnes on pouvait encore distinguer, presque intacts, les entrelacs subtils de fresques représentant d'opulents feuillages parsemés de roses, d'oiseaux colibris, de papillons aux reflets dorés et de fruits...

— L'Éden ! Le jardin de l'Éden avant la tentation du serpent ! murmura Sofer, comme s'il craignait que ses mots ne pulvérisent cette vision prodigieuse.

— Si vous regardez les colonnes depuis les marches, en sortant de l'eau on découvre Adam et Ève sur deux d'entre elles ! chuchota la jeune femme en revenant tout près de lui. C'est une Mikhva, le bain de purification des épouses...

Plus encore que dans la synagogue et la grotte, Sofer sentit littéralement le souffle du temps se déposer en lui et étreindre son cœur. Il n'était plus besoin d'imaginer, de recourir aux savoirs et aux jeux de la fiction pour sentir sur ses joues la lointaine présence des hommes qui, déjà, avaient ici cru aux promesses de l'Alliance. De l'eau immobile, de cette simple et sublime construction érigée dans les viscères de la montagne, jaillissait intacte la ferveur spirituelle des Khazars, cette foi si intense dans le Tout-Puissant qu'ils s'en étaient remis à Lui jusque dans les ténèbres de la terre.

Il sursauta lorsqu'elle le frôla. Ils sourirent ensemble de leur difficulté à briser le silence.

Elle indiqua à Sofer la direction opposée aux marches du bain. Des caisses de bois y avaient été entassées et permettaient d'atteindre une faille dans la paroi, tout juste de la taille d'un homme.

– Nous reviendrons ici tout à l'heure, dit-elle en s'y dirigeant.

Parvenant à la faille, Sofer se rendit compte qu'elle avait été murée à l'aide de matériaux anciens que l'on avait fait sauter à la pioche. Derrière, à la lumière de leurs torches, il découvrit un passage très différent de tout ce qu'il avait vu jusqu'à présent. Tout en hauteur, si étroites qu'ils devaient parfois progresser de profil, les parois irrégulières, plissées ou lisses, ne devaient rien à l'ouvrage des hommes. Il eut un instant l'impression de pénétrer dans la chair même de la montagne, comme s'il se glissait entre ses muqueuses de calcaire et de grès. Mais l'odeur, d'abord sourde puis de plus en plus irritante, accapara son attention.

Après une cinquantaine de pas prudents, la jeune femme tendit un bras derrière elle :

– Attention, donnez-moi la main. À partir d'ici, regardez bien où vous posez les pieds.

Sofer hésita une seconde avant de saisir la main tendue. Il se sentit à la fois ridicule d'être ainsi conduit comme un enfant et en même temps ne put s'empêcher d'être troublé par ces doigts qui se refermèrent autour des siens.

L'odeur presque irrespirable, à la fois huileuse et âcre, lourde comme une essence en décomposition, lui fit battre des paupières. Elle devint en quelques pas si intense qu'il se mit à respirer à petites goulées.

Soudain, à trois mètres devant eux, les faisceaux lumineux des torches qui balayaient le sol chaotique ne rencontrèrent plus qu'une opacité sans repère. Au même instant la jeune femme s'immobilisa :

– Pas plus loin, souffla-t-elle, plaquée à lui.

Lâchant la main de Sofer, elle se masqua la bouche et dirigea sa torche vers le vide à leurs pieds.

Sofer ne distingua d'abord rien de plus qu'un puits de roches recouvert d'un magma noirâtre et craquelé. Des volutes gazeuses, pareilles à des tourbillons d'insectes minuscules, dansaient dans l'étroite bande de lumière. Cinq ou six mètres plus bas, la lumière ricocha sur une surface lisse et molle.

Alors Sofer identifia l'odeur qu'il respirait !

– Du magma de naphte, dit-elle comme si elle avait suivi sa pensée. Un véritable puits de pétrole !

De la pointe de sa chaussure, Sofer poussa une pierre grosse comme le poing et la fit basculer. Elle heurta la surface huileuse avec un bruit flasque, créant une onde sans vigueur avant de s'enfoncer et de disparaître.

La jeune femme lui saisit à nouveau le bras, le repoussant déjà dans le conduit derrière eux :

– Inutile de rester plus longtemps, ou nous allons nous asphyxier.

Après s'être aspergé le visage d'eau fraîche, elle avait ôté ses chaussures et retroussé son pantalon jusqu'aux genoux. Sans hésitation elle était entrée dans l'eau jusqu'à mi-mollets, grimaçant d'abord sous la morsure du froid puis souriant à Sofer et lui confiant :

– De toutes ces grottes, c'est l'endroit que je préfère. C'est moi qui ai installé un éclairage pour pouvoir venir y réfléchir tranquillement...

Assis sur une marche de l'hémicycle, face aux colonnes peintes, à Adam et Ève, longs corps pâles cernés de traits noirs aux visages mangés par des yeux immenses et craintifs, Sofer avait réprimé un reproche.

À la voir briser l'immobilité si parfaite du bassin, il lui avait semblé qu'elle dissolvait cette sensation unique d'osmose avec les temps anciens qui l'avait saisi plus tôt. Puis il s'était dit qu'au contraire, grâce à ce geste, elle ramenait la vie en ce lieu surchargé de mémoire et qu'elle avait raison. Elle se mêlait à l'eau limpide de la Mikhva comme des centaines de femmes peut-être, un millénaire plus tôt, et comme elles, peut-être, y apaisait le tumulte des émotions et des questions.

Elle cessa de marcher, s'inclina pour plonger les mains dans le bassin. Un instant, les vaguelettes qui agitaient la surface l'environnèrent d'un pétillement de reflets pareil à un semis de poussière argentée. Chacun de ses gestes contenait une manière d'évidence, une grâce qui laissèrent Sofer douloureux.

Avec une ironie silencieuse, il reporta son regard sur l'Adam, à côté de lui, dont le visage inquiet était figé depuis plus de mille ans dans le plâtre. Adam, père et frère d'un même tourment, espérant dans un embrasement de chairs et de caresses atteindre non seulement la connaissance promise par le serpent, mais aussi, surtout peut-être, cette magnificence de la vie que pouvait contenir une femme et qui, jusqu'ici, dans l'antre de la montagne, l'éblouissait.

Il l'entendit sortir de l'eau et venir s'asseoir tout près. Habitué qu'il était maintenant aux relents de naphte qui stagnaient dans la grotte, il perçut à nouveau son parfum. Ce fut un peu comme si elle le touchait.

– Il y a des millions de tonnes de pétrole sous cette montagne, annonça-t-elle brutalement. Ce que vous venez de voir, ce n'est pas un simple puits de naphte mais le conduit naturel d'un fantastique réservoir. Une véritable mer d'or noir d'une simplicité d'extraction à faire pâlir d'envie n'importe quelle compagnie pétrolière...

Ces mots dégrisèrent Sofer. Pour la première fois depuis son réveil dans la grotte, il songea à Thomson.

– Comment le savez-vous ?

– L'été dernier, un consortium pétrolier a effectué des forages dans la vallée de Telavi, à une dizaine de kilomètres d'ici. Ils ont repéré la falaise et les grottes en faisant des relevés topographiques en hélicoptère. Mais ça ne les intéressait pas particulièrement jusqu'à ce que quelqu'un vienne leur dire : « Moi je sais où il y a du pétrole ! Pas besoin de creuser, il suffit de se baisser avec une casserole pour le prendre... »

– Yakubov ! murmura Sofer.

– Oui, Yakubov... Je ne sais ce qu'il a pu vous raconter quand il est venu vous voir à Paris, mais il connaît cet endroit comme sa poche. Pendant des années, il en a arpenté chaque couloir, chaque alcôve. Ici, il a senti l'odeur de naphte et a fini par découvrir la maçonnerie de la faille, là-bas...

Elle désigna la faille dans le mur de l'autre côté de la Mikhva, l'étroit passage qu'ils avaient utilisé pour atteindre le puits.

– Il m'a dit que son père disparaissait de chez lui pour venir prier ici, expliqua Sofer. Un jour qu'il l'aurait suivi...

– C'est plausible, approuva-t-elle. Il est probable que des Juifs de la région, depuis la nuit des temps, aient connu l'existence de la synagogue et de la bibliothèque. Mais ils en gardaient précieusement le secret. Yakubov s'est aussitôt demandé comment il allait faire fortune avec le trésor qu'il découvrait. Heureusement et malheureusement pour nous, il a été trop gourmand.

– Que voulez-vous dire ?

– Qu'il a joué sur deux tableaux. Il a voulu monnayer ses deux secrets : le pétrole et le trésor khazar ! Plus exactement, à l'origine, il ne songeait pas au pétrole. Cela n'aurait pas eu de sens. Son idée était de vendre petit à petit les objets de la salle de garde, les manuscrits, et peut-être même l'Arche... Mais à qui, où, comment ? La Géorgie n'est pas aujourd'hui le pays rêvé pour le commerce des antiquités. Vous trouverez sur les marchés des choses inimaginables. Les gens démontent leurs appartements, leurs meubles, le carrelage ou la robinetterie des salles de bains de l'époque soviétique... Rien cependant qui possède une véritable valeur. Et pour cause : la misère est telle dans les villes qu'on y fait du troc pour se nourrir. Des légumes contre des verres anciens, de la viande contre de la vaisselle rococo du temps de Staline. Yakubov a vite compris qu'il était assis sur une fortune, mais qu'elle était virtuelle. S'il cherchait à vendre le moindre de ces objets en Géorgie, une bande mafieuse quelconque l'apprendrait. Il pourrait dire adieu à tout le reste et même se faire tuer. En conséquence, il lui fallait être patient.

– Il aurait pu vendre à l'étranger, objecta Sofer.

– Bien trop compliqué pour un paysan juif du Caucase ! Il lui fallait sortir des objets du pays, aller en Europe, convaincre un acheteur... Et ensuite ? Il était coincé. Il ne pouvait emporter à l'étranger que de petites choses, pas le plus précieux : les grandes armes, les manuscrits, l'Arche... Même s'il parvenait à convaincre un antiquaire de Berlin, de Paris ou de Londres, qui prendrait le risque de venir ici, dans le Caucase ? Ici, au royaume de la mafia, à deux doigts de la Tchétchénie en guerre ? Personne.

– Alors ?

– Alors il a muré les couloirs menant à la grande grotte afin que nul autre que lui ne puisse en découvrir l'existence. Il a pris patience quelques années. Lorsque les forages pétroliers ont commencé, il s'est souvenu de ce puits de naphte. Il s'est dit qu'il pouvait au moins gagner quelques dollars en conduisant les techniciens du pétrole jusqu'ici... C'est ce qui est arrivé, avant de très vite se compliquer. Il n'avait pas imaginé que, dès les premiers sondages, les analyses révéleraient que ce conduit que l'on vient de voir n'est qu'une sorte de tuyau naturel ouvert par des failles du calcaire. Un accident géologique. Mais là-dessous, bien au-delà de la falaise, s'étend une fosse de plusieurs dizaines de millions de tonnes de pétrole ! Je n'ai pas les chiffres exacts mais...

– Attendez, la coupa Sofer.

Sans s'en rendre compte, il avait posé la main sur son poignet et le serrait avec force. Avec un frisson d'horreur, il entrevit d'un coup où conduisait cette explication.

– Bon sang ! Vous êtes en train de me raconter que des compagnies de pétrole ont repéré sous cette montagne une réserve de pétrole... Sous la synagogue et la bibliothèque ! Mais... Mais alors, ils vont tout foutre en l'air pour l'exploiter, ce satané pétrole !

Il ne vit pas le regard victorieux qu'elle lui adressait. Il sentit à peine la main qu'elle posait sur la sienne.

– Oui, confirma-t-elle tout bas. C'est pour cette raison que nous sommes ici. C'est pour cela que nous avons formé le « Renouveau khazar » ! C'est pour cela ou, plutôt, pour éviter cela que nous devenons des terroristes, comme vous dites. Il n'y a aucune illusion à se faire. Si nous ne les arrêtons pas, les compagnies pétrolières ravageront cette montagne et tout ce qu'elle contient pour pouvoir exploiter l'or noir !

Transi, une angoisse moite lui nouant la gorge, Sofer regarda l'eau somptueuse du bassin. Elle avait mille fois raison ! Ses yeux revinrent à l'Adam et à l'Ève peints sur les colonnes. Il les imagina, en un éclair, détruits et réduits en poussière par la transformation de la grotte en un immense chantier de pompage.

Après des siècles et des siècles, une œuvre maligne allait enfin crier victoire et effacer pour de bon l'ultime trace des Khazars...

Il se leva en balbutiant :

– Reconduisez-moi dehors. Sur le bord de la falaise. J'ai besoin de respirer.

Sofer s'était assis sur une marche d'escalier à flanc de falaise, dans la lumière venue de la grotte-cuisine où elle préparait à nouveau du café.

Il regarda sa montre : déjà plus de quatre heures du matin.

C'était à peine si on percevait, à l'est, un peu de clarté dans l'obscurité splendide du ciel étoilé. Une brise régulière et froide courait le long de la falaise. Cela lui faisait du bien après cette sorte d'étouffement qui l'avait saisi dans la Mikhva.

Oui, un véritable étouffement qui l'avait effrayé. Comme si ce labyrinthe creusé dans la montagne se refermait sur lui. Comme si, dans une sorte d'imagination intuitive de sa chair, la menace d'anéantissement des grottes et des trésors qu'elles contenaient devenait une menace contre lui-même. Encore une trace du monde juif qui allait s'effacer ! Encore une destruction de la mémoire ! Encore un pas vers le néant d'un présent coupé des racines de l'origine ! Son corps, son cœur avaient perçu tout cela avant sa raison et en souffraient.

C'était sans doute excessif. Il s'en voulait presque de la violence de son émotion. Mais tout, depuis qu'il était ici, lui paraissait excessif, à la fois menaçant et prodigieux. À commencer par son attirance pour Attex. Pour cette femme qu'il continuait en lui-même d'appeler Attex.

En vérité était-il vraiment amoureux d'elle ? Il y avait si longtemps qu'il n'avait pas aimé ! Aimé de cette sorte d'amour qui nous rend bon, ouvert, accueillant à l'autre et respectueux de son énigme ! En vérité, il y avait si longtemps qu'il s'était barricadé dans la certitude que l'amour était aussi impartageable que les rêves !

Partageait-elle un peu cette émotion ? Jouait-elle seulement avec lui pour obtenir un service ? Il commençait à entrevoir la nature de l'aide qu'il pourrait lui fournir.

Mieux valait ne pas se poser la question. Se contenter qu'elle l'ait choisi, lui, parmi d'autres. Cela n'était-il pas un signe ?

Elle apparut sur l'espèce de balcon de roche, portant un plateau au décor turc où étaient disposés la cafetière et des bols. Elle souriait, gracieuse, détendue. Désormais complice. Confiante.

Elle vint s'asseoir sur l'escalier, une marche au-dessous de lui, versa le café fumant dans les bols et lui tendit le sien. Il le prit à pleines mains, se réchauffant les paumes contre la porcelaine.

D'un mouvement leste elle dénoua ses cheveux. Ils étaient si légers que la brise les répandit sur ses épaules. Avec un naturel qui lui fit battre plus fort le cœur, elle s'appuya contre les jambes repliées de Sofer. À travers les tissus, celui-ci sentit la chaleur de son buste, la fermeté d'un sein contre sa cuisse. Il n'avait qu'à bouger la main de quelques centimètres pour la plonger dans sa chevelure de feu ou la poser sur sa nuque, caresser sa joue. Il se retint, préférant ne pas briser l'étrange alliance qui les reliait.

Ils burent chacun quelques gorgées de café puis, en quelques phrases prononcées à voix basse, elle acheva de lui raconter comment elle avait rencontré Yakubov l'hiver précédent.

Sans coup férir, après une courte négociation et une large distribution de pots-de-vin, un groupe pétrolier venait d'obtenir un quasi-droit de propriété sur les cent cinquante kilomètres carrés de montagne, de forêts et de sous-sol englobant la falaise, les grottes, l'immensité de la nappe souterraine qui s'étendait essentiellement sous la plaine.

– Cela signifie donc, souligna-t-elle, que nous sommes chez « eux » en ce moment. En toute illégalité. Ils peuvent nous déloger quand ils le veulent...

Yakubov lui-même avait vite compris que, dans ces conditions, le temps qu'il lui restait désormais pour « vendre » le trésor khazar était compté.

– Pour vendre vite, il avait besoin d'un réseau. Et qui trouver ici, sans risquer que cela revienne aux oreilles de la mafia ? Yakubov est rusé comme un renard, mais son ignorance le rend par certains côtés simple et naïf. Il a pensé qu'un professeur d'histoire s'y entendait forcément en antiquités. Peut-être même en antiquaires !

Elle s'interrompit avec une mimique ironique, remplit à nouveau leurs bols, y trempa les lèvres avant de reprendre son histoire :

– Il est venu chez mes parents alors que je fêtais mon retour en Géorgie comme professeur. Il transportait une épée, deux ou trois stylets, des flèches et des pièces de monnaie dans un sac de sport. Il m'a dit : « Il paraît que vous vous y connaissez en vieux trucs ? Qu'est-ce que ça vaut, à votre avis, ces machins ? »

Sofer ne put s'empêcher de sourire, se remémorant la faconde de Yakubov. Il le voyait sans peine menant rondement son marché !

En découvrant les monnaies, elle avait aussitôt compris qu'il s'agissait d'objets khazars.

Elle frissonna et se serra un peu plus contre lui :

– J'en ai encore la chair de poule ! Avoir tout d'un coup sous les yeux des objets, des pièces que l'on croit à jamais disparus ! Vous ne pouvez pas imaginer !

Si, il pouvait, songea Sofer. Cette émotion, il la concevait parfaitement. En cet instant même, il la sentait palpiter tout contre lui.

Yakubov avait bien sûr refusé de dire d'où il tirait ces objets anciens. Elle avait tout essayé pour le faire plier, la menace comme la supplique. Elle avait fini par l'insulter, ne supportant plus que sa soif de dollars l'empêche de comprendre, lui, le fils d'un homme pétri de la lecture de la Torah, qu'il s'agissait de l'histoire et de la mémoire du peuple juif tout entier, et non d'un commerce de vieux bouts de ferraille.

Afin de le faire céder, avec l'aide de camarades juifs de l'université, elle avait alerté la communauté de Quba en Azerbaïdjan, la plus importante de toute la région. Là-bas les rabbins avaient un certain pouvoir. En vérité, elle avait même espéré qu'ils se mettent en relation avec les autorités d'Israël. Ils ne l'avaient pas fait, mais Yakubov avait été cueilli chez lui un matin et questionné avec une certaine... vigueur.

– Bon, ce n'était pas très légal, c'est sûr. Mais franchement, quoi faire d'autre ? C'était trop important...

– Si je comprends bien, dit Sofer, les habitants de Quba connaissent cette histoire. Ils savent que vous êtes là, pourquoi et qui se cache derrière le « Renouveau khazar » !

– Non, pas tous, loin de là! Seulement le maire et quelques personnes de confiance. Ils nous ont beaucoup aidés...

– Zovolun Buruth Danilev! M. le maire! marmonna Sofer. Moi qui voulais absolument qu'il me dise d'où provenait ma pièce de monnaie et lui qui voulait absolument m'en dissuader! « La montagne est pleine de rumeurs, monsieur Sofer. Les suivre, c'est se perdre... »

– Ils sont formidables, vous savez. Ce sont eux qui prennent tous les risques. En un clin d'œil ils ont compris la situation. Cela les a beaucoup amusés de s'appeler le « Renouveau khazar »! Au temps du communisme, le maire avait monté un réseau qui permettait aux Juifs de fuir en Occident.

– Je vois! Votre branche « action », en quelque sorte. Des papys dans mon genre, ou des Lazir qui font sauter quelques bombes!

– Ne vous moquez pas, c'est injuste. Les bombes, nous n'y pensions pas au début. Je peux vous l'assurer. Si les responsables pétroliers étaient moins stupides et moins obtus, elles ne seraient pas nécessaires. Lorsque Yakubov a fini par nous conduire ici, nous étions si émerveillés que nous n'avions qu'un désir : que le monde entier partage notre bonheur. Devant la synagogue, avant même d'en ouvrir la porte, nous étions en larmes. L'émotion était trop forte. Et lorsque nous sommes parvenus à ouvrir les grandes portes de la bibliothèque... Il n'y a pas de nom pour exprimer cela!

Non, il n'y avait pas de nom. Une image peut-être : comme si l'Ève et l'Adam peints sur les colonnades de la Mikhva s'animaient, se détachaient du plâtre de la fresque qui les retenait. Comme s'ils devenaient femme et homme de chair et qu'enfin on pouvait les serrer contre soi.

Mais, au-delà de cette émotion, les questions de ces dernières semaines trouvaient enfin leurs réponses, telles les pièces d'un puzzle dont l'emplacement se révélait brutalement évident.

– Nous étions naïfs et pleins d'espoir. J'étais certaine d'aboutir à un arrangement avec les patrons de la compagnie pétrolière responsable des forages. Lorsqu'ils apprendraient le contenu extraordinaire des grottes, ils ne pourraient que partager notre opinion. Nous avons cherché à les joindre de toutes les manières possibles. Ils n'ont qu'un bureau subalterne à Tbilissi. Nous avons contacté le siège de Bakou. Ils ont refusé de nous recevoir. Finalement, un avocat nous a adressé un courrier indiquant que tout ce que contenaient les grottes appartenait désormais à l'O.C.O.O.

– L'Offshore Caspian Oil Operating, grommela Sofer en songeant à Thomson.

– Oui, c'est cela. Cette lettre était une provocation délibérée. Il y était précisé que nous n'avions aucun droit légal de venir ici sans leur autorisation. Vous imaginez notre sentiment. Notre première réaction, afin de nous donner plus de poids, a été de créer une société de défense des ruines : le « Renouveau khazar » ! C'est ainsi que le groupe est né. Je peux vous assurer que nous avons remué ciel et terre, aussi bien en Azerbaïdjan qu'en Géorgie. Mais l'O.C.O.O. a fait régner une véritable omerta. En quelques semaines, plus personne ne nous a reçus. On ne prenait plus nos appels, nos courriers disparaissaient dans des poubelles. Nous n'étions plus que des fantômes. La seule chose que nous avons apprise, c'est que, d'ici à la fin de l'année au plus tard, une équipe va faire une étude d'exploitation. Toute la zone sera interdite. Ce qui signifie qu'ils vont piller la bibliothèque et détruire le reste. Sans compter la Mikhva ! Voilà pourquoi nous avons décidé de faire sauter des installations de l'O.C.O.O. Hélas, ils sont si puissants que même notre lettre de revendication a été passée sous silence !

L'esprit de Sofer était soudain en feu :

– Attendez ! Attendez ! Les responsables de l'O.C.O.O. savent donc parfaitement qui vous êtes ? Et ce que vous leur voulez ?

– À cette heure, je suppose qu'ils doivent avoir nos photos sur leurs bureaux et des fiches avec les moindres détails de nos biographies.

– Nom d'un chien !

D'un coup, Sofer comprenait à quel point Thomson l'avait mené en bateau. Son pressentiment se confirmait : leur rencontre, dans l'avion, ne devait rien au hasard. Thomson savait qui il était et pourquoi il se rendait à Bakou. Thomson et ceux qui l'employaient savaient tout : l'emplacement de la grotte, la raison des attentats et qui les perpétrait. Ils savaient pour Quba, Yakubov et tout le reste.

Mais pourquoi s'intéresser à lui, Marc Sofer ? Pour qu'il devienne un messager entre l'O.C.O.O. et le « Renouveau khazar » ?

Un instant Sofer ferma les yeux et se rappela les propos de Thomson, l'avant-veille, à l'hôtel, qui sonnaient comme une menace : « Faites passer un message à vos amis... Dites-leur qu'ils laissent tomber. Qu'ils refusent de se laisser entraîner dans un second attentat. Pour nous ce sera un signe et on s'en souviendra. Et si une explication, parfaitement anonyme, nous parvenait, ce serait encore mieux. Avec des détails impliquant les Américains. »

Ça ne collait pas. Que venaient faire les Américains dans cette histoire dès lors que Thomson et l'O.C.O.O. savaient qui et pourquoi l'on faisait sauter leurs installations ?

De plus, le second attentat avait eu lieu, mais contre les installations d'un groupe américain, selon Lazir. Assurément, il manquait un élément du puzzle. À moins que Thomson ne soit pas le seul à se moquer de lui.

– Que se passe-t-il ? Qu'avez-vous ?

Elle avait posé une main sur sa cuisse et l'observait, inclinée vers lui, un tendre pli d'inquiétude entre les sourcils.

– Marc, vous vous sentez mal ?

La voilà qui usait de son prénom avec une voix de miel ! Avec un visage si parfaitement beau. Ne pouvait-elle se contenter d'être Attex, une femme de rêve et de fiction ?

Le désir violent d'envoyer paître le fatras de ses pensées et de l'embrasser le fit trembler. Il se contenta de poser sa main sur la sienne et de la serrer avec force. Une ultime défiance lui interdit d'évoquer sa rencontre avec Thomson. En se raidissant, il demanda :

– Pourquoi avez-vous fait sauter des installations américaines, il y a trois jours, et pas celles de l'O.C.O.O ?

– Oh... C'est une idée de Lazir et du maire de Quba. Puisque l'O.C.O.O. veut nous ignorer, nous devons créer un problème qui concerne le plus de compagnies possible. Et même le gouvernement d'Azerbaïdjan. Touchés dans leurs intérêts, peut-être les Américains publieront-ils notre revendication ? Sans rien y comprendre, mais...

– À moins que l'O.C.O.O. ne les convainque de n'en rien faire ! En ce cas, vous jouez avec le feu en augmentant le nombre de vos ennemis ! Il y a quelque chose que je ne comprends toujours pas : pourquoi les patrons de l'O.C.O.O. ne vous dénoncent-ils pas ? Ils pourraient vous chasser d'ici, arrêter Zovolun, des habitants de Quba, que sais-je... Puisqu'ils sont au courant de tout et sont dans leur bon droit, ce serait simple !

– Mais cela ferait du bruit. Au moins un peu. Des journaux étrangers apprendraient la nouvelle. En France, en Angleterre, en Europe, dans tous les pays membres de l'O.C.O.O. cela se saurait. Détruire les vestiges du passé... Quelle société civilisée ne s'en alarmerait ? Or ils ont choisi la meilleure des armes pour nous abattre : le silence. Le silence signifie notre échec absolu. Ils savent que nous sommes faibles. Que représente le « Renouveau khazar » ? Quinze ou vingt personnes. Qui sait aujourd'hui que nous nous battons et pour quoi ? Personne. Que pourrons-nous faire puisque leur silence nous tue, nous étouffe et nous détruit plus sûrement qu'un vrai combat ? Je vous le dis : ils sont assez puissants pour étouffer le moindre de nos hurlements.

Elle se détacha un peu de lui pour le regarder droit dans les yeux. Sa bouche était soudain tendue par la colère. La voix froide et dure, elle lança :

– Nous avons pris des photos et un film que nous leur avons communiqués. J'ai écrit moi-même un rapport de vingt pages pour expliquer par le menu l'importance historique de la bibliothèque, de la synagogue, de la Mikhva. Pas seulement pour les Juifs : c'est tout simplement l'histoire du Caucase qui se raconte ici. Nous avons bien sûr envoyé une copie du film et du rapport à des journaux géorgiens ou azéris, à des professeurs de l'université de Tbilissi, en Azerbaïdjan aussi. Savez-vous ce qu'il s'est passé ? Rien. Comme si nous n'existions pas ! Comme si tout cela n'existait pas ! Et c'est bien ce qu'ils veulent : que cela n'existe pas. Que les grottes soient vides et qu'il n'y ait ici que des tonnes et des tonnes de pétrole.

Elle avait fini par parler fort. Sa voix retentit contre la paroi de la falaise et vibra dans la nuit.

– Nous ne sommes pas en Europe, Marc. Pas même en Azerbaïdjan ! Il n'y a plus d'État en Géorgie, plus de lois, plus de règles. Dès lors que vous avez assez de dollars pour corrompre un ministre, quelqu'un qui possède le pouvoir de signer un bout de papier, vous pouvez agir en toute impunité. Si nous perdons ce combat, ce que vous avez vu cette nuit n'existera plus dans six mois...

Elle avait raison. Il suffisait de laisser errer son regard sur les ombres qui commençaient à s'alléger avec l'aube pour s'en convaincre. Ce lieu était perdu, nul ne se souciait de ce qu'il pouvait y advenir. Si par malheur il s'y déroulait un drame, il serait extraordinairement facile de l'attribuer à on ne sait quel dérapage de la guerre en Tchétchénie. Et qui s'intéressait aux vestiges khazars ? Les manuels d'histoire des lycées d'Europe n'en faisaient même pas mention !

Oui, bien sûr qu'elle avait raison. Et maintenant, sans qu'elle le lui explique, il comprenait ce qu'il faisait là.

Dans ses mains, le bol de café à demi bu était froid. Il le déposa sur le plateau et, ce faisant, frôla son visage. Cette fois, ce fut plus fort que lui. Il se détourna un peu et posa ses lèvres sur les siennes.

Il fut surpris de les trouver brûlantes. Il fut encore plus surpris de leur douceur et de sentir qu'elle l'enlaçait avec la violence d'une délivrance, avec un petit grondement sourd venu de sa poitrine. Le corps si ferme et si souple enveloppa le sien. Leurs langues se rencontrèrent avec simplicité. La tension érotique retenue depuis des heures se répandit comme une ivresse dans leur sang.

27

Sadoue, Géorgie

mai 2000

Elle se dégagea de son étreinte avec la douceur d'une abeille se détachant d'une fleur. Elle se redressa sur le lit, nue, les fesses sur ses talons, offerte à son regard attentif.

Sofer eut l'impression qu'il la voyait pour la première fois. Quelque chose avait changé dans son visage pendant qu'ils faisaient l'amour, et cela demeurait. Une trace de l'abandon, du plaisir dévoilé, mais autre chose aussi. Moins d'assurance, peut-être. À moins qu'elle ne soit tout simplement désorientée par leur différence d'âge maintenant qu'ils étaient nus et que la violence du désir s'estompait ?

Pourtant, elle avait bien dû sentir elle aussi, dès leur premier regard, que le désir allait tôt ou tard les emporter. Il y avait eu trop d'émotion dans cette nuit pour qu'ils n'y cèdent pas.

Alors qu'elle relevait les bras pour nouer ses cheveux flamboyants en un chignon éphémère, la pointe de ses seins remonta. Ses aréoles dessinaient des disques d'un rouge de feu elles aussi, avivées par la blancheur laiteuse de sa peau. Le désir de Sofer revint instantanément, le surprenant. Il réprima la caresse dont il avait envie et cessa même de croiser son regard pour ne pas l'embarrasser. Les paupières closes, il roula sur le côté pour baiser ses cuisses en avouant :

– Cela fait des semaines que je ne pense qu'à vous, même quand je ne m'en rends pas compte ! Au point que cela en devenait agaçant. Vous êtes si belle !

Elle rit de ce rire de gorge qu'elle avait déjà eu. Mais il y devina un peu de distance, comme s'il avait proféré une grande banalité. Elle repoussa sa tête, interrompant ses baisers en lui caressant la joue :

– Votre barbe pousse vite, remarqua-t-elle.

Il frotta son menton effectivement très rêche et esquissa une grimace.

– Ne vous en faites pas, ajouta-t-elle aussitôt. Cela vous va bien ! Ne bougez pas, j'ai un cadeau pour vous...

– Pour moi ?

Avec une agilité de chatte elle quitta le lit sans lui répondre et se dirigea vers une malle métallique glissée au bas d'un mur.

Ils étaient dans « sa » grotte à elle, semblable à celle où Sofer s'était réveillé, il y avait des siècles. C'était là qu'ils étaient parvenus, au plus près, poussés par l'urgence des caresses et des baisers, se dénudant à chaque pas, tendus par le désir. La seule différence était que cette pièce possédait un lit de camp relativement confortable et une batterie reliée à deux petites lampes.

Sofer l'admira encore tandis qu'elle ouvrait la malle et en retirait un rouleau de papier. Il aurait vraiment voulu qu'elle ne se défie pas de lui lorsqu'il lui disait qu'elle était belle. En vérité, elle était la beauté même : celle qui peut faire croire à la vie comme à un accomplissement.

Elle revint vers le lit, les hanches dansantes, et lui tendit le rouleau.

– Qu'est-ce que c'est ?

– Regardez...

Il déplia le rouleau. Ce n'était pas un parchemin mais bien du papier, grumeleux et d'épaisseur irrégulière. Assombrie par des taches d'humidité, l'écriture en recouvrait toute la largeur. Tracés dans une encre devenue bistre, les caractères étaient mouvants. Cela ne ressemblait en rien aux manuscrits calligraphiés avec soin que Sofer avait entrevus dans la bibliothèque.

Lorsqu'il eut déroulé en totalité le manuscrit, des feuillets dactylographiés en glissèrent, tombant sur le lit.

– Vous savez lire le russe, je crois ?

Sofer hocha la tête et répéta :

– Qu'est-ce que c'est ?

– Une lettre. Et sa traduction en russe, c'est plus simple...

Elle eut un sourire ravi, attrapa son pull et le passa sur sa peau nue :

– Je vous laisse lire en paix et je reviens tout de suite. J'ai faim, pas vous ?

Sofer ne répondit pas, les yeux rivés sur la première ligne de la traduction, le ventre creusé par bien autre chose que la faim.

Mon bien-aimé frère Joseph, ô toi Khagan des Khazars, fils d'Aaron, que l'Éternel te bénisse.

Que l'Éternel veuille aussi que cette lettre te parvienne.

Joseph, j'ai deux nouvelles d'importance pour toi. L'une mauvaise et l'autre que je trouve bonne.

J'ai bien réfléchi avant d'écrire cette lettre car elle te dira où je suis. Tant pis. La mauvaise nouvelle l'est assez pour que tu en sois informé. Après avoir fui ta volonté à Sarkel, j'ai rejoint la grotte de notre oncle Hanuko, là où tu sais (pardonne-moi d'être sibylline, mais il n'est pas besoin, au cas où cette missive serait volée, de donner d'inutiles renseignements). C'est un miracle que nous y soyons parvenues vivantes, Attiana et moi.

Hélas, chaque jour qui passe, la grotte, la synagogue, la précieuse Mikhva construite par notre oncle, tout cela, plus nos vies, court le plus grand danger. Te souviens-tu de la vaste vallée qui s'étend au pied de la falaise ? Les troupes de l'empereur de Byzance et de l'émir d'Alep, Seïf-ad-Daouleh, s'y livrent, jour après jour, un combat aussi féroce qu'incertain. L'oncle Hanuko dit que les Grecs ont engagé deux taghmatas impériales, soit plus de dix mille soldats, dont deux droungos de Varègues. Les forces de l'émir sont tout aussi puissantes.

Cela fait quinze ou vingt mille hommes qui se battent à trois ou quatre lieues d'ici, parfois moins. La forêt qui protégeait le chemin d'accès à la falaise a brûlé en son entier il y a cinq jours. Nous avons failli périr asphyxiés dans les fumées. Incapables de nous laver, nous en sommes encore noirs de suie. Il faudrait aller se tremper dans le grand bain d'Adam et Ève, mais aucun de nous ne peut se résoudre à le souiller.

Pour te dire la vérité, Joseph, c'est de nous voir ainsi, sales et puants comme des animaux, terrés dans nos grottes, que je me suis résolue à cette missive désespérée.

Depuis l'incendie de la forêt (qui, comme tu l'imagines, a révélé notre présence aux soldats de l'émir), il ne se passe pas de jour sans que des soldats vociférants cherchent à investir les grottes. Leur chef doit rêver de s'en faire une forteresse. L'oncle Hanuko a toujours vécu ici en paix, se protégeant du mal en lisant la Torah. Nous ne pouvons compter que sur une vingtaine d'hommes en état de se battre. Mais ils ont oublié l'art des armes depuis si longtemps que je doute de leur efficacité.

Pour l'heure, la défense naturelle des lieux demeure notre plus sûre protection. Mais pour combien de temps encore ? L'oncle Hanuko pense que les Musulmans parviendront tôt ou tard à construire des échelles qui leur permettraient d'accéder à la poterne. À moins qu'ils ne tressent des cordes assez longues pour atteindre les plus hautes grottes et leurs escaliers depuis la cime de la falaise. Ils sont capables de tout.

Voilà une autre raison pour laquelle je prends la terrible responsabilité d'envoyer Attiana vers toi avec cette lettre. Si demain nous ne sommes plus là pour te le dire, tu dois savoir que cette guerre entre Constantin et l'émir d'Alep est la vraie raison qui a poussé les Grecs à t'offrir une alliance. Outre le plaisir vicieux de t'entraîner dans le pire reniement par le moyen d'un mariage.

Joseph, ouvre les yeux mon frère ! Comment peux-tu songer à une paix fondée sur le viol de ta sœur Attex qui t'aime ?

Les courbettes de l'ambassadeur Blymmédès n'ont d'autre raison que de t'amollir tandis que les forces de Byzance affrontent l'émir Seïf-ad-Daouleh. Constantin est faible aujourd'hui. Il veut s'assurer que tu ne feras pas cause commune avec l'émir contre lui. La paix qu'il offre n'est qu'un leurre, ô mon Khagan bien-aimé. Conviens-en. T'aurais-je obéi, j'aurais renié la loi de Moïse et subi les désirs pervers d'un Chrétien sans même que le royaume des Khazars en soit conforté. Bien au contraire !

Joseph, entends cette vérité : Byzance hait les Juifs et craint les guerriers khazars. Jamais il n'y aura de paix entre eux et nous. Je te l'écris alors que demain peut-être je serai auprès de l'Éternel, béni soit-Il : tu n'auras d'aide que des Juifs du reste du monde.

Ils pensent à toi comme à une lumière dans la nuit. Tu es une étoile nouvelle dans leur ciel. Je t'en prie, reçois Isaac, l'envoyé du rabbin de Cordoue. Lis la lettre qu'il t'apporte et réponds avec tendresse à leur attente.

Ne te laisse pas aveugler par la jalousie. Car je sais que cette âcre douleur brouille ton jugement. Elle est pour beaucoup dans ton refus de recevoir Isaac. Ne lutte pas contre cet amour qui m'a portée dans ses bras : tu ne peux rien contre lui.

Même si nous n'avons eu qu'une nuit pour nous en enchanter, il est éternel comme l'Éternel Lui-même. Oui, je te le dis : notre amour est la volonté du Tout-Puissant.

Je porte le souffle d'Isaac dans mon sein. Sa présence et le parfum de sa passion ne quittent pas mon corps. Ils me purifient pour toujours. Il me suffit de baisser les paupières pour savoir qu'il en va de même pour lui. Rien, ô Joseph, toi qui dans l'enfance as déjà sauvé ma vie, rien ne peut restreindre cette foi dans la foi. Si un guerrier demain m'écartèle les cuisses et m'égorge, il ne me souillera pas plus que la fumée de son incendie.

Souviens-toi, Joseph, de l'enseignement de notre rabbin Hanania. Un jour il nous a dit qu'il fallait considérer la Torah telle une jeune fille de grande beauté et de haute naissance. Il me regardait en prononçant ces mots.

Il a dit, oh ! comme je m'en souviens : « Cette jeune fille a un amant dont elle seule connaît l'existence. Par amour pour elle, et bien qu'encore il ne la connaisse pas, ce garçon vient à son palais, passe et repasse devant ses fenêtres. Il espère apercevoir cette beauté dont son cœur déjà lui a parlé mais que ses yeux n'ont jamais vue. Et la jeune fille, elle, sait qu'il est là, qu'il ne s'éloigne jamais. Alors elle entrouvre son huis et, un instant, un bref instant, elle dévoile son visage à l'amant ! Lui seul et nul autre n'a contemplé son visage. À lui seul elle s'est révélée car lui seul possédait l'âme et le cœur faits pour surveiller son huis. Et il sait dès lors combien est grand l'amour qu'elle a pour lui. Et elle sait, dès lors, que le lien entre eux est indestructible. »

Isaac Ben Éliezer et la Kathum Attex sont ainsi, Khagan Joseph. Ils le sont même dans la souffrance. Même si l'huis ne peut plus jamais s'entrouvrir. Même s'il n'est pas un instant où il ne me manque.

Accorde-lui audience, Joseph. Sauve le royaume des Khazars et laisse mon amant venir me sauver. Alors le Tout-Puissant saura faire de toi celui que les Juifs esseulés et bannis portent déjà dans leur cœur.

Sofer passa les doigts sur ses paupières. Elles étaient humides.

Il aurait voulu relire immédiatement cette lettre, s'assurer qu'il ne délirait pas. Mais la confusion de son esprit était trop grande. Ainsi ce qu'il avait cru imaginer avait été la réalité ?

Un faible bruit se fit entendre. Un frôlement, un froissement de tissu.

Relevant les yeux, il la vit, debout devant la porte. Elle ne portait plus son long pull mais une robe tunique verte. Une seconde peau de soie d'un vert nacré, tendue sur ses cuisses, plissant un peu sur l'arc de son ventre, révélant le poids de ses seins et la douceur de ses épaules.

Elle dit en s'avançant vers lui :

– C'est une tunique khazar. Ma mère me l'a faite elle-même, selon une description lue dans un livre.

Sofer songea que c'était précisément la robe qu'Attex portait pour sa nuit d'amour avec Isaac. Il aurait voulu le dire, mais les mots ne franchirent pas ses lèvres. Tout était trop violent, trop fou, comme si deux mondes soudain entraient en fusion.

Elle s'accroupit devant lui, ses cheveux roux basculant sur ses joues. Elle montra la lettre :

– C'est une belle lettre, n'est-ce pas ? Belle et terrible... Dès que je l'ai déchiffrée, j'ai pensé qu'elle vous intéresserait.

– D'où vient-elle ? parvint à articuler Sofer.

– De la bibliothèque. Elle se distinguait des autres manuscrits à cause de l'écriture. C'est certainement une copie. L'original a dû disparaître avec cette Attiana...

Elle s'interrompit pour mieux le regarder et souffla, avec un sourire inquiet :

– Mais qu'avez-vous ?

Il la regarda comme s'il était perdu. Elle en parut désarçonnée, presque craintive :

– Pourquoi me regardez-vous ainsi ?

– Parce que vous êtes belle !

– Bah ! fit-elle en secouant ses cheveux avec une moue. Quelle importance ? Je n'aime pas qu'on me le dise. N'est-ce pas dans l'Ecclésiaste qu'il est écrit : *Ne louez pas un homme pour sa beauté, ne le méprisez pas pour sa laideur !* Cela vaut sans doute aussi pour une femme.

Sofer se mordit les lèvres. Pour la première fois il se sentit gêné d'être nu. Gêné de n'être pas aussi beau qu'Isaac devant Attex. Pourtant il secoua la tête et usa des mêmes mots que l'envoyé de Cordoue avait murmurés sur la péniche, mille ans plus tôt, durant son unique nuit d'amour, pour répondre au même reproche venant d'Attex :

– Non. Vous n'êtes pas belle de cette façon-là. Quand je vous regarde, il me semble que Dieu, s'Il existe, m'offre le miel de l'Éden. Vous êtes comme Sa main et Son regard. Vous êtes Sa voix et Sa douceur. Il y a en vous la lumière des étoiles et celle des rivières. Avec vous, je sais pourquoi il est bienheureux que je sois un homme...

Elle rit. Un rire ravi qui rebondit contre la voûte. Il y avait dans ses yeux d'émeraude un éclatant plaisir.

– Et moi, je sais pourquoi je suis amoureuse d'un écrivain !

Elle releva la tunique étroite jusqu'à ses hanches, dévoilant ses cuisses et sa toison pareille à du safran. Elle saisit les mains de Sofer, en baisa les doigts avant d'ajouter, le désir voilant sa voix :

– Il fait déjà jour dehors. Mais je pense que les tout-puissants seigneurs du pétrole peuvent attendre encore un peu avant que l'on s'occupe d'eux.

Elle dormait.

Sofer en était décontenancé. Après qu'ils eurent fait l'amour, cette fois avec moins de voracité et plus de tendresse, elle s'était endormie tout contre lui. D'un coup.

Dans un balbutiement, elle s'était retournée sur le ventre, une joue posée au creux d'un bras, l'autre bras enlaçant le buste de Sofer, la main retenue sur son épaule. Elle dormait avec une expression un peu têtue mais paisible. Une moue confiante gonflait ses lèvres. La tête relevée par l'oreiller, Sofer pouvait voir la courbe douce de son dos, les deux fossettes de ses reins, obscurcies par la lumière chiche de la pièce, tandis que ses fesses paraissaient au contraire d'une douceur enfantine.

Il sourit, ému.

Ému et content de lui avoir dit à quel point elle était belle. Elle ne saurait probablement jamais que cette beauté était désormais incrustée en lui. Gravée en quelque sorte dans son corps et ses émotions comme un viatique pour les temps à venir. Il lui suffisait de se passer la langue sur les lèvres pour retrouver le goût de sa peau, la saveur de ses hanches ou de ses cuisses, l'odeur de son sexe. Cela aussi le troublait. Comme si, dans l'élan du désir, elle lui avait offert assez d'elle-même pour qu'il puisse en conserver le parfum à jamais.

Il aurait voulu être capable d'une innocence parfaite. Capable de vivre cet instant dans un pur émerveillement, dépouillé de la pesante carapace de l'expérience et de la raison. Être capable de ne pas lutter contre la magie et le fugace de cette rencontre qui avait toute l'apparence d'un rêve éveillé.

Même le temps n'était plus un repère. Une étrange nuit se poursuivait éternellement dans cette grotte devenue chambre d'amour tandis que dehors il devait faire grand jour. Il ne savait plus exactement depuis quand il avait quitté son hôtel de Bakou. Deux jours, trois. Peut-être quatre ?

Assez sans doute pour que l'on commence à se demander sérieusement ce qu'il devenait. Thomson et ses employeurs devaient, eux, en avoir une idée. Le second attentat avait dû déclencher leur fureur. Comment allaient-ils réagir ?

Tout contre lui, elle poussa un léger soupir dans son sommeil et Sofer en perçut l'effleurement sur sa peau. Aussitôt, il s'en voulut de penser au pétrole, à Thomson, à tout ce qui l'attendait au-delà de ces grottes que les Khazars, déjà, avaient voulu croire inviolables. Pourtant, avec une pointe de fierté et de sarcasme, il aurait aimé que Thomson le découvre ainsi, lié au sommeil de cette nouvelle Attex. C'eût été une réponse suffisante à leur dernière entrevue et à toutes les tricheries de l'Anglais !

Peut-être elle, cette Attex d'aujourd'hui, trichait-elle aussi quelque peu avec lui. C'était sans importance. Avec la chaleur de sa chair contre la sienne, son bras posé sur lui et ce souffle de paix qui chantait entre ses lèvres, elle parvenait à lui prouver le contraire. Elle arrivait même à semer le doute dans son esprit entre ce qu'il croyait avoir imaginé et ce qui paraissait, au bout du compte, n'être qu'une intuition de la réalité.

Avec mille précautions afin de ne pas la réveiller, il reprit la lettre d'Attex à Joseph pour en scruter une fois de plus l'écriture épaisse et changeante, pareille à une fragile lueur entrevue au fond d'un puits.

Peut-être Attex avait-elle séjourné dans cette pièce où ils se trouvaient ? Peut-être avait-elle écrit cette lettre dans l'obscurité à peine trouée de quelques lumignons, l'oreille aux aguets, redoutant à chaque instant une attaque des Seldjouks ou des Byzantins.

Oui, il se pouvait que la roche de la grotte garde une trace de ces moments. Sans doute aussi y avait-il d'autres lettres, d'autres écrits dans la bibliothèque qui devaient témoigner de ces moments.

En vérité, il savait si peu de chose d'elle. Quelles étaient ses manies ? Où allait-elle pour rêver à Isaac ? Restait-elle dans le noir des grottes ou préférait-elle la violence du dehors, s'inquiétant que son amant soit en chemin pour la rejoindre, au risque de mauvaises rencontres avec les soldats de l'émir d'Alep ou du tyran de Byzance ? Allait-elle jusqu'à la poterne, plusieurs fois par jour, jetant des regards soucieux vers le haut de la falaise, redoutant d'y découvrir les cordages d'assaut des guerriers de l'islam ?

Comment supportait-elle l'absence d'Isaac, de ses baisers et de ses caresses ? Ne doutait-elle jamais de leur amour, comme elle l'assurait si fièrement dans sa lettre, ou priait-elle chaque jour pour que l'Éternel préserve leur jeune passion malgré la distance et l'incertitude ?

– Vous rêvez d'elle ?

Elle n'avait pas bougé, seulement ouvert les yeux.

– Vous rêvez de la Kathum Attex, reprit-elle. C'est elle, n'est-ce pas, que vous aimez ?

Surpris par son intuition, il rit avec moins de franchise qu'il ne l'aurait voulu. Il s'inclina pour caresser ses seins puis baiser ses lèvres. Elle ronronna et se laissa couler sur le dos. Une fraîcheur revint là où leurs chairs étaient un instant plus tôt accolées l'une à l'autre.

Sofer reposa le rouleau manuscrit sur les draps et demanda :

– Que voulez-vous de moi ?

Elle lui lança un regard amusé, un peu provocateur, mais moins étonné qu'il ne l'aurait souhaité par sa question.

– Je veux que vous parliez pour nous. Que vous défendiez l'existence de ces grottes et de tout ce qu'elles contiennent.

– Pour cela vous auriez davantage besoin d'un bon avocat que d'un écrivain.

– Non !

Elle secoua la tête et s'assit. Tout en elle était maintenant réveillé. Du bout des doigts, elle attrapa la longue tunique verte, l'enfila, remit de l'ordre dans sa chevelure. Puis, dans un élan aussi sensuel que maternel, elle saisit le visage de Sofer et le plaqua contre son ventre. Le repoussant avec la même soudaineté, elle se dirigea vers l'angle de la chambre qui servait de salle de bains.

Sofer l'entendit verser de l'eau. Elle revint dans la lumière, un tissu éponge à la main.

– Non, c'est de vous dont nous avons besoin, reprit-elle. De vos mots, de votre parole. Pas pour aller discuter avec les gens du pétrole. C'est inutile, nous le savons. Mais pour dire ce qu'il se passe ici au monde entier...

– Au monde entier ! s'amusa Sofer. Comme vous y allez...

Elle s'assit sur le lit, esquissa une caresse sur le ventre et la poitrine de Sofer. Une caresse douce et déjà distante. Presque une caresse d'adieu, songea-t-il, alors qu'elle attrapait les draps et l'en recouvrait, levant vers lui un visage très sérieux.

– Voilà comment je vois les choses. Votre ami Agarounov s'inquiète déjà de votre disparition, il s'agite dans tous les sens à Bakou. Je crois même qu'il a contacté l'ambassade de France. Lazir va lui téléphoner. Il lui conseillera d'alerter votre éditeur à Paris. Agarounov annoncera votre enlèvement par le groupe du « Renouveau khazar »...

Tandis qu'elle parlait, le ton et le visage sévères, ses yeux scintillaient d'ironie. Sofer l'observait avec fascination. Il avait devant lui une véritable héroïne, décidée à rétablir la justice et la vérité bafouée avec toute l'énergie et l'intelligence dont elle était capable. En même temps, il voyait une enfant énoncer les règles d'un nouveau jeu !

– Écoutez-moi donc ! fit-elle avec un peu d'impatience. Pendant quelques jours, nous faisons monter la pression en gardant le silence le plus complet. Personne ne sait où vous êtes, Agarounov confie à qui veut l'entendre que vous n'êtes peut-être plus en vie. Des journaux font le rapprochement avec les Tchétchènes... Parfait! Vous aurez tout le loisir de consulter la bibliothèque. Et puis nous aurons le temps de...

Elle s'interrompit avec un sourire narquois, ambigu, enfin un peu détendue. Sofer saisit sa main et en baisa le bout des doigts.

– « Nous aurons le temps de...! » s'amusat-il sur le même ton léger. Oui. Et vous supposez que pendant ce temps les journaux de France...

– D'Europe!

– D'Europe, tant qu'on y est, s'intéresseront à mon enlèvement, et donc à vous!

– J'imagine très bien les titres : *Le grand écrivain Marc Sofer disparaît à Bakou. L'enlèvement est revendiqué par un mystérieux groupe « Renouveau khazar »*...

– Je crains que vous ne voyiez cela avec une loupe un peu trop grossissante, soupira Sofer.

– Non. Ne faites pas le modeste. Vous écrivez des articles dans les plus grands journaux d'Allemagne, d'Italie et d'Angleterre, vos livres y sont traduits...

– Donc vous espérez que lorsque je réapparaîtrai, une forêt de micros se tendra vers moi afin que je puisse y raconter l'histoire de cette grotte, de la synagogue et du pétrole.

– L'histoire des Khazars! Hier et aujourd'hui. Mais oui, bien sûr. Pourquoi êtesvous si ironique? C'est exactement ce qui va se passer. Ensuite, vous pourrez conduire les journalistes jusqu'ici. Alors tout sera sauvé. Le consortium pétrolier ne pourra plus faire comme si nous n'existions pas. Partout on saura qu'ils veulent anéantir un lieu sacré, un trésor de l'Histoire humaine ! Malgré sa puissance et son argent l'O.C.O.O. devra en tenir compte. Israël ne permettra pas que l'on détruise ce sanctuaire du peuple juif. Aucun gouvernement d'Europe ne le permettra ! Mais oui, bien sûr que cela va se passer ainsi ! Je vous l'ai dit : leur arme, c'est le silence. Si vous le voulez, Marc Sofer, vous pouvez briser ce silence. Alors nous aurons sauvé la mémoire des Khazars !

Emportée par l'excitation, sa voix avait grimpé dans les aigus. Sofer souriait encore, mais devait bien reconnaître que ce plan était moins abracadabrant qu'il n'y paraissait.

Sauf qu'à l'annonce officielle de son enlèvement les responsables de l'O.C.O.O. chercheraient sans doute à prendre les devants. Peut-être viendraient-ils ici. Mais en ce cas, lui, Sofer, serait en position de force pour négocier la sauvegarde de la synagogue et de la bibliothèque. Elle avait raison : cela dépendait de son choix.

Il hésita à lui parler de l'Anglais, mais elle pressa ses mains, insistant à nouveau :

– Vous ne pouvez pas refuser. À Bruxelles vous vous plaigniez d'avoir mené trop de combats sans succès. Je vous offre la possibilité de sauver une part fabuleuse de notre mémoire juive. Vous ne pouvez pas refuser !

Sofer scruta ses traits. On décelait sur son beau visage les traces lointaines des Khazars : les hautes pommettes, les yeux légèrement fendus aux paupières lisses, la lèvre supérieure arquée et pleine. Mais la ruse dont elle faisait preuve était savamment dissimulée. Pourtant, elle ne pouvait ignorer à quel point elle touchait juste. Il demanda :

– Lorsque vous êtes venue à cette conférence, à Bruxelles, vous aviez déjà tout cela en tête, n'est-ce pas ? Vous avez tissé votre toile autour de moi comme une araignée autour de sa proie. Vous n'avez pas douté un instant que je succombe à votre piège.

– Non, protesta-t-elle en secouant la tête. Non ! C'est en vous écoutant que j'ai compris et imaginé comment vous pourriez nous aider.

Elle se laissa aller contre lui, effleurant sa bouche d'un baiser :

– Ensuite, cela m'a plu de penser à vous autrement. De me dire que vous pouviez songer à moi simplement comme à une femme.

Sofer se dégagea doucement avec un soupir amusé :

– Je ne sais jamais jusqu'à quel point vous êtes sincère !

Elle eut un rire malicieux, se leva en lui tendant la main :

– Mais si, vous le savez ! Restez avec moi trois jours de plus et vous n'en douterez plus jamais... Maintenant, venez, j'ai envie de voir la lumière du jour et il est presque midi. Vous vous déciderez après avoir mangé.

Le soleil frappait la falaise et écrasait la forêt d'une lumière pareille à de l'acier liquide.

L'air charriait de petits nuages d'insectes, une odeur de poussière et d'herbe sèche.

Accoutumé à la fraîcheur des grottes, Sofer fut suffoqué par la chaleur lorsqu'ils durent grimper les escaliers extérieurs pour atteindre la cuisine.

Là demeurait une relative fraîcheur, d'autant que le volet de bois masquant l'ouverture dans la roche était à demi fermé. Sofer s'attendait à voir quelqu'un, homme ou femme, mais une fois encore ils furent seuls. Il se demanda si elle évitait volontairement sa rencontre avec les autres membres du « Renouveau khazar » ou si ses compagnons, simplement, évitaient sa présence par souci de sécurité.

Alors qu'il prenait place derrière la table, elle remarqua le rouleau de la lettre d'Attex qu'il avait conservé à la main.

– Il se peut que l'on découvre d'autres lettres d'elle dans la bibliothèque, dit-elle. Mais il y a tant de rouleaux qu'il faudrait un autre coup de chance pour tomber dessus avant d'avoir tout recensé.

Elle tendit à Sofer une bouteille de vin blanc recouverte de buée ainsi qu'un vieux tire-bouchon. Lorsqu'il eut rempli leurs verres, il expliqua le trouble que produisait en lui la lettre de la Kathum.

– J'ignorais qu'elle était réellement venue se réfugier ici pour échapper à l'ambassadeur grec. Cela m'a simplement paru logique. Elle devait trouver une cache sûre. Le plus troublant, toutefois, c'est qu'elle ait réellement aimé Isaac Ben Éliezer! Pour moi, ce n'était qu'une bonne idée de roman. Une fois de plus, la vie réelle est plus forte que la fiction.

Elle découpait une énorme pastèque. Elle disposa les tranches sur un grand plat de céramique jaune et bleu avant de lever les yeux vers lui.

– Ce n'était pas une cachette si sûre que cela, fit-elle avec tristesse.

Elle déposa le plat sur la table et s'assit, désignant le rouleau manuscrit :

– Ceci est une copie, mais l'original n'est jamais parvenu au Khagan. Ce que craignait Attex est arrivé. Les soldats de l'émir ont envahi la grotte. Ce fut un massacre. Attex est morte ici, avec tous les autres.

Sofer reposa le verre qu'il venait de porter à ses lèvres.

– Comment le savez-vous ? demanda-t-il d'une voix blanche.

– Nous avons un document qui raconte cet épisode. Il est dans la bibliothèque, vous pourrez l'examiner vous-même.

– Ce n'est pas possible ! Si les Musulmans étaient parvenus jusqu'ici, ils auraient certainement détruit la synagogue et la Mikhva. Ils auraient pillé et incendié la bibliothèque !

Elle secoua la tête :

– Non ! Attex et son oncle Hanuko avaient pris leurs précautions. Le document que nous avons situe l'épisode en l'an 4660, l'année même où Joseph se décidait à répondre enfin au rabbin de Cordoue. Il s'agit donc bien de l'année où Isaac rencontre Attex. Il n'est pas

question de la lettre de la Kathum. Il est seulement écrit que le drame fut découvert des mois
plus tard, durant l'hiver. Les armées de l'émir
d'Alep et de Constantin s'étaient alors retirées
de la plaine. Durant cette bataille qui se
déroulait littéralement sous leurs yeux, comme
on peut le lire dans la lettre d'Attex, les habitants de la ville troglodytique mirent au point
un stratagème pour protéger ce qu'ils avaient
de plus précieux : tous les couloirs et escaliers
menant à la grande grotte et à la Mikhva
furent bouchés par des éboulements qui pouvaient apparaître naturels. Cela transformait la
circulation à l'intérieur de la falaise en un véritable labyrinthe où il était aisé de se perdre.

– Morte ici, murmura Sofer. Morte ici, je
n'arrive pas à le croire !

Elle posa sa main sur la sienne et la serra
doucement. Il se sentit ridicule d'être à ce
point emporté par l'émotion. Il n'empêche, il
avait du mal à contenir ses larmes. Il secoua la
tête avec une grimace qu'il voulait faire passer
pour un sourire :

– Vous allez juger cela idiot, mais je me suis
toujours imaginé qu'Attex attendait Isaac ici,
en sécurité. Lorsque enfin Joseph se décidait à
écrire cette réponse au rabbin Hazdaï, Isaac
s'empressait de la rejoindre et ils... ils prenaient le temps de s'aimer avant qu'il reparte
pour Cordoue.

Il se tut une brève seconde, sur le point
d'ajouter : « Comme nous, en quelque sorte »,
frappé par la similitude de leur situation. Il se
contenta de suggérer, comme si cela pouvait
encore changer quoi que ce soit :

– Elle aurait pu aussi l'accompagner sur sa route de retour !

Elle évita son regard, secoua la tête et, croquant dans une tranche de pastèque :

– Non. Lorsque les soldats de l'émir sont parvenus à envahir ces grottes peuplées de Juifs, il n'y eut pas de quartier. Aucun survivant. Surtout pas les femmes, qui transmettaient la juiverie. Attex et sa fidèle Attiana sont mortes ce jour-là. Il faut seulement espérer que cela fut rapide.

Sofer déroula le manuscrit et passa les doigts sur le papier grumeleux. Résonnait en lui cette phrase prémonitoire d'Attex qui se trouvait dans l'encre bistre : « Si un guerrier demain m'écartèle les cuisses et m'égorge, il ne me souillera pas plus que la fumée de son incendie. »

Puisse cela avoir été vrai ! Puisse le Tout-Puissant lui avoir accordé une mort sans humiliation, baignée par l'amour d'Isaac qu'elle portait en elle !

Un instant, ils burent et mangèrent en silence. Dehors, dans l'air étouffant, le grésillement des criquets résonnait. Des hirondelles glissèrent le long de la falaise en piaillant puis s'éloignèrent au-dessus de la forêt en volant de plus en plus haut.

Tandis qu'elle leur reversait du vin, quelques pierres tombèrent, rebondissant contre la paroi et les escaliers. Elle fronça les sourcils, tendant l'oreille, puis haussa les épaules :

– Des cailloux, cela arrive parfois quand il fait si chaud. Le haut de la falaise s'effrite. Il suffit d'un animal pour que...

Sofer, qui ne l'écoutait qu'à peine et poursuivait sa pensée, l'interrompit en s'exclamant :

– Mais alors Isaac n'en savait rien ! À Itil, tandis qu'il s'acharnait à obtenir une audience de Joseph, il ignorait qu'Attex n'était déjà plus en vie !

Elle hocha la tête :

– Oui, et le pauvre devait être sur des charbons ardents. Impatient de quitter Itil pour la rejoindre, mais obligé d'attendre le bon vouloir de Joseph, malgré l'aide d'Hezekiah... Et tout cela pour un désenchantement qui dut être terrible !

– Un désenchantement ? Pourquoi ? Finalement, il l'obtient, cette lettre tant espérée !

– Oui. Mais que dit-elle ? Joseph y décrit son royaume sans enthousiasme excessif. La seule chose qui semble le faire vibrer, c'est de raconter la légende de la conversion du Khagan Bulan visité par l'ange... Quant à savoir si le Messie pourrait surgir dans le royaume khazar, il y répond très évasivement, en quelques lignes... On est bien loin de l'espérance enflammée d'Isaac et des Juifs de Séfarade d'un nouveau royaume d'Israël !

Sofer acheva son verre, incapable de se débarrasser de la tristesse, du sentiment d'échec qui l'avaient envahi en apprenant la mort absurde d'Attex. Soudain, il trouvait la pièce trop petite et ces grottes étouffantes malgré leur fraîcheur. Il perçut un vague grondement audehors. Peut-être un bruit de moteur, très loin. Il se leva pour aller jusqu'à l'ouverture et en repoussa le volet de bois.

La lumière inonda la pièce. La chaleur lui frappa le visage et le torse telle une masse dure et compacte, mais le soulagea. Les ombres dans la forêt s'étaient allongées. La plaine était figée dans une immobilité de mort. Même les hirondelles avaient déserté le ciel.

Il devina qu'elle se levait et s'approchait derrière lui. Elle glissa ses bras autour de son torse, pressa ses seins contre son dos. Lorsqu'elle piqua un baiser dans son cou, son haleine sentait un peu le vin et ses lèvres possédaient encore la fraîcheur sucrée de la pastèque.

– C'est vous le romancier, murmura-t-elle tout contre son oreille, mais si vous le voulez, je vous raconte comment cela s'est passé.

Sofer, les mains dans les siennes, la maintint solidement contre son dos et murmura :

– Allez-y.

– Comme le lui avait dit Hezekiah, maintenant qu'Isaac lui avait sauvé la vie, son père le Khagan serait bien obligé de le recevoir, de l'écouter et surtout de lire la lettre du rabbin Hazdaï Ibn Shaprut.

« Mais cela prit du temps. Il leur fallut arriver jusqu'à Itil. Là, Isaac découvre le vrai palais de Joseph. Il se dresse sur une île au milieu du fleuve et l'on ne peut s'y rendre qu'en barque. Une fois qu'ils ont accosté, sous la surveillance des gardes, les visiteurs passent sous un arc de triomphe en or. Le palais lui-même est d'apparence assez modeste, construit à la grecque comme à Sarkel-la-Blanche, accolé à une synagogue et entouré de murailles de brique. L'intérieur est un curieux mélange : au cours des siècles, on y a amassé les plus riches productions des peuples d'Asie, de Perse et de Byzance.

« Avec l'aide du rabbin Hanania, Isaac trouve à se loger sur une île voisine, plus proche de l'embouchure du fleuve et de la mer des Khazars. Il découvre qu'Itil est une ville disséminée d'île en île. Certaines sont juives. D'autres entièrement occupées par de riches marchands musulmans. À l'heure de la prière du soir, les minarets y semblent empalés dans le ciel rouge posé sur la mer. Une autre encore est habitée uniquement par des Chrétiens qui, très tranquillement, y construisent des églises. Lorsque Isaac sort de la synagogue, c'est pour entendre l'appel du muezzin mêlé aux chants des moines.

« Un jour, enfin, Hezekiah vient le chercher.

« – Mon père t'accorde audience, lui annonce-t-il fièrement. Viens tout de suite, une barque nous attend.

« Un peu plus tard, Isaac s'incline devant le Khagan, le cœur battant. Hanania et Borouh sont présents. Borouh a sa mine des jours sombres. Le rabbin a rappelé à Isaac la règle de politesse des audiences : se prosterner sans relever les yeux ni prononcer une parole tant que le Khagan n'en a pas exprimé le désir. Il s'y plie avec crainte.

« Joseph semble avoir vieilli de plusieurs années en quelques semaines. Malgré ses trente ans, des poils gris parsèment sa barbe et ses longs cheveux. Il ne maintient pas longtemps Isaac dans sa posture de soumission.

« – Relève-toi, Isaac du pays des Séfarades. Bien que tu vives parmi nous depuis des mois, je te souhaite la bienvenue dans mon royaume. Sois aussi remercié pour l'aide que tu as apportée à mon fils Hezekiah pendant notre bataille. Hezekiah m'assure que tu lui as sauvé la vie. Je le crois. Mais je lui fais remarquer que s'il ne s'était pas enfui de notre campement pour te rejoindre, sa vie n'aurait pas été en danger. Suis-je juste, Isaac Ben Éliezer ?

« – Oui, Khagan, souffle Isaac.

« – Je te remercie donc, mais ne peux te proposer ce qu'un père doit offrir à celui qui sauve sa descendance : le couvrir d'or et de cadeaux, exaucer le moindre de ses désirs.

« Joseph prend le temps d'un silence pour observer Hanania et Borouh. Peut-être aussi pour calmer un vieux reste de colère. Isaac n'en est pas certain, car il n'ose pas affronter le regard du Khagan. Celui-ci reprend :

« – Il est une autre chose pendante entre nous, Isaac : tu as aidé ma sœur très aimée, la Kathum Attex, à se soustraire à mes ordres. Le Beck Borouh m'assure même qu'elle s'est offerte à toi toute une nuit durant comme seule une épouse peut s'offrir à son mari. Je devrais te couper en deux pour cette injure. En conséquence, je te remercie d'avoir sauvé la vie de mon fils Hezekiah en te laissant vivre et en oubliant la souillure que porte ma sœur en ce jour. Suis-je juste, Isaac Ben Éliezer ?

« Le front écarlate, la bouche sèche, Isaac accomplit en cet instant l'acte le plus courageux de sa jeune vie. Il regarde Joseph droit dans les yeux et déclare :

« – Oui, Khagan des Khazars, tu es juste. Sauf sur un point. Attex ne porte aucune souillure en elle en ce jour car nous ne sommes pas unis comme des époux mais comme des amants. Le rabbin Hanania lui-même pourra te le dire : il existe un enseignement qui compare la Torah à une jeune fille.

« Joseph l'interrompt :

« – Je connais cet enseignement.

« Toute crainte dissipée, Isaac poursuit :

« – Alors tu sais que cet amour-là, ô Khagan des Khazars, seul le Tout-Puissant peut le déposer dans nos cœurs. C'est sa manière à Lui d'exister en nous. Ainsi, cet amour ne peut nous souiller. Au contraire, il nous conduit sur le droit chemin, comme une étoile à l'horizon. Aussi immense que soit ta puissance, Khagan Joseph, tu ne peux rien ni contre lui, ni contre moi, ni contre elle. C'est ainsi.

« Dire que Joseph est médusé par cette réponse, c'est peu dire. Il en reste la bouche béante dans sa barbe. Borouh, lui, en a le front plus plissé qu'une vieille tunique. Les prunelles vives d'Hanania rayonnent de plaisir. Il bascule son buste d'avant en arrière à toute vitesse pour contenir ses gloussements d'aise.

« Le silence qui règne dans la salle d'audience est pire que celui d'un tombeau. Il dure assez pour qu'Isaac songe que l'heure est venue pour lui de rejoindre l'Éternel, béni soit-Il, à qui il vient d'emprunter sans doute un peu trop de bonté. Soudain, le rire de Joseph résonne dans tout le palais. Un rire comme les Khazars n'en ont jamais entendu venant de leur Khagan.

« Lorsque Joseph, se tamponnant les yeux avec la manche de soie de sa tunique, parvient à reprendre son souffle, il s'exclame :

« – Eh bien, je comprends pourquoi le rabbin Hazdaï t'a choisi comme messager, Isaac Ben Éliezer !

« La suite de l'audience est bien différente. Joseph quitte son trône et invite Isaac à partager son repas en compagnie de Borouh et d'Hanania. Là, le Khagan explique à Isaac ce qu'il en est de la situation réelle du royaume. Elle est mauvaise : l'alliance avec Byzance est impossible car, outre les mensonges et tricheries des Grecs, elle signifie le reniement de la loi de Moïse. Les Russes de Kiev, eux, n'ont plus qu'une idée en tête : envahir le royaume khazar.

« – Et abattre le Khagan qui fut leur maître et dont les ancêtres ont bâti leur capitale, poursuit Joseph en soupirant. C'est comme s'ils avaient l'obsession de nous faire disparaître et d'être les premiers hommes nés sur la terre.

« Borouh ajoute :

« – Leur reine, Olga, n'est devenue chrétienne que dans ce but : mettre de son côté la force de Byzance. Quant à la frontière sud, au-delà des Grandes Montagnes, on me dit que l'émir d'Alep y mène campagne contre la Nouvelle-Rome. Espérons que la campagne traîne en longueur et les épuise tous deux !

« – C'est pourquoi, continue le rabbin Hanania d'une voix lente en posant sa main sur celle d'Isaac, le Khagan ne pense pas pouvoir répondre avec l'enthousiasme que tu aimerais à la missive de ton rabbin.

« – Comment pourrais-je faire de mon royaume le sanctuaire de toute la Maison d'Israël ? Comment pourrais-je assurer aux Juifs loin de Sion l'accueil et la paix, alors que je peine à défendre mes biens et mes villes ? demande Joseph. Si l'Éternel voulait accomplir Sa parole dans notre steppe, s'Il voulait que la prophétie de David s'y réalise : *Soudain il entrera dans son temple*, alors Il n'accorderait pas tant de force à Kiev et à Byzance !

« Il y a tant d'aigreur dans cette plainte qu'Hanania mordille sa barbiche en détournant le regard. De toute façon, Isaac a déjà compris : il aura une lettre à rapporter à Cordoue et une déception à transmettre de vive voix aux...

– Attendez ! l'interrompit brusquement Sofer en se détachant d'elle.

– Qu'est-ce que... ?

– Écoutez !

Oui, du dehors venaient des sifflements, des frottements et des crissements. Puis, brusquement, avant qu'ils ne puissent esquisser un geste, une corde de nylon bleue s'affala devant l'ouverture de la grotte. Un homme tout en noir y était accroché, braquant sur eux un pistolet-mitrailleur.

– Nom de Dieu ! s'exclama Sofer. Qu'est-ce que c'est que ça ?

28

Borjomi, Géorgie

mai 2000

Il était à un ou deux mètres de la lucarne, suspendu à la falaise, se balançant dans le vide comme une grosse araignée. Sa combinaison noire le recouvrait des pieds à la tête, gants et capuche compris. Sofer eut le temps de se dire que, par cette chaleur, c'était ridicule. D'étranges et imposantes lunettes de soleil aux reflets d'argent lui mangeaient la moitié du visage. Il pointait un Gloss .42 parabellum équipé d'un viseur laser dont la pastille lumineuse rouge se posa sur la poitrine de Sofer. L'homme agita la main. L'œil rouge du laser zigzagua de gauche à droite. Sofer comprit qu'on lui ordonnait de se pousser de côté, redoutant peut-être qu'il ne referme le volet. Il se retourna vers elle, qu'il croyait juste derrière lui. Il voulait la toucher, la tenir contre lui en ce moment précisément, comme si à eux deux ils eussent pu former un bloc moins fragile. En fait il la découvrit à l'autre extrémité de la pièce, debout derrière la cheminée qui servait de fourneau, pressée contre la roche comme si elle voulait s'y fondre.

Elle n'exprimait ni panique ni inquiétude et le dévisageait avec une intensité extraordinaire. Sofer crut retrouver sur son visage l'expression qu'elle avait eue une heure plus tôt, à l'instant de la jouissance. Il dit :

– Restez avec moi ! Ne craignez rien, ils n'oseront pas nous tuer...

Elle sourit. Pas un sourire ironique : un sourire tendre, comme si elle le remerciait d'avoir cette pensée. Cependant l'attention de Sofer fut distraite. Il entendit des bruits et des cris à l'extérieur et se retourna.

L'homme en noir imprimait un mouvement de balancier à sa corde de nylon. Il s'écarta de la falaise, revint en repliant ses jambes et se coula comme un serpent par la lucarne. À peine eut-il repris son équilibre que le Gloss fut à nouveau braqué sur Sofer. L'homme hésita, comme si quelque chose l'intriguait. Le point rouge quitta la poitrine de Sofer, glissa sur la table où demeuraient les verres de vin et les tranches de pastèque. Sofer prit le risque de jeter un regard derrière lui. D'un coup d'œil, il comprit ce qui n'allait pas : elle avait disparu.

Volatilisée.

Elle, Sonja Tchobanzadé, son amante, son Attex.

Où et comment, il n'en avait aucune idée. L'homme en noir non plus, qui eut l'air, malgré tout son équipement sophistiqué, d'avoir la berlue.

Sofer eut envie de rire tant cela ressemblait à un jeu de cache-cache. Puis il songea qu'il n'y avait peut-être pas de quoi se réjouir. Il espéra qu'elle n'allait pas commettre la folie de vouloir lutter contre ce commando.

Un grognement jaillit de sous la combinaison de son assaillant, le mufle du Gloss indiqua la porte de la cuisine menant aux escaliers de la falaise. Sofer s'y dirigea en haussant les épaules :

– On y va, on y va !

Les curieux sifflements qu'avait entendus Sofer provenaient de la trentaine d'hommes qui se laissaient descendre en rappel le long de la falaise. Des professionnels dont chacun savait exactement ce qu'il avait à faire. Tous étaient équipés de combinaisons noires, lunettes infrarouges et Gloss .42. Il compta également trois ou quatre fusils à lunette. Lorsqu'ils s'élancèrent dans le vide depuis la crête de la falaise, ils ressemblèrent à un essaim de mouches.

Certains se posèrent sur les marches des plus hauts escaliers, d'autres au mitan de la falaise. D'autres encore effectuèrent une chute contrôlée de près de cent mètres pour parvenir au niveau du temple-poterne.

Dès que les semelles de leurs Reebok prenaient appui sur les escaliers ou les replats de la falaise, ils se libéraient des cordes de rappel d'un claquement de mousqueton. Par groupe de deux ou trois, ils s'enfoncèrent dans les grottes, fouillant la pénombre des faisceaux rouges de leurs armes en même temps qu'ils basculaient leurs lunettes de la vision diurne en vision nocturne.

Il n'y eut que quelques coups de feu d'intimidation. Ils n'eurent pas à pénétrer profondément dans les boyaux de la falaise. Tous les membres du « Renouveau khazar » eurent le même réflexe : quand ils perçurent les bruits significatifs de l'attaque, ils se précipitèrent vers les ouvertures et les escaliers. La plupart étaient sans arme et n'eurent pas la possibilité de lutter.

Seul Lazir, le champion de lutte, réveillé au cœur de sa sieste dans l'une des plus hautes grottes, mit un point d'honneur à ne pas se laisser capturer si facilement. Il entraîna l'un des assaillants dans un corps à corps au bord de la falaise. Deux hommes en noir tentèrent de l'immobiliser. Malgré tout, il réussit à faire basculer son adversaire dans le vide. À l'instant où l'homme se brisait les reins sur une plate-forme inférieure, Lazir se retourna pour faire face à d'autres clients, les bras en l'air comme le champion qu'il était. Une balle l'atteignit à l'épaule gauche, lui cassant l'omoplate et le contraignant à poser un genou à terre. Le tireur, équipé de l'un des fusils à lunette, se trouvait à une vingtaine de mètres.

Sofer, qui venait de sortir dans l'air éblouissant réverbéré par la falaise, entrevit la lutte de loin. Il eut tout juste le temps de reconnaître Lazir à sa chemise noir et blanc qui devenait écarlate.

Avec calme, mais en les obligeant à descendre les escaliers au pas de course, les hommes en noir regroupèrent la dizaine de « terroristes » devant l'entrée de la grotte principale. Sofer découvrit enfin les visages des membres du « Renouveau khazar ». Rien que des hommes, tous âgés de moins de trente ans. De toute évidence des étudiants, la plupart effrayés et apparemment aussi dangereux qu'un vol de libellules. Quelques-uns montraient un peu de colère et esquissèrent quelques gestes de rébellion pour sauver l'honneur. L'attaque du commando possédait quelque chose de si mécanique, de si imparable, de si parfaitement déshumanisé qu'aucun mot ne fut prononcé et, remarqua Sofer, personne, pas même lui, ne songea à protester.

Alors qu'on les réunissait devant l'une des entrées du labyrinthe menant à la grande grotte, deux hélicoptères surgirent au-dessus de la falaise. L'un d'eux était un appareil d'apparence militaire, kaki, le museau fin et bardé de ce qui devait être des lance-missiles. Sous son ventre pendait un conteneur métallique de la taille d'une voiture. Dans un vacarme assourdissant et avec une précision d'orfèvre, le pilote déposa sa charge sur la plate-forme devant la poterne.

Le second hélicoptère, aux couleurs rouge et blanc d'un appareil civil, effectua un vol stationnaire à quelque distance. Sofer distingua à l'intérieur du cockpit un homme qui les observait à la jumelle.

L'appareil était assez loin de la falaise, mais Sofer aurait juré qu'il s'agissait de Thomson.

En quelques minutes, les hommes en noir les réunirent dans la cour centrale de la grande grotte, entre la bibliothèque, la salle d'armes et la synagogue.

Sofer put se rendre compte que les commandos connaissaient parfaitement le réseau pourtant complexe des galeries. Chaque fois qu'ils devaient choisir entre deux directions, ils ne montraient aucune hésitation. En outre, leurs lunettes infrarouges leur permettaient de se déplacer sans lumière, tandis que lui et les hommes du « Renouveau khazar », éclairés par une unique torche électrique, progressaient en trébuchant, se cognant les uns aux autres tels des aveugles. Humiliante astuce pour les dissuader de toute tentative d'évasion, songea Sofer. Fuir, c'était se perdre dans le noir !

Lorsqu'ils pénétrèrent sous l'immense voûte où l'avait conduit son amante la veille, Sofer eut envie de croire qu'elle était là, dissimulée dans la bibliothèque ou dans la salle d'armes. Quelques torches y brûlaient, repoussant à peine l'obscurité. Il existait mille et une caches possibles.

Où qu'elle fût en cet instant, Sofer espéra qu'elle avait au moins trouvé un abri grâce auquel elle pourrait échapper aux commandos sans se perdre. Et, surtout, qu'elle aurait la sagesse de s'y faire oublier le temps qu'ils soient évacués !

Car c'était bien ce qui semblait les attendre.

On les regroupa sans ménagement, les canons des Gloss .42 toujours pointés sur eux. Les commandos, difficilement repérables maintenant que le noir de leur combinaison les fondait dans l'opacité de la grotte, s'agitaient à on ne sait quoi. Sofer perçut des bruits métalliques. Il crut même entrevoir une sorte de chariot que l'on poussait jusque-là, mais au même instant une batterie de violents projecteurs les éblouit. La lumière blafarde les figea aussi bien que si on les plongeait dans un volume de glace.

Se protégeant les yeux de ses mains levées, Sofer découvrit le champion de lutte, dont on avait rapidement pansé l'épaule, qui les rejoignit en grimaçant de douleur.

– Lazir ! s'exclama Sofer avec sympathie. Bon sang, vous n'avez pas pu vous empêcher de jouer au héros !

La bouche crispée de Lazir s'entrouvrit sur un sourire que ses yeux démentaient. Sofer n'eut pas le temps d'en dire plus : une main gantée se posa sur son épaule. Il se détourna d'un mouvement sec pour se dégager, mais une voix neutre lui ordonna en anglais :

– Suivez-nous, monsieur Sofer. On vous attend à l'extérieur.

Sofer tenta de percer le regard de l'homme derrière les lunettes et demanda :

– En ce cas, pourquoi m'avoir amené jusqu'ici ?

Pour toute réponse, il sentit la pression d'une main dans son dos.

– S'il vous plaît, monsieur.

Sofer jeta un regard aux compagnons de son Attex disparue. La lumière crue des projecteurs transformait leurs visages en masques où se lisaient la peur et l'incrédulité. Aucun d'eux ne se souciait de lui, sinon Lazir qui le dévisageait avec intensité. Comme s'il l'encourageait à suivre les hommes du commando, le champion de lutte inclina discrètement la tête.

La grande explication avec les braves gens du pétrole était venue. Sofer avait même une idée assez précise de ce *on* qui l'attendait au-dehors.

Il soupira et, de son ton le plus rogue, il commanda :

– Trouvez-moi une torche électrique. Je n'ai pas envie de me casser la figure sous prétexte que, vous, vous êtes capables de voir dans le noir avec vos lunettes de Martien !

Il ne s'était pas trompé.

Au pied de la falaise, dans une clairière fraîchement ouverte dans la forêt, Thomson se tenait devant l'hélicoptère rouge et blanc dont les pales tournaient au ralenti. L'Anglais était vêtu d'un impeccable costume de lin et soie gris, un peu chatoyant, aussi extravagant à sa manière que les tenues des hommes en noir.

Tout sourires, Thomson tendit la main, comme si, de sa vie, il n'avait pris plus de plaisir à une rencontre.

– Ravi de vous voir, monsieur Sofer ! Désolé pour le contretemps : les hommes n'avaient pas compris qu'ils devaient vous conduire ici immédiatement. Dans ce genre d'opération, on a beau tout prévoir, il y a toujours quelque chose qui cloche !

Sofer le toisa froidement, refusa la main tendue. Par-dessus le vrombissement du moteur que le pilote poussait déjà, il cria :

– Cessez de me prendre pour un imbécile, Thomson ! Ça me ferait plaisir.

Sans attendre qu'on l'y invite, il grimpa sur le siège arrière de l'hélicoptère. Thomson s'assit à ses côtés, conservant un sourire de gentleman aux lèvres. Le pilote leur tendit des écouteurs munis d'un micro qui atténuèrent un peu le bruit infernal qui régnait dans la cabine.

L'appareil s'éleva en douceur, pivota lentement afin de s'écarter des courants instables remontant le long de la falaise. Sofer en profita pour la scruter autant qu'il le pouvait, cherchant à y découvrir la silhouette de celle qui lui avait dit s'appeler Sonja. Tout ce qu'il vit, ce furent encore les hommes en noir. Répartis au long des ouvertures troglodytiques, ils s'activaient sur la roche avec des machines que Sofer ne put identifier. En revanche, sur la terrasse proche de la poterne où l'on avait déposé le conteneur à présent ouvert, Sofer s'aperçut avec surprise que deux hommes installaient une caméra.

La falaise s'éloigna rapidement, les bouches sombres des grottes et des constructions qui en masquaient les entrées s'amenuisant jusqu'à devenir des éléments de jouets.

Presque involontairement Sofer murmura son prénom : Sonja ! Il se rendit compte que pas une seule fois il ne l'avait appelée ainsi, même pendant qu'ils faisaient l'amour. Pis encore : il n'avait pas écouté attentivement son nom de famille, si bien qu'il ne s'en souvenait plus !

La voix de Thomson, rendue aigrelette par le casque, résonna contre ses oreilles et le tira de sa songerie.

– Nous en avons pour une petite heure. Si vous avez soif, il suffit de le dire...

L'Anglais brandissait une bouteille thermos et remplissait un gobelet de soda. Sofer se contenta de secouer la tête et demanda :

– Où allons-nous ?

Thomson pointa l'index par-dessus l'épaule du copilote, droit devant eux en direction du sud-ouest. Il s'y dessinait, au-delà de l'immense plaine jaunie par la sécheresse, des montagnes bleuies par la brume de chaleur.

– Là-bas. Un charmant lieu de villégiature dans les montagnes. Ça devrait vous plaire... Nous vous faisons faire un peu de tourisme : nous allons traverser toute la plaine centrale de Géorgie.

– Et pour quoi faire, ce charmant lieu de villégiature ? Pourquoi ne retournons-nous pas à Bakou ?

Le sourire de l'Anglais devint éclatant.

– Nous y serons parfaitement à l'aise pour bavarder.

Ce qui signifiait qu'il pourrait éviter de répondre à des questions d'ici là et réfléchir un peu !

Sofer détendit sa ceinture de sécurité pour regarder encore une fois derrière lui. La falaise des grottes n'était déjà plus qu'un trait clair au-dessus de la forêt.

À basse altitude, l'hélicoptère se faufila entre des vallées aux forêts d'arbres centenaires. C'était une magnifique région que l'on sentait sauvage et vigoureuse. Les plis des montagnes, jouant entre ombre et soleil, possédaient l'ample souplesse des velours anciens. Les plus hauts sommets, dessinant la frontière avec la Turquie, découpaient le ciel à l'extrême sud.

Soudain, ils atteignirent à l'aplomb d'une rivière aux eaux sombres. Le pilote en remonta les méandres. Dans le casque, la voix de Thomson expliqua :

– Nous arrivons : c'est la Miqvari. Cette vallée était très connue il y a encore dix ou quinze ans. Déjà à l'époque des tsars, Borjomi produisait l'eau gazeuse que buvait l'aristocratie russe. Les Soviétiques ont pris le relais...

– Je connais la Borjomi, l'interrompit sèchement Sofer à qui l'on avait plus d'une fois servi cette eau minérale à Moscou.

– Bien ! C'est là que nous allons. J'étais certain que ça vous plairait.

En vérité, il était bien difficile de croire que la bourgade qu'ils survolèrent un instant plus tard avait été l'une des plus célèbres villes d'eaux du Caucase ! La route qui y menait possédait plus de nids-de-poule que de goudron. Deux des trois ponts qui permettaient de franchir la Miqvari étaient inutilisables ; quant à l'usine d'eau gazeuse elle-même, elle paraissait abandonnée. Les bâtiments en ruine laissaient voir des cuves éventrées mais aucun ouvrier. Un antique réseau de tuyauteries rouillées aboutissait à un entrelacs de voies de chemin de fer qui avaient dû, il n'y a pas si longtemps, former une gare. Les rails en avaient été dérobés et les herbes folles les remplaçaient.

Le pilote remonta légèrement. Ils se trouvèrent à quelques dizaines de mètres d'étranges constructions plantées dans la forêt comme des débris jetés là d'une autre planète.

– Grande architecture soviétique, ironisa la voix de l'Anglais.

Il était difficile d'appeler ça des immeubles. Ce n'étaient que de simples dalles de béton brut au ferraillage apparent et soutenues par des piliers effrités. Certains de ces assemblages grisâtres pouvaient atteindre une quinzaine d'étages, dominant les vieux chênes et les hêtres centenaires. La plupart étaient vides, sans même une cloison entre les dalles. Dans d'autres, des bâches de plastique ou des panneaux de contreplaqué délimitaient des logements d'infortune. Sofer y entrevit des visages de femmes et d'enfants qui se levaient pour regarder passer l'hélicoptère.

Puis l'appareil, laissant le village derrière eux, plongea vers une large boucle de la rivière. Totalement inattendu, un château apparut au milieu d'un vaste parc protégé par une grille de fer forgé.

C'était encore une étrange construction, mais cette fois pimpante, le rouge carmin des balustres, balcons, volets et soupentes tranchant sur la blancheur immaculée des murs. L'ensemble était tarabiscoté jusqu'à l'absurde, comme si l'architecte n'avait eu d'autre désir que de disposer des toits les uns sur les autres. Une petite tour-observatoire aux proportions d'un dessin d'enfant couronnait l'ensemble.

– Construit par les Romanov à la fin du XIXe siècle, annonça Thomson alors que le pilote effectuait un virage très serré. Des membres de la famille y ont passé quelques étés. Vous verrez, l'intérieur est encore plus intéressant et plus surprenant que l'extérieur !

L'hélicoptère se mit à l'aplomb de l'esplanade prolongeant le parvis du château. Le pilote, avec une dextérité qui témoignait de l'habitude, fit glisser l'appareil dans un grand bassin asséché à la mosaïque bleue. Une dizaine d'hommes dans une tenue identique à celle du commando de la grotte, à l'exception des lunettes infrarouges et de la cagoule, s'approchèrent dès que les pales ralentirent. Aussitôt que Thomson et Sofer quittèrent l'appareil, ils formèrent autour d'eux une sorte de cercle de protection comme si une foule hostile allait surgir de la forêt. L'absurdité de la scène tira un petit rire à Sofer.

– Que craignez-vous, au juste ? demanda-t-il à Thomson. Les fantômes des Romanov ?

L'Anglais rit :

– Non, les ours ! Figurez-vous qu'il y a une dizaine d'ours dans le parc. En ce moment les femelles ont leurs petits et le bruit de l'hélicoptère les rend agressives. Mais vous avez raison :

nous ne craignons rien. Vraiment rien du tout ! Vous allez pouvoir en juger par vous-même.

Dans le hall du château, immense puits de marbre neigeux, Sofer dut soudain faire face à son apparence. Un haut miroir le reflétait, et il eut l'étrange sensation qu'il s'agissait à peine de lui. De ses vêtements froissés surgissait un visage aux traits durcis par une barbe grise et drue. Le contraste avec Thomson, dont chaque pas faisait luire le superbe costume, était saisissant.

Sans un mot, l'Anglais grimpa un escalier à rambardes menant au premier étage. Là, sans attendre que Sofer le rejoigne, il frappa respectueusement à une porte doublée de cuir.

– Eddy ! Enfin vous voilà ! s'exclama une voix fluette à l'intérieur de la pièce.

– M. Sofer est arrivé, annonça « Eddy » Thomson. Sans encombre...

Parvenu sur le seuil de la pièce, Sofer découvrit un petit homme replet. La soixantaine, les cheveux blancs et bouclés, vêtu d'un pantalon à rayures et d'une chemise Lacoste jaune canari sur laquelle il avait passé de larges bretelles. Il tendit la main à Sofer. Qui l'ignora.

– Jeffrey Bellow, dit le petit homme sans baisser la main. Je suis l'administrateur délégué de l'O.C.O.O. Dans notre jargon, cela signifie que c'est moi qui prends les décisions désagréables.

– En ce cas, monsieur Bellow, pourquoi voulez-vous que je vous serre la main ?

Bellow marqua un temps de surprise. Il avait une bouche assez féminine, presque délicate.

Elle frémit puis s'ouvrit dans un rire bref. Son bras retomba.

– Ah, gloussa-t-il à l'adresse de Thomson, vous aviez raison, Eddy !

– Monsieur Sofer, expliqua Thomson, j'ai dit à M. Bellow que vous pouviez être inattendu !

Sofer se désintéressa de la remarque, trop étonné par ce qui l'entourait. Une pièce pas très grande, au plafond turc travaillé de niches et de miroirs et aux murs recouverts de céramiques orientales. Bellow s'était appuyé contre un petit bureau en acajou et loupe d'orme. La marqueterie du plateau représentait une faucille et un marteau. Sur le côté, un guéridon supportait un bronze. Sofer s'approcha pour vérifier qu'il n'avait pas la berlue. Non, il s'agissait bien de Staline saisi dans la position favorite de Napoléon : manteau-cape soulevé par le vent, la main droite glissée dans le veston boutonné jusqu'au cou.

– Curieux, n'est-ce pas ? s'amusa Bellow. Nous sommes dans le bureau de Staline, pieusement conservé depuis sa mort. Il paraît qu'il venait ici plus souvent que les Romanov. L'appel du pays natal, je suppose. La rumeur raconte aussi que c'est dans ces murs que furent décidées et réalisées quelques « réformes de camarades », comme disait le petit père des peuples...

– Monsieur Bellow, Thomson s'est déjà chargé du volet touristique pendant le trajet, le coupa Sofer. Si vous m'expliquiez ce que je fabrique ici ?

La petite bouche de Bellow se pinça.

– Vous avez raison. D'autant que nous n'avons pas beaucoup de temps.

Il fit le tour du bureau, ouvrit un tiroir et en tira une chemise cartonnée dont il répandit le contenu sur la marqueterie de l'emblème soviétique. Il s'agissait de photos. Uniquement de photos, mais qui firent frissonner Sofer dès qu'il les eut en main.

Des photos de lui avec Yakubov dans son jardin à Montmartre, des photos de lui à Cambridge, à Oxford ou à Bakou, avec Agarounov et Lazir, et même en compagnie du maire de Quba dans le cimetière !

Et des photos avec elle. Là-bas. Sur l'escalier de la falaise, devant la grotte de la cuisine. Elle et lui, s'embrassant pour la première fois, tout auréolés de la lumière de l'aube. Sur l'un des clichés, la main de Sofer repoussait le pull-over de Sonja et la courbe de son épaule nue apparaissait. Les doigts de Sofer se mirent à trembler et la nausée lui serra le ventre.

– Vous êtes vraiment des ordures, murmura-t-il.

Il releva les yeux, Thomson était au côté de Bellow. Il tenait un minuscule magnétophone numérique dans la main. Il déplaça son pouce et Sofer entendit sa propre voix s'exclamant : « Attendez ! Attendez ! Les responsables de l'O.C.O.O. savent donc parfaitement qui vous êtes ? »

Et elle qui lui répondait : « À cette heure, je suppose qu'ils doivent avoir nos photos sur leurs bureaux et des fiches avec les moindres détails de nos biographies ! »

Un rire silencieux secoua les joues de Bellow.

– Eh oui, monsieur Sofer. Elle a raison. Nous avons tout. Le son et l'image !

– Et alors ? À quoi cela peut-il vous servir ?

– Mais à mieux vous connaître, cher monsieur !

– Nous nous sommes demandé qui vous étiez et ce que vous veniez faire dans cette histoire, Sofer, intervint Thomson en posant le magnétophone sur les photos. Nous devions savoir pour qui vous travailliez et pourquoi.

– C'est ridicule ! Je suis un écrivain. Vous n'avez pas besoin de violer ma vie privée pour le savoir.

– Je dois admettre qu'il y a du vrai dans ce que vous dites, gloussa Bellow. C'est ce qui est assez déroutant avec vous. Et sympathique !

La colère emporta Sofer. Pour purger cette rage il déchira les photos d'elle et de lui qu'il avait entre les doigts et les lança sur le bureau.

– Je vous repose la question : qu'est-ce que je fais ici ?

La bouche du petit homme garda son étrange tendresse. Sa voix devint aussi neutre que du métal tranchant dans des chairs :

– Vous étiez dans une propriété privée, monsieur Sofer. Votre amie Sonja Tchobanzadé et ses ridicules compagnons du « Renouveau khazar » violent les lois les plus élémentaires depuis des semaines. J'ai songé à vous rendre service avant qu'ils ne vous entraînent dans d'irrémédiables erreurs.

– Ah oui ?

Thomson s'inclina sur le bureau pour attraper un fragment de photo où l'on voyait une partie du visage de Sonja. Il l'agita, méprisant :

– Elle a tout juste trente ans. Vous en avez le double et, pardonnez-moi, vous n'êtes pas Robert Redford. Quand une fille de trente ans fait tout un cinéma pour vous mettre dans son lit, vous ne vous posez pas de questions ? Vous ne vous dites pas que l'on est en train de vous manipuler comme un pantin ?

Sofer serra les poings pour ne pas le gifler. Mais sa colère maintenant le rendait dur et calme. Il parvint à sourire.

– Mon pauvre ami ! Je crains que votre psychologie ne soit un peu rustique. C'est quand un homme comme vous m'offre une boîte de caviar que je redoute d'être manipulé. Pas quand une femme m'embrasse ! Quant à vous, Bellow, ne vous imaginez pas que la falaise et les grottes puissent être votre propriété ou celle de votre foutue compagnie. Elles ne le seront jamais. Elles appartiennent à tout un peuple, le mien. Le peuple juif. Ce qu'elles renferment les sanctifie, Bellow ! Leur contenu a plus de mille ans ! Je sais que, pour vous, ça ne doit pas avoir beaucoup de sens. Mais votre problème, c'est que vous ne pouvez pas faire comme si ça n'existait pas !

– Mais si, monsieur Sofer. C'est précisément mon intention.

Le rire de Sofer grinça.

– Alors vous courez vers de grosses désillusions. Ce n'est pas moi qui vous en empêcherai. Je n'ai pas cette prétention...

– Oh! ricana Thomson. Je suppose que vous songez à la stratégie médiatique de Mlle Sonja Tchobanzadé ? Votre enlèvement fait la une des journaux d'Europe, vous réapparaissez et vous dévoilez à la face du monde la noble cause du « Renouveau khazar »...

Bellow sourit et tapota le magnétophone :

– N'oubliez pas, mon ami, que nous avons le son et l'image, comme je vous le disais.

Une fois de plus Sofer sentit la nausée se mêler à sa rage. Sonja lui avait suggéré cette stratégie alors qu'ils étaient dans sa chambre. Et donc le « reste » aussi, il l'avait enregistré. Pour une fois dans sa vie, il eut envie de tuer.

Bellow dut le sentir car il leva la main, signe de protection autant que d'incitation au calme.

– Voilà ce que je vous propose, monsieur Sofer. C'est très simple : il ne s'est rien passé.

Sofer fronça les sourcils, un instant silencieux.

– Je ne comprends pas.

– Il ne s'est rien passé, répéta Bellow en souriant complaisamment. Vous n'avez jamais entendu parler du « Renouveau khazar », vous n'avez jamais rencontré aucun de ses membres, vous ne connaissez ni M. Thomson ni moi-même.

– Et les grottes ?

– Elles n'existent pas.

– Vous êtes complètement cinglé !

– Pas du tout. Les grottes n'existent pas. Ce que vous avez vu à l'intérieur n'a été qu'une illusion de votre esprit. Ce genre de chose vous est familier, n'est-ce pas ? Après tout, vous êtes romancier.

Sofer secouait la tête, pétrifié d'effroi. Il songeait à ce qu'elle lui avait dit : la stratégie du silence ! La pire arme, disait-elle, c'est le silence.

– Mais pourquoi tenez-vous tant au silence ?

Bellow soupira comme un adulte excédé de devoir enseigner à un enfant les règles élémentaires de la vie.

– Je crois qu'Eddy a déjà eu l'occasion de vous expliquer le rôle du pétrole dans cette région. Ici, monsieur Sofer, le monde entier est en guerre. Comme d'habitude les Américains veulent tout. Et les Russes, évidemment, ne veulent pas tout perdre. La réserve découverte sous le plateau de Sadoue, où se trouvent vos foutues grottes, est immense. Malheureusement mal située, pour vous comme pour nous. À vingt kilomètres à vol d'oiseau de la frontière entre la Géorgie, la Tchétchénie et le Daghestan... Faut-il que je vous fasse un dessin ? Si nous révélons l'existence de cette réserve, c'est la guerre demain matin. Entre les Américains et les Russes, comme au bon vieux temps. Mais moi, je représente des intérêts européens. Les Européens, ça ne se bat pas, monsieur Sofer. Ça n'envoie pas des missiles et des bons petits gars tuer et se faire tuer pour du pétrole. Ce n'est pas notre culture, comme vous diriez – sauf si les Américains ont décidé que nous devions faire de la figuration pour amuser leurs GI. En conséquence, notre intérêt à nous, monsieur Sofer, c'est que cette poche miraculeuse n'existe pas... Pour l'instant, et jusqu'à ce que la région s'apaise. Dans cinq ans, ou dix ans, nos braves politiques intégreront la Géorgie dans l'Europe, alors le tour sera joué ! À ce moment-là seulement nous pourrons annoncer que, tiens, quel hasard, messieurs ! nous venons de trouver un gisement de 80 millions de tonnes qui assure l'autonomie énergétique de nos beaux pays d'Europe pour une trentaine d'années !

Thomson et Bellow riaient, ravis comme des gosses.

– Voilà, monsieur Sofer. Voilà pour le silence ! Comme vous le voyez, moi aussi je défends une cause !

– Attendez ! Puisque vous ne comptez pas exploiter ce pétrole, en quoi cela vous dérange-t-il que l'on préserve et fasse connaître les vestiges khazars ?

– Ne soyez pas naïf ! Vous avez vu vous-même le puits de naphte ! Il ne faudra pas six mois avant qu'un petit malin fasse le rapprochement.

Sofer sentit le froid l'envahir. La fatigue, mais plus encore la peur et l'écœurement.

– Vous ne pouvez pas faire ça, murmura-t-il. Vous ne le pouvez pas ! Ce sont les seules, les uniques traces matérielles de l'existence des Khazars. Vous ne pouvez pas les annuler d'un revers de main ! Le monde entier vous châtiera...

– Le monde entier s'en fout, Sofer, grinça Thomson. Le monde entier veut de l'essence pas chère dans sa voiture. Voilà ce qui compte !

– La bibliothèque ! On pourrait au moins la démonter, la synagogue aussi et la salle d'armes, pour les reconstruire ailleurs ! Il n'est pas nécessaire de détruire...

- Et comment expliquerez-vous la provenance de ces vestiges ? demanda froidement Bellow. En outre, pourquoi les transporter au lieu de les laisser à leur place ? Inutile de perdre notre temps, monsieur Sofer. Il n'y a qu'une solution et je vous l'ai donnée : tout cela n'existe pas.

– Cela existe ! Je l'ai vu de mes yeux. J'ai touché de mes doigts une lettre d'amour et de peur qu'une femme a écrite il y a plus d'un millénaire ! Vous ne pouvez pas faire que ça n'existe pas...

– Mais si. Vous rentrez tranquillement chez vous et vous écrivez vos bouquins. Moi, je ne lis pas de romans, mais ma femme vous a déjà lu. Elle aime beaucoup. De jolies histoires d'amour, m'a-t-elle dit. Eh bien, écrivez-en une et oubliez. Pas un mot à la presse, pas un mot à vos petites amies ! Et tout se passera bien.

– M. Bellow vous fait confiance, Sofer, insista Thomson. Et je peux vous le dire : c'est une grande faveur.

Le rire de Sofer peina à franchir ses lèvres.

– Et que va-t-il se passer si je refuse cette grande faveur ? Vos petits hommes en noir vont m'abattre et me donner à manger aux ours du parc ?

Bellow gloussa et s'approcha de lui :

– Non, ça ne devrait pas être nécessaire. Venez, je suis comme votre petite amie de la grotte : moi aussi j'ai quelque chose à vous montrer !

– Pour les Romanov, ce n'était qu'une salle à manger. Pour Staline, elle est devenue celle du « Politburo ». Nous, nous l'avons un peu modernisée...

C'était une salle du rez-de-chaussée. Immense, une table en palissandre verni de trente places en occupait le centre, entre deux cheminées de marbre où l'on aurait pu faire cuire des bœufs. Mais pour le reste, comme le disait Thomson, elle avait été « modernisée » !

Tout un mur était recouvert de grands écrans vidéo plats. Trois jeunes gens se tenaient derrière une console de régie. Sofer ne leur accorda aucune attention. Il avait suivi le sourire épanoui de Bellow. Les pouces passés dans ses bretelles, il admirait les écrans.

Au premier regard, Sofer sut qu'il avait perdu.

Maintenant, il comprenait le pourquoi de la caméra installée devant le temple-poterne et les violents éclairages dans la grande grotte !

Il avait sous les yeux une demi-douzaine de vues de la falaise, à l'intérieur comme à l'extérieur. Regroupés entre la bibliothèque et la synagogue, les compagnons du « Renouveau khazar » étaient toujours là, sous la menace des armes. Lazir, assis par terre, soutenu par un de ses camarades, semblait sur le point de s'évanouir. L'or de ses dents scintillait encore, mais dans un rictus de souffrance.

D'autres écrans montraient des hommes en noir perçant des trous avec des marteaux pneumatiques. On pouvait imaginer le vacarme mais de ne pas l'entendre donnait plus de force à l'image. Une caméra restait braquée, à l'entrée de la grande grotte, sur une boîte métallique rouge munie d'une antenne. Sur un autre écran, Sofer reconnu la Mikhva et le passage menant au puits de naphte. Là aussi des hommes s'affairaient, certains pataugeant dans l'eau du bain et le souillant sans vergogne. Le plus grand écran était occupé par une vue de la falaise. Mobile, contrairement aux autres, elle balayait les ouvertures troglodytiques. Sofer comprit qu'elle provenait d'un hélicoptère.

Thomson s'inclina sur l'un des micros de la console et demanda :

– Tony, vous m'entendez ?

Une voix sortit d'un haut-parleur.

– Oui, monsieur.

– Nous sommes prêts, ici. Combien de temps vous faut-il encore ?

– C'est quasiment bouclé, monsieur. Quatre minutes au plus.

– Vous en avez dix avec l'évacuation.

Sofer chercha Sonja sur chacun des écrans. Il tenta de repérer la grotte-cuisine, mais toutes les ouvertures et tous les escaliers se ressemblaient. Il désirait la voir, et en même temps le redoutait. Cependant, elle demeurait invisible. Était-il possible qu'elle soit parvenue à s'enfuir ? Mais comment atteindre la forêt sans passer par la poterne surveillée ?

Il sentit qu'on lui prenait le bras :

– Voici le marché, monsieur Sofer, murmura Bellow. Vous rentrez chez vous tranquillement. Il ne s'est rien passé. Vous n'avez rien vu. Ces jeunes gens du « Renouveau khazar » sont libérés après que vous avez obtenu leur silence. Dans quelques années, on aura peut-être trouvé une solution pour vos vestiges, qui sait. J'ai votre parole et vous avez la mienne. Le premier qui triche a perdu...

De sa petite main boudinée Bellow désigna les hommes en train de forer la falaise, puis la boîte métallique.

– Dans cinq minutes, la falaise sera entièrement minée. Je donne un ordre d'ici. La petite boîte avec l'antenne que vous voyez là-bas le reçoit et boum ! Aussi simple que cela. Il n'en subsistera que de la poussière et quelques articles dans les journaux accusant une bande mafieuse du coin. Les irresponsables en tout genre, ce n'est pas ce qui manque par ici !

– Vous ne pouvez pas faire ça, dit Sofer, désemparé.

– Je le ferai s'il le faut, et sans hésiter. N'imaginez pas que vous pourrez quoi que ce soit contre nous : vous n'avez aucune preuve. Et une fois la falaise détruite... tout ce qui restera sera là !

Bellow tapota le front de Sofer et ajouta :

– Moi, en revanche, j'ai des photos de vous avec les dangereux terroristes du « Renouveau khazar »...

Sofer passa la main sur son visage. Alors qu'il frissonnait de froid comme s'il était dans une glacière, la sueur dégoulinait dans sa barbe naissante.

– Pas question, murmura-t-il. Pas question !

La poigne de Bellow se durcit sur son bras.

– Encore quatre minutes pour vous décider ! Je vous le répète, vous vous taisez, et tout se passe bien.

– Vous détruirez la grotte dans un an ! En douce. Je le sais !

– Demain, c'est demain !

Sur les écrans, Sofer vit les hommes en noir quitter la grande grotte. Brusquement, la lumière s'y éteignit. L'écran devint noir.

– Mais ils sont à l'intérieur ! cria-t-il.

– Si la grotte saute, le « Renouveau khazar » saute avec, bien sûr.

Les hommes en noir surgissaient un peu partout sur la falaise. En courant ils s'engageaient sur le pont de la poterne. Les premiers filaient déjà sur le sentier menant à la forêt. La caméra de l'hélicoptère fit un zoom sur l'ouverture de la grande grotte.

– Trois minutes, annonça Thomson.

– Vous êtes immonde, chuchota Sofer.

– C'est vous qui choisissez, répliqua calmement Bellow, pas moi ! Vous dites oui, la lumière se rallume dans la grotte, ils sortent, et c'est fini.

Sofer regardait les écrans sans comprendre ce qu'il voyait. La face de la falaise était vide, étrangement immobile. Les cordes bleues y pendaient encore. La Mikhva était vide elle aussi, la surface de l'eau plane. La boîte métallique à l'entrée de la grande grotte irréelle.

– Monsieur !

L'un des garçons à la console fut le premier à la voir. Elle apparut sur la gauche de l'écran, bien au-dessus de la grande grotte.

– Nom de Dieu, qu'est-ce... ?

C'était bien elle. Sofer reconnut tout à la fois ses cheveux roux et sa silhouette.

– Thomson, qu'est-ce qu'elle fout là ? gronda Bellow.

Thomson était penché sur le micro et gueulait :

– C'est pour vous, l'hélico ! Ne la laissez pas désamorcer le détonateur !

Ce fut un bref et étrange ballet. La vue prise de l'hélicoptère se mit à danser tandis que l'appareil s'élevait. Au même moment, Sonja agrippa l'une des cordes et se laissa glisser sur des escaliers en contrebas. L'hélicoptère piqua du nez et une première rafale partit au moment où Sofer criait :

– Attention ! Attention !

Les balles firent éclater la roche deux mètres au-dessus d'elle, qui plongea sur une autre corde. Une nouvelle rafale la manqua : emportée par son élan, elle avait dérapé de biais, revenant sur la gauche.

Dans le haut-parleur, une voix anonyme dit : « Attention à l'instabilité du détonateur VHS, il est armé ! »

– Qu'est-ce que ça veut dire ? demanda Bellow sans obtenir de réponse.

– Bon Dieu de merde ! criait Thomson. Vous allez me la flinguer, oui ?

Sofer vit Sonja attraper une autre corde pour parvenir à l'entrée de la grande grotte tandis que les balles ne cessaient de creuser la falaise derrière elle. Un instant elle eut l'air de poser les pieds sur un escalier, puis il crut qu'elle s'envolait vers la forêt grâce à l'une des plus longues cordes. Soudain l'hélicoptère, trop proche, se redressa et l'image bascula vers le haut. La première explosion eut lieu. Une ouverture, qui donnait peut-être sur la Mikhva, s'emplit de poussière et de pierres...

– Les cons ! siffla Thomson. Ils ont flingué le détonateur ! Tout va sauter !

Pendant quelques secondes ils ne virent plus rien d'autre que la forêt : le pilote de l'hélicoptère plongeait à toute vitesse pour s'éloigner de la falaise. Lorsque enfin il pivota dans un large virage, ils découvrirent l'apocalypse.

La longue bande de la falaise était comme prise de soubresauts. Explosant et explosant encore, se transformant en un nuage gris qui effaçait tout, çà et là s'effondrant sur elle-même. Avec la lenteur d'un corps vaincu, elle s'enfonça dans la forêt paisible.

Sofer ferma les yeux. Il priait comme si le Mal incarné venait de le toucher au cœur et au visage.

Il entendit la voix de Bellow :

– Eh bien, voilà qui est réglé, monsieur Sofer. Vous n'avez plus de cas de conscience !

29

Sadoue

février 956

Il gelait à pierre fendre. Un ciel de plomb pesait sur l'immense plaine et annonçait la neige. Il n'empêche, le cœur d'Isaac était aussi brûlant que le feu du bivouac où il se réchauffait les mains.

À son côté, le rire espiègle d'Hezekiah les enveloppa de buée :

– C'est le dernier jour du voyage. Ce soir tu dormiras dans les bras d'Attex. Si elle le veut bien ! Après tout, il y a si longtemps que vous ne vous êtes pas vus... Qui t'assure qu'elle n'a pas trouvé par ici un vrai prince pour te remplacer ?

Isaac passa son bras autour des épaules du garçon et le serra contre lui :

– Ne t'inquiète pas, elle sera heureuse de me voir ! Je peux te le promettre : elle le sera !

Hezekiah battit ses mains gantées contre sa pelisse tout en observant les guerriers de leur escorte qui achevaient de seller leurs montures et d'entasser les tentes dans les chariots.

– On est toujours comme ça quand on aime ? demanda-t-il. On est toujours aussi content ?

Isaac rit à son tour :

– Je ne sais pas. C'est la première fois que j'aime.

Ils se turent un instant, chacun dans ses rêves. Puis Isaac suggéra :

– Aujourd'hui, peut-être qu'il ne sera pas nécessaire d'attendre les chariots ?

– Non ! Tu pourras galoper jusqu'aux grottes !

– Tu viens avec moi, prince. Tu sais que ce soir... Tu feras ce que tu m'as promis, n'est-ce pas ?

Hezekiah se dégagea brutalement de l'étreinte d'Isaac et soupira, excédé :

– Mais oui ! Moi, Hezekiah, fils du Khagan Joseph, je vous donnerai au nom de mon père et du rabbin Hanania l'autorisation d'être comme mari et femme !

– Tu le feras dans la Mikhva où Adam et Ève sont peints, n'est-ce pas ? Comme l'a dit le rabbin Hanania. Et tu expliqueras à la Kathum qu'elle peut décider de m'accompagner en Séfarade si elle en a le désir. Ainsi, elle remettra elle-même la lettre du Khagan au rabbin Hazdaï.

– Isaac ! Nous avons répété cette scène presque chaque jour depuis notre départ d'Itil...

Hezekiah s'interrompit, fronçant les sourcils. Sur le chemin gelé de la plaine, trois cavaliers arrivaient au grand galop. Un nuage de vapeur les entourait comme si le diable était à leurs trousses. Isaac se retourna. En même temps qu'Hezekiah il reconnut les hommes partis en éclaireurs la veille aux alentours de la cité secrète.

– Il se passe quelque chose, murmura Hezekiah.

Une douleur fusa dans les reins d'Isaac comme si l'on y plantait une dague. La joie, si présente il y a un instant, déserta son cœur.

– Prince ! Messire le prince ! cria le premier des cavaliers, alors à cinquante toises.

D'un bond, il sauta à terre tandis que son cheval tout fumant poursuivait sa course à petits bonds. Il tenait à la main un morceau d'oriflamme sur lequel Isaac reconnut la croix de Byzance.

– Mon prince, un grand malheur !

– Quel malheur ? demanda Isaac, déjà en colère.

– Il y a eu la guerre dans cette partie de la vallée, messire. Il y a plusieurs mois, sans doute dans l'été, et...

L'homme reprit son souffle, son regard hésita. Isaac remarqua que sa pelisse et ses gants étaient maculés de suie.

– Parle ! ordonna Hezekiah.

– C'est terrible, prince ! La forêt au pied de la falaise a brûlé tout entière. Il n'y a plus que des cendres. La falaise des grottes est noire de suie...

– Et eux, sont-ils vivants ? Les avez-vous vus ?

– Non, messire Isaac. Nous n'y sommes arrivés qu'à la nuit. Il était dangereux de s'aventurer dans les cendres. Et puis nous avons voulu vous prévenir au plus tôt...

– Mais y avait-il des lumières dans les grottes ?

– Non, messire, mais...

– À nos chevaux, Hezekiah ! Inutile de traîner !

Ils atteignirent le pied de la falaise, aussi noire que le monde qui les entourait. Isaac hurlait le nom d'Attex. Hezekiah appelait son grand-oncle Hanuko. Il n'y avait que les freux et les merles pour leur répondre.

Tout le long du sentier qui menait à la poterne, Isaac continua d'appeler Attex. Le nom de la Kathum devint une sorte de grondement qui roulait contre la falaise. Les freux se mirent à criailler horriblement.

Lorsqu'ils parvinrent à la poterne, ils découvrirent que la passerelle était en place mais à demi calcinée. Il ne restait que les limons susceptibles de soutenir le poids de leur passage. Le silence qui tombait sur eux des bouches béantes des grottes était à proprement parler un silence de mort. Tout du paysage et de la lumière ne parlait que de mort. Les larmes se mirent à couler sur les joues d'Hezekiah, mince rigole dans la suie poisseuse qui encrassait jusqu'à son sou.

Isaac se jeta à quatre pattes sur le limon de la passerelle et s'élança sur le vide. Au temple-poterne, il n'attendit ni Hezekiah ni les guerriers pour gravir les marches menant à la première des grottes. À nouveau il appela Attex. Il se précipita dans une alcôve en criant toujours. Et il se tut.

Il demeura silencieux jusqu'à ce que les autres le rejoignent.

Devant eux il y avait un amas de squelettes blancs, recouverts de lambeaux de vêtements. Il était impossible de savoir s'il s'agissait d'hommes ou de femmes, d'enfants ou de vieillards. Seules les orbites des crânes blancs les regardaient. Les os délicats des mains parfois retenaient encore un bâton, une épée rouillée ou un tissu.

Hezekiah poussa un cri et deux guerriers tirèrent leur scramasaxe. Un pan de tunique bougea, comme agité par une main. Un petit freux en surgit, les observant de son œil vif et étonné. Il s'envola en frôlant leurs têtes et même les solides guerriers khazars plièrent le genou pour l'éviter.

Isaac tomba à genoux, la tête dans les mains.

– Attex ! Attex, où es-tu ?

Jusqu'au crépuscule ils fouillèrent les grottes et n'exhumèrent que des os. Les oiseaux, qui maintenant tourbillonnaient avec fureur devant la falaise, n'avaient pas laissé la moindre chair sur les corps. Tous étaient désormais unis dans une même mort qui les indifférenciait.

Çà et là, mêlées aux ossements, Hezekiah et les guerriers repérèrent quelques traces des combattants arabes. Ici un casque qui portait le croissant sur sa pointe, insigne des soldats musulmans ; là une rondache brisée dont le cuir conservait l'empreinte du faucon, emblème de l'émir d'Alep. Mais après avoir tourné et retourné dans les couloirs, ils ne parvinrent pas à atteindre ni la grande grotte de la synagogue et de la bibliothèque, ni la fameuse Mikhva.

Hezekiah s'obstina :

– Ce n'est pas possible ! Elles sont là. Mon père et le rabbin Hanania m'en ont vanté la splendeur. Elles sont là, il faut les trouver !

C'est l'officier de l'escorte qui eut l'idée :

– Mon prince, votre grand-oncle a dû en faire maçonner les couloirs. Il devait craindre l'attaque des Musulmans et il a fait murer le boyau menant aux lieux saints, si bien que maintenant l'on s'y perd.

– C'est pour cette raison qu'ils se sont tous fait massacrer, ajouta un autre. Les soldats de l'Émir devaient être fous de rage de ne rien découvrir. Mon prince, hommes ou femmes, ceux qui ne sont plus que des os ont fait preuve d'un beau courage : aucun n'a révélé le secret !

Hezekiah voulut confier cette nouvelle à Isaac afin d'apaiser sa peine. Mais l'envoyé de Cordoue n'entendit même pas qu'on l'appelait.

Hagard, les yeux exorbités par la douleur et l'incompréhension, Isaac courait d'une grotte à l'autre, d'un escalier à l'autre, revenant cent fois s'incliner sur un squelette puis sur un autre, cherchant dans la couleur des os ou la finesse d'un crâne le visage tant aimé. Tous pouvaient être Attex et aucun ne l'était.

Que cette beauté se soit effacée ainsi, sans même qu'il puisse la voir disparaître, sans même qu'il puisse serrer entre ses bras son cadavre, le rendait fou. Il commença à balbutier qu'Attex était vivante et ne pouvait se trouver parmi ces ossements.

– Non, pleurait Hezekiah, elle est morte avec les autres. J'ai ramassé la tunique de l'oncle Hanuko. Elle devait être avec lui. Elle est morte comme un guerrier.

– Qu'en sais-tu ? rugit Isaac, qui aurait pu le frapper pour le faire taire. Qu'en sais-tu ?

Alors il recommença à appeler Attex.

Dans la nuit glacée qui venait, tel un dément, il jeta le nom de la bien-aimée dans la plaine couverte de cendres.

– Je t'attends, hurlait-il. Tu dois te purifier dans la Mikhva ! Ton frère le veut, le rabbin Hanania le veut ! Nous serons comme de vrais époux, tu l'as promis !

À nouveau les oiseaux seuls lui répondirent.

Hezekiah, terrorisé, se tassa dans un recoin, fermant les yeux et se bouchant les oreilles. Les guerriers eux-mêmes, malgré le grand feu qu'ils avaient allumé à l'entrée d'une grotte, claquaient des dents à chacun de ses hurlements. Puis Isaac cessa ses cris. Ils entendirent ses sanglots et son murmure :

– Elle est partie, elle ne reviendra jamais. Elle était belle comme le miel. L'Éternel l'avait créée pour Lui. Aucun homme ne pouvait la garder, c'est pour cela qu'elle est partie...

Hezekiah rejoignit son ami. Il grelottait sur une marche d'escalier, débraillé et aussi glacé qu'un cadavre. Pour le réchauffer, Hezekiah l'enlaça du mieux qu'il put, le couvrant de sa capeline de mouton.

– Moi aussi je dois devenir os, marmonna Isaac avec un bizarre sourire. Moi aussi le Tout-Puissant doit me donner à manger aux oiseaux. Sinon, je ne saurai jamais si elle est morte ou vivante.

Et comme il cherchait à prendre la dague d'Hezekiah dans sa ceinture, le garçon le devança. Il lança le *kourtar* dans le vide et chuchota :

– Isaac, tu dois vivre. Tu le dois. L'Éternel veut que tu portes la lettre de mon père à ton rabbin. Isaac, c'est cela que veut le Tout-Puissant, béni soit-Il. Tu dois aller en Séfarade : là-bas, ils t'attendent avec espoir. Tu leur diras que moi, Hezekiah, fils de Joseph, je serai peut-être ce roi de tous les Juifs de l'univers que mon père n'a pas souhaité être.

Épilogue

Paris, Montmartre

juillet 2000

De violents bruits métalliques rompirent son sommeil. Il était encore assez tôt. De l'autre côté de la rue, des ouvriers montaient un échafaudage. Voilà trois jours qu'ils lui servaient, pour ainsi dire, de réveille-matin.

Depuis son retour de Bakou, Sofer ne parvenait pas à calmer l'agitation de ses nuits. Son sommeil était encombré de rêves et de cauchemars. Sans cesse il lui semblait que quelque chose manquait. Qu'il devait se réveiller pour saisir cette absence, pour trouver la paix.

Hélas, lorsqu'il ouvrait les yeux, il ne lui restait de ses rêves qu'un visage. Un visage et un corps, un souffle et un rire. *Elle*. La même vision l'assaillait : Sonja se balançant à l'extrémité de ce filin alors que la falaise et les grottes devenaient poussière.

Avait-elle réussi à s'enfuir à temps ? Sans être blessée ou ensevelie comme ses compagnons sous des tonnes de pierres ?

Il n'avait même pas pu retourner à la falaise de Sadoue. Thomson et Bellow avaient fait boucler toute la région par l'armée géorgienne.

Officiellement, l'affaire était entendue. L'agence Reuter avait transmis la nouvelle à toutes les rédactions d'Europe et d'Amérique : le « Renouveau khazar » n'était qu'une invention de « bandits tchétchènes », une bande plus mafieuse que politique. Leur tentative de racket sur l'O.C.O.O. avait échoué grâce aux propres services de sécurité du consortium. En quelques semaines, ils avaient identifié la cachette des terroristes : une ville troglodytique à la frontière du Daghestan et de la Tchétchénie. Alors que la police géorgienne allait encercler cette position, une explosion sans doute due à une maladresse des terroristes avait littéralement soufflé les grottes de Sadoue. La violence de cette destruction donnait une idée de l'impressionnant arsenal que les terroristes du « Renouveau khazar » y avaient entreposé...

Bien sûr pas le moindre mot sur le pétrole et encore moins sur les vestiges khazars. Sofer n'avait pu s'empêcher d'admirer la simplicité du mensonge. Le Mal qui prenait souvent l'apparence la plus bénigne était celui qui niait la vérité, l'Histoire.

Mais lui, Marc Sofer, pouvait-il oublier ?

Il regarda sa main vide comme s'il allait y retrouver la trace du bois d'acacia de l'arche aux chérubins de la vieille synagogue khazar.

Il pensa à la bibliothèque si merveilleuse dont il ne demeurait rien. À la lettre d'Attex à Joseph que Sonja lui avait donnée... Bon sang, pourquoi ne l'avait-il pas glissée dans sa poche au moment de l'attaque ? Elle était sur la table de la cuisine...

Mais il n'avait plus de poche quand l'homme du commando l'avait capturé. Son veston était resté là-bas, sous l'éboulis qu'était devenue la falaise. Et avec son veston était aussi enfouie la pièce de monnaie de Yakubov.

Il ne lui restait rien. Absolument rien. Pas même une goutte d'eau de la Mikhva.

Il ferma les yeux pour tenter de revoir les fresques d'Adam et d'Ève. Il y parvenait encore. Mais pour combien de temps ? Il voyait aussi Sonja marchant dans l'eau purificatrice.

Puis l'image obsédante de celle qu'il avait appelée Attex, et qui avait disparu au bout d'une corde comme un lutin sort du cadre de la scène, l'assaillit à nouveau.

Combien de fois depuis son retour s'était-il dit qu'Attex n'était pas morte ?

Combien de fois s'était-il traité de vieux fou ?

Il s'ébroua et se prépara un petit déjeuner. Alors qu'il s'installait sur sa petite terrasse, il remarqua que ses rosiers, dans la lumière douce du matin, n'avaient pas leur éclat habituel. Il alla les voir de plus près et les découvrit recouverts de pucerons, le feuillage attaqué par un vigoureux oïdium.

Il fallait les traiter et les soigner. Dans une bouffée d'émotion sans doute excessive, l'odeur du jasmin qu'il avait planté un an auparavant lui coupa le souffle. Il lui sembla que cette débâcle florale était l'image même de ce qu'il venait de vivre.

Il pensa à Cordoue et songea qu'Isaac, à son retour, n'avait pu que ressentir cette même douleur alors qu'il retrouvait enfin la splendeur des jardins de Séfarade. L'un et l'autre, ils avaient connu la beauté de l'amour comme l'horreur de sa corruption. Une corruption née de la violence désinvolte et sournoise des hommes.

Comme lui, Isaac avait rongé son frein et effectué le voyage de retour en jouant avec l'espoir dément qu'Attex était encore en vie. Il avait accompli son devoir tel que l'avait voulu Hezekiah. Il lui avait fallu près de deux années pour apporter au rabbin Hazdaï Ibn Shaprut la réponse du roi Joseph. Oui, un Empire juif existait bel et bien à l'autre bout du monde, ce n'était pas un rêve et lui, Isaac, était porteur de ce fabuleux message.

Pourtant, ce même Isaac Ben Éliezer, tandis qu'il déposait la lettre du Khagan dans les mains du rabbin, savait que ces mots n'avaient plus de sens : une rumeur venue d'Asie se répandait déjà sur les marchés de Séfarade comme une fumée mauvaise. Itil, la capitale de l'empire des Juifs khazars, était désormais occupée par les Russes. Hezekiah ne deviendrait jamais ce grand roi qu'il avait rêvé d'être.

Cependant, Sofer était enclin à croire qu'une partie des Khazars était restée entre la mer Caspienne, la mer Noire, et dans le Caucase. En 1245, le voyageur Jean du Plan Carpin, disciple de saint François d'Assise, raconte, dans son *Historia Mongolorum*, qu'il a rencontré au nord du Caucase des Alains, des Circassiens et « des Khazars observant la religion juive ». Il se pouvait donc qu'Agarounov et ses amis les Juifs des montagnes fussent les descendants directs des Khazars...

Quant aux autres, aux centaines de milliers de ces Juifs « aryens » menacés de mort à la chute de leur empire, ils avaient dû s'exiler à l'ouest, dans cette Europe centrale où des royaumes naissants, telle la Pologne, étaient prêts à les accueillir. Ils y étaient arrivés en même temps que d'autres réfugiés juifs, les Ashkénazes, expulsés de France, de Flandre et d'Allemagne par les premières croisades. Quel était le pourcentage des uns et des autres dans ces six millions de Juifs que, des siècles plus tard, les nazis enverront à la mort ?

Sofer lui-même n'était-il pas un descendant du peuple d'Attex ? L'hypothèse était-elle si absurde ? Désormais, lorsqu'il se regardait dans un miroir, outre sa barbe qui avait poussé et lui donnait un visage de patriarche qu'il n'était pas, il se trouvait des yeux fendus et des pommettes saillantes.

Le vent des Khazars avait soufflé sur la steppe, en chassant les Khazars eux-mêmes, les poussant vers l'Europe, dans les montagnes du Caucase.

Le vent des Khazars avait soufflé durant des siècles, effaçant toute trace du royaume juif avec patience et obstination, jusqu'à ce qu'il n'en reste pas même une épée ou une lettre d'amour.

Le vent des Khazars avait disséminé et porté loin les vestiges des temps anciens. Pour la toute dernière fois, il venait de souffler et de retomber avec la poussière de la falaise de Sadoue.

Il ne restait plus dans les paumes de Sofer que le souvenir de la peau d'Attex et, au bout de ses doigts, l'ombre des mots qui, peut-être, un jour, bâtiraient la mémoire des Khazars.

Je tiens à remercier tous ceux qui m'ont aidé dans la recherche de la documentation sur les Khazars : Jean-Pierre Allali, Maria Iakoubovitch, Clara Halter, Vladimir Petrukhin, Oksana Podetti ; pour son travail éditorial au sein des Éditions Laffont : Nathalie Théry ; pour m'avoir guidé et accompagné auprès des Juifs des montagnes dans le Caucase : Mikhail Agarounov.

TABLE DES MATIÈRES

" Deux mille ans d'histoire "

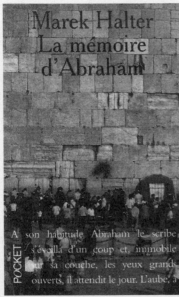

Marek Halter
La mémoire
d'Abraham

A son habitude Abraham le scribe
s'éveilla d'un coup et, immobile
sur sa couche, les yeux grands
ouverts, il attendit le jour. L'aube, à

POCKET

(Pocket n° 2308)

Deux mille ans d'histoire à travers celle d'une famille juive. De cette aube de l'an 70 où le scribe Abraham quitte Jérusalem en flammes, à ce jour de 1943 où l'imprimeur Abraham Halter meurt sous les ruines du ghetto de Varsovie, cent générations d'une même famille se transmettent le "Livre familial", mémoire de l'exil. Jusqu'à Marek Halter, dernier scribe de la lignée, qui aujourd'hui revisite les siècles.

Il y a toujours un Pocket à découvrir

" Les trésors du Temple "

(Pocket n° 10879)

À Brooklyn, un jeune juif géorgien est abattu par la mafia russe. Involontairement responsable de sa mort, Tom Hopkins, journaliste au *New York Times*, découvre le secret de la victime : Aaron connaissait un manuscrit vieux de plus de deux mille ans dévoilant l'emplacement des 64 caches où serait enterré le trésor du Temple de Jérusalem. Exalté par le mystère, Tom Hopkins contacte un écrivain parisien versé dans le Talmud et la tradition hébraïque, Marek Halter, qui rêve lui-même de déchiffrer l'énigme de Jérusalem.

Il y a toujours un Pocket à découvrir

Impression réalisée sur Presse Offset par

BRODARD & TAUPIN

GROUPE CPI

17779 – La Flèche (Sarthe), le 19-03-2003
Dépôt légal : mars 2003

POCKET – 12, avenue d'Italie - 75627 Paris cedex 13
Tél. : 01.44.16.05.00

Imprimé en France